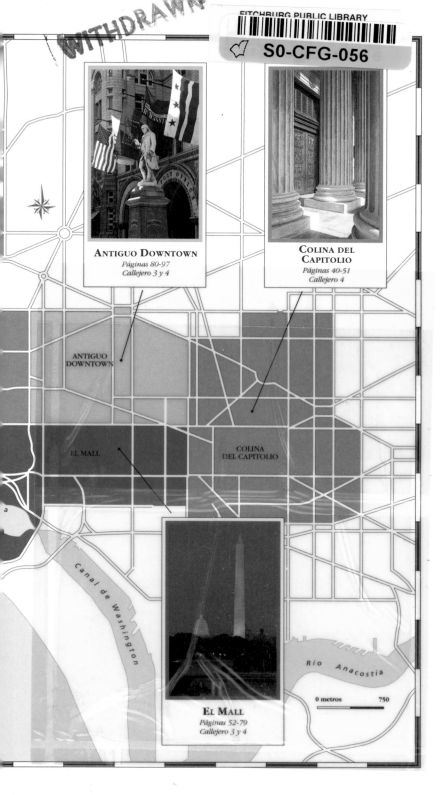

ANTIGUO DOWNTOWN
Páginas 80-97
Callejero 3 y 4

COLINA DEL CAPITOLIO
Páginas 40-51
Callejero 4

ANTIGUO
DOWNTOWN

EL MALL

COLINA
DEL CAPITOLIO

Canal de Washington

Río Anacostia

0 metros 750

EL MALL
Páginas 52-79
Callejero 3 y 4

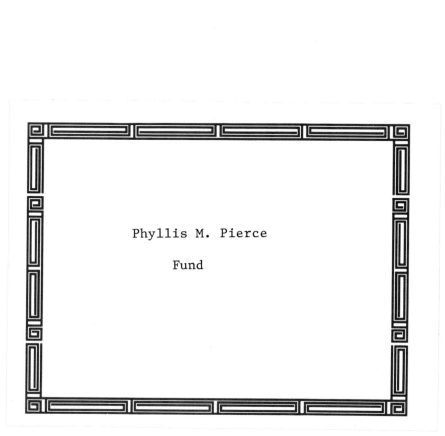

Phyllis M. Pierce

Fund

GUÍAS *VISUALES* PEUGEOT

WASHINGTON

WASHINGTON

EL PAIS
AGUILAR

VIAJES Y TURISMO

Traducción: Josefina Fernández
Edición: Belén Bermejo
Adaptación: Guillermo Esain
Maquetación: Mercedes García

FOTOGRAFÍAS
Philippe Dewet, Kim Sayer, Giles Stokoe, Scott Suchman

ILUSTRACIONES
Stephen Conlin, Gary Cross, Richard Draper, Chris Orr & Associates,
Mel Pickering, Robbie Polley, John Woodcock

•

Primera edición, 2001

Título original: **Eyewitness Travel Guide, Washington, DC**
© 2000 Dorling Kindersley Limited, London
http: //www.dk.com.
© Ediciones El País, S.A./ Grupo Santillana de Ediciones, S.A.
2001 para la presente edición
Torrelaguna, 60. 28043 Madrid
Tel. 91 744 90 60. Fax 91 744 90 93.

ISBN: 84-03-50027-0

• Aguilar, Altea, Taurus, Alfaguara S. A.
Beazley 3860. 1437 Buenos Aires

• Aguilar, Altea, Taurus, Alfaguara S. A. de C. V.
Avda. Universidad, 767, Col. del Valle, México, D.F. C. P. 031000

Impreso en Hong Kong

CONTENIDOS

CÓMO UTILIZAR ESTA GUÍA *6*

Fuente en Dumbarton Oaks

APROXIMACIÓN A WASHINGTON

WASHINGTON EN EL MAPA *10*

HISTORIA DE WASHINGTON *14*

WASHINGTON DE UN VISTAZO *28*

WASHINGTON MES A MES *34*

Vista de Lincoln Memorial desde el Cementerio Nacional de Arlington

◁ **La Casa Blanca**

Columnas del Capitolio, hoy en el US National Arboretum

Sopa de judías *Senado*

Vendedor de mapas junto a la
National Gallery of Art, en el Mall

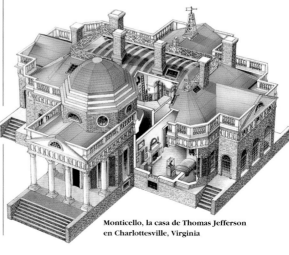

Monticello, la casa de Thomas Jefferson
en Charlottesville, Virginia

CÓMO UTILIZAR ESTA GUÍA

STA GUÍA le ayudará a sacar el máximo partido de su visita a Washington, con información práctica y detallada. *Aproximación a Washington* sitúa la ciudad y la región en su contexto geográfico, histórico y cultural, con información general sobre sus mayores atractivos. *Itinerarios por Washington* se centra en los principales lugares de interés con ayuda de fotografías, ilustraciones y planos. *Las afueras* recoge los lugares de interés de los barrios que rodean el centro y *Excursiones desde Washington* ayuda a conocer otros sitios que se pueden visitar desde la ciudad. *Necesidades del viajero* muestra información detallada sobre hoteles, restaurantes y bares, distracciones y compras, mientras que *Manual de supervivencia* contiene todo tipo de consejos prácticos, desde cómo cambiar dinero a cómo utilizar el Metrorail.

ITINERARIOS POR WASHINGTON

El centro de Washington se ha dividido en cinco zonas identificadas con un color para ubicarlas mejor; cada una ocupa un capítulo que incluye un plano donde aparecen numerados y localizados los distintos lugares de interés.

1 Introducción
Facilita información sobre la historia y las características de la zona. Incluye un mapa en el que aparecen indicados los lugares de interés.

La zona sombreada en rosa aparece con más detalle en el plano en tres dimensiones de las páginas siguientes.

A cada zona se le asigna un color distinto.

Plano de situación

2 Plano en tres dimensiones
Ofrece una panorámica de cada zona de interés con los lugares más interesantes. Precedido de una estrella se destaca lo que no debe perderse.

Información esencial Proporciona toda la información práctica necesaria para la visita.

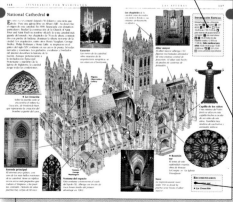

Los itinerarios sugeridos incluyen las calles más interesantes y atractivas de la zona.

3 Los lugares de mayor interés se describen en dos o más páginas. Los edificios históricos están seccionados para mostrar su interior. El código de color ayuda a localizar los lugares más interesantes.

Las estrellas señalan las visitas obligadas.

PLANO DE WASHINGTON

L AS ZONAS COLOREADAS del plano (ver interior de la cubierta) se corresponden con las cinco zonas en las que esta guía ha dividido la ciudad. Cada una de ellas se describe en detalle en la sección *Itinerarios por Washington (pp. 38-121)* y también están señaladas en algunos planos de otras partes de la guía. *Washington de un vistazo (ver pp. 28-33)* ayuda a ubicar los principales monumentos. El *callejero (ver pp.208-213)* muestra los lugares de interés de estas cinco zonas en un detallado plano de Washington.

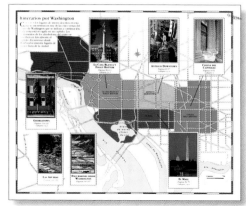

4 Información detallada
Los lugares de mayor interés están descritos uno por uno siguiendo el orden del plano de zona.

Información práctica para visitar un lugar. El significado de los símbolos utilizados figura en la solapa posterior.

La introducción informa sobre la historia y características de la zona en cuestión.

El plano de la ciudad permite ubicar los lugares de interés de los barrios periféricos con respecto al centro de la ciudad.

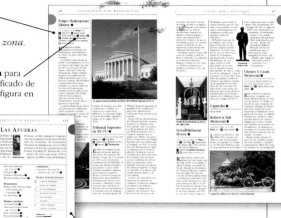

5 Las afueras
Abarca los lugares de interés de los alrededores de Washington a los que se puede llegar fácilmente desde el centro.

6 Excursiones desde Washington
Este capítulo incluye ciudades interesantes o de importancia histórica y parques nacionales que se pueden visitar en el día desde Washington.

Los lugares de interés especial, como este parque nacional, se describen con mapas e información detallada.

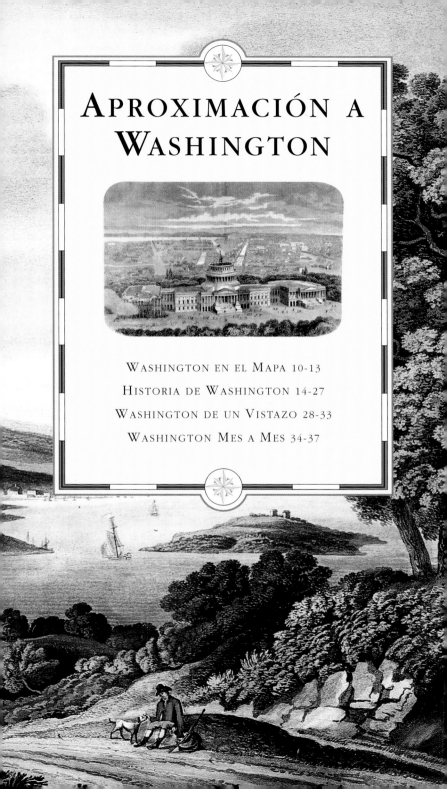

APROXIMACIÓN A WASHINGTON

Washington en el mapa

L A CIUDAD DE WASHINGTON se encuentra cerca de la costa este de Estados Unidos, rodeada por el estado de Maryland y separada de Virginia por el río Potomac. Tiene una extensión de 108 km² y una población de 607.000 habitantes. Como capital de Estados Unidos y sede del gobierno federal desempeña un papel fundamental en la vida del país. Es una ciudad muy turística que recibe millones de visitantes al año. Desde Washington se pueden visitar los bellos parajes naturales de Maryland y Virginia.

Imagen por satélite de Washington con el río Potomac

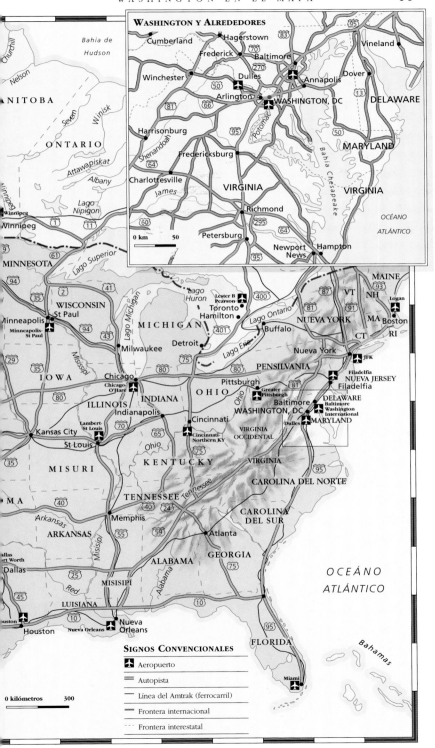

WASHINGTON Y ALREDEDORES

Cumberland · Hagerstown
Frederick · Baltimore
Winchester · Dulles · Annapolis
Arlington · WASHINGTON, DC · Dover
Harrisonburg · DELAWARE
Fredericksburg · MARYLAND
Charlottesville · VIRGINIA · Richmond · Petersburg
Newport News · Hampton

0 km   50

Bahía de Hudson

MANITOBA
ONTARIO
Winnipeg
MINNESOTA
WISCONSIN
St Paul
Minneapolis
Minneapolis-St Paul
IOWA
Chicago
Chicago-O'Hare
ILLINOIS
INDIANA
Indianapolis
Kansas City
St Louis
Lambert-St Louis
MISURI
MICHIGAN
Detroit
Milwaukee
Toronto
Hamilton
Lester B Pearson
Buffalo
Nueva York
NUEVA YORK
PENSILVANIA
Pittsburgh
Greater Pittsburgh
OHIO
Cincinnati
Cincinnati-Northern KY
KENTUCKY
TENNESSEE
Memphis
ARKANSAS
MISISIPÍ
LUISIANA
Houston
Nueva Orleans
Dallas
Fort Worth
ALABAMA
GEORGIA
Atlanta
CAROLINA DEL SUR
CAROLINA DEL NORTE
VIRGINIA
VIRGINIA OCCIDENTAL
WASHINGTON, DC
Baltimore
Baltimore Washington International
Dulles
MARYLAND
DELAWARE
NUEVA JERSEY
Filadelfia
JFK
Boston
Logan
MAINE
VT NH
MA
CT RI

VINELAND
Annapolis
Potomac
Bahía Chesapeake

Lago Superior
Lago Michigan
Lago Huron
Lago Ontario
Lago Erie
Misisipí
Ohio
Tennessee
Arkansas
Red

FLORIDA
Miami
Bahamas

OCÉANO ATLÁNTICO

SIGNOS CONVENCIONALES

✈ Aeropuerto

═ Autopista

── Línea del Amtrak (ferrocarril)

── Frontera internacional

--- Frontera interestatal

0 kilómetros   300

El Gran Washington

L A CIUDAD DE WASHINGTON fue creada no sólo como nueva capital de Estados Unidos, sino como sede del gobierno federal, independiente de cualquier estado. Se diseñó como un plano en damero con avenidas radiales. Un lado del cuadrado se perdió al devolver parte de las tierras de Virginia en 1846. Aunque se ha extendido más allá de sus límites originales, oficialmente el distrito de Columbia queda dentro de las fronteras indicadas. La ciudad cuenta con un moderno y eficaz sistema de metro que permite moverse con facilidad.

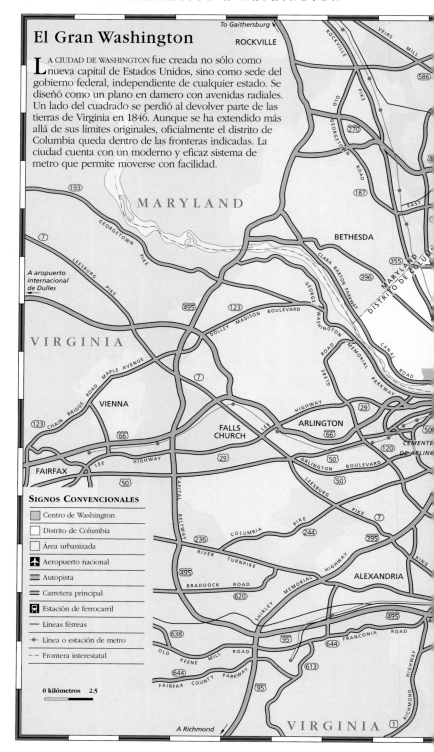

To Gaithersburg
ROCKVILLE
VEIRS MILL
ROCKVILLE PIKE
586
OLD GEORGETOWN ROAD
270
193
MARYLAND
187
EAST
GEORGETOWN PIKE
BETHESDA
7
CLARA BARTON PARKWAY
355
LEESBURG PIKE
396
MARYLAND
DISTRITO DE COLUMBIA
A aropuerto
internacional
de Dulles
495
123
DOLLEY MADISON BOULEVARD
GEORGE WASHINGTON MEMORIAL PARKWAY
CANAL ROAD
VIRGINIA
GLEBE ROAD
MAPLE AVENUE
7
CHAIN BRIDGE ROAD
VIENNA
HIGHWAY
29
ARLINGTON
123
66
LEE
FALLS CHURCH
66
50
CEMENTE
DE ARLIN
120
LEE HIGHWAY
29
ARLINGTON BOULEVARD
50
FAIRFAX
50
LEESBURG PIKE
50
7

SIGNOS CONVENCIONALES

▢	Centro de Washington
▢	Distrito de Columbia
▢	Área urbanizada
✈	Aeropuerto nacional
▬	Autopista
▬	Carretera principal
🚉	Estación de ferrocarril
—	Líneas férreas
●—	Línea o estación de metro
–·–	Frontera interestatal

CAPITAL BELTWAY
236
COLUMBIA PIKE
244
395
RIVER TURNPIKE
495
HIGHWAY
KING
BRADDOCK ROAD
ALEXANDRIA
620
SHIRLEY MEMORIAL HIGHWAY
495
FRANCONIA ROAD
638
95
644
0 kilómetros   2.5
OLD KEENE MILL ROAD
644
FAIRFAX COUNTY PARKWAY
95
613
RICHMOND HIGHWAY
A Richmond
VIRGINIA
1

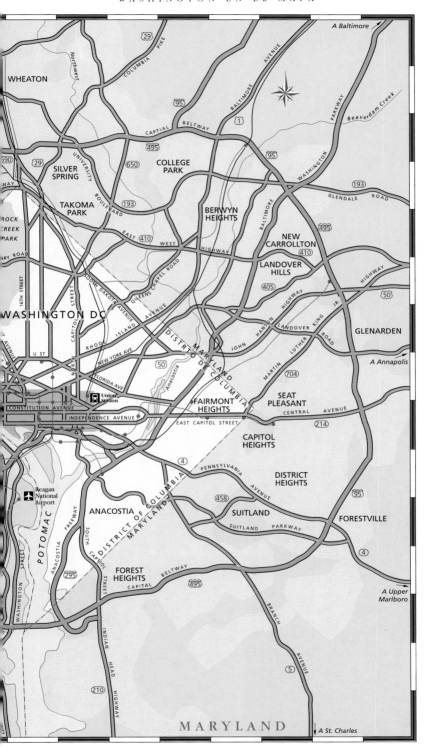

HISTORIA DE WASHINGTON

LO QUE HOY SE CONOCE *como distrito de Columbia estaba habitado por ameroindios hace 6.000 años. Se han encontrado restos arqueológicos de tres asentamientos, el mayor de ellos Nacotchtanke. Sus pobladores, los indios anacostianos se establecieron a lo largo del río Potomac y de un pequeño afluente de éste, el río Anacostia.*

LA COLONIA INGLESA

En diciembre de 1606 el capitán John Smith de la Virginia Company zarpó de Inglaterra por orden del rey James I (Jacobo I) hacia el Nuevo Mundo. Cinco meses más tarde arribó a la bahía de Chesapeake y fundó la colonia Jamestown. Excelente cartógrafo, el capitán Smith ascendía, poco después, por el río Potomac. En 1608 llegó a la zona donde más tarde se fundaría Washington.

Los pioneros ingleses que le siguieron se dedicaron primero al comercio de la piel y luego cultivaron tabaco y maíz. El matrimonio celebrado en 1614 entre el colono John Rolfe y Pocahontas, hija del jefe indio Powhatan, aseguró la paz entre ingleses e indios durante ocho años. Sin embargo, las luchas por la posesión de la tierra llevaron a la matanza de 1622. A la victoria inglesa sobre los indios en 1644 siguió un tratado de paz en 1646.

El asentamiento de Jamestown, Virginia, en 1607

Los primeros africanos llegaron a la región en 1619. Al principio trabajaban en las plantaciones a cambio de manutención y alojamiento. Sin embargo, en los 40 años siguientes la situación cambió y los negros pasaron a ser comprados de por vida y sus hijos a pertenecer a su amo. El número de esclavos fue aumentando a medida que crecían las plantaciones. Hacia 1600 llegaron a la región irlandeses y escoceses, dirigidos por el capitán Robert Troop. Los puertos de George Town (la actual Georgetown) y Alexandria, junto al río Potomac, se convirtieron pronto en florecientes centros de comercio. En ellos se inspeccionaban, almacenaban y embarcaban las cosechas de los colonos. Las dos ciudades se trazaron con diseño rectangular. La región, bien comunicada y con fértiles y abundantes tierras y trabajo, se convirtió en una zona muy próspera.

CRONOLOGÍA

1607 El capitán John Smith funda Jamestown, en Virginia

1619 Primeros africanos en las colonias norteamericanas

El capitán John Smith (1580-1631)

1751 Fundación de George Town

1600	1650	1700	1750

1646 Los indios y los ingleses llegan a un acuerdo sobre la región de Tidewater y Potomac

1748 Los comerciantes de tabaco donan tierras para fundar Alexandria

1634 Lord Baltimore funda una colonia católica en Maryland

◁ **George Washington pintado por Rembrandt Teale entre 1824-1825**

AÑOS REVOLUCIONARIOS

Unos cien años después de la llegada de los primeros colonos comenzó el descontento frente al gobierno británico en la región de Potomac y en el resto de las 13 colonias norteamericanas. El detonante de la guerra de Independencia fue el ataque de los colonos a los ingleses en Lexington, Massachussets, el 19 de abril de 1775, hartos de pagar impuestos sin nada a cambio.

El 4 de julio de 1776 fue promulgada la Declaración de Independencia en un intento de los colonos de liberarse del yugo británico. A las revueltas siguió la revolución; los recién constituidos Estados Unidos, ayudados por los franceses, obtuvieron una importante victoria en Saratoga, Nueva York, en 1777. El 19 de octubre de 1781 los británicos, al mando de lord Cornwallis, se rindieron en Yorktown, Virginia. Así terminó la guerra y Estados Unidos se independizó. El 3 de septiembre de 1783 en virtud del Tratado de París, Gran Bretaña entregó a Estados Unidos los territorios situados entre el sur de la actual Canadá y el norte de Florida y hasta el río Misisipí por el oeste.

El Congreso Continental, un órgano legislativo con representantes de la nueva nación, eligió un comité para redactar la primera constitución del país. El resultado fueron los Artículos de Confederación, que establecían la unión de los recién creados estados pero concedía poco poder al gobierno central. Esto dejaría paso a una forma más fuerte de

Lord Cornwallis

Reunión en Nueva York de los miembros del Congreso para decidir la ubicación de la nueva capital

gobierno, creado por los delegados de la Convención Federal Constitucional en Filadelfia en mayo de 1787. George Washington, elegido presidente por unanimidad, tomó posesión de su cargo el 30 de abril de 1789.

UNA NUEVA CIUDAD

La Constitución de los Estados Unidos, ratificada en 1788, establecía la creación de una sede del gobierno que no excediera los 26 km² y que sería gobernada por el Congreso de los Estados Unidos. Esta zona debía ser independiente y no pertenecer a ningún estado. En la primera sesión del Congreso, en Nueva York en 1789, surgió una discusión entre los delegados del norte y del sur sobre la situación de la capital. El secretario del Tesoro, Alexander Hamilton, y el secretario de Estado, Thomas Jefferson, acordaron que las deudas

CRONOLOGÍA

1781 Rendición de los británicos en Yorktown

1783 Estados Unidos y Gran Bretaña firman el Tratado de París

1787 La Convención Federal Constitucional se reúne en Filadelfia

1793 El presiden[t] Washington pone primera piedra de Capitolio

1775	1780		1785	1790	179[ ]

1775 Primeras batallas de la Revolución Americana en Lexington y Concord

Artículos de Confederación

1789 Reunión de los delegados en Nueva York para decidir la ubicación de la nueva capital

1791 El presidente Washington consigue tierras para la capital

1792 Comienza la construcción de la residencia del president[e] (la futura Casa Blanca)

contraídas por los estados del norte durante la guerra de Independencia serían pagadas por el gobierno a cambio de que la capital se ubicara en el sur. George Washington eligió una zona que abarcaba tierras de Maryland y de Virginia, con las ciudades de Alexandria y Georgetown, y convenció a los propietarios de las tierras para que las vendieran a 25 dólares el acre (0,4 hectáreas). Eligió a un supervisor, Andrew Ellicott, y a su ayudante, Benjamin Banneker, un afroamericano libre, para hacer el trazado de las calles y las parcelas. Washington aceptó también la oferta de Pierre Charles L'Enfant para que hiciera el proyecto de la nueva capital *(ver p. 65).*

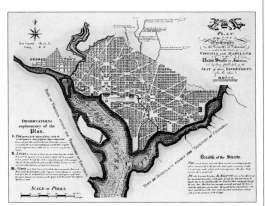

Mapa de Ellicott de 1792, basado en el plano de L'Enfant

En 1800 el gobierno se trasladó a Washington. El presidente John Adams y su mujer Abigail se establecieron en la nueva casa del presidente, diseñada por James Hoban, que Theodore Roosevelt rebautizaría como Casa Blanca. La ciudad permaneció prácticamente deshabitada durante los años que duró su construcción.

La Guerra de 1812

Las restricciones al comercio y al tráfico marítimos impuestas por los británicos aumentaron la tensión con Gran Bretaña durante el mandato de James Madison. El 18 de junio de 1812 Estados Unidos declaró la guerra a Gran Bretaña. En agosto de 1814 los británicos llegaron hasta Washington y se llevaron la Declaración de Independencia y la Constitución del Capitolio. La mujer del presidente escapó de la Casa Blanca con el retrato de George Washington de Gilbert Stuart.

El 24 de agosto los británicos vencieron a los estadounidenses en Bladensburg, en Washington. Incendiaron el departamento de Guerra, el de Hacienda, el Capitolio y la Casa Blanca. La lluvia evitó la destrucción de la ciudad. El Tratado de Gante, firmado el 17 de febrero de 1815 en el Octágono, puso fin a la guerra.

Ataque británico a Washington en 1814

Firma del tratado de Gante

Carrera entre la locomotora Tom Thumb del ferrocarril de Baltimore y Ohio y un coche de caballos

EL RESURGIMIENTO

El final de la guerra de 1812 trajo un periodo de renovado optimismo y prosperidad económica a Washington y sus habitantes quisieron convertirla en una importante capital comercial. Se proyectó la construcción del canal de Chesapeake y Ohio para conectar Washington con el valle del río Ohio y permitir el comercio con el oeste. También comenzó la construcción del ferrocarril de Baltimore y Ohio. Con el aumento de la población surgieron nuevos hoteles y casas de huéspedes para alojar a los congresistas de la nación y florecieron periódicos como el *National Intelligencer.*

En 1829 se fundó la Smithsonian Institution con el legado que el inglés James Smithson donó a los Estados Unidos, una colección de minerales, libros y 500.000 dólares en oro.

Se comenzó la construcción de tres importantes edificios gubernamentales diseñados por Robert Mills (1781-1855): el edificio del Tesoro, la Oficina de Patentes y Correos. También en esa época la Washington National Monument Society, dirigida por George Watterson, decidió erigir un obelisco de 183 metros que se convertiría en el Washington Monument, diseñado también por Robert Mills.

LA ESCLAVITUD DIVIDE LA CIUDAD

La tensión racial aumentó y desembocó en 1853 en lo que sería conocido más tarde como Snow Riot. Tras el asesinato frustrado de la viuda del arquitecto William Thornton, un profesor de botánica del norte fue arrestado y acusado de incitar a los negros al encontrarse plantas envueltas en un periódico abolicionista. Este incidente produjo unos disturbios en los que fue destrozada una escuela de niños negros y el interior de un restaurante propiedad de Beverly Snow, un negro libre. Como consecuencia, y a pesar de la rabia de muchos, tanto blancos como negros, se dictaron leyes que prohibían a los negros libres regentar salones o restaurantes.

Nada ha causado más divisiones en la historia de Washington que el problema de la esclavitud. Muchos ciudadanos poseían esclavos mientras

Esclavos encadenados ante la construcción del Capitolio

CRONOLOGÍA

1828 Construcción del canal de Chesapeake y Ohio bajo el mandato del presidente John Quincy Adams

James Smithson (1765-1829)

1844 La invención del telégrafo agiliza la llegada de noticias desde Washington

1825	1830	1835	1840	184

1829 James Smithson deja una fortuna de más de 500.000 dólares a Estados Unidos

1827 Se funda la Sociedad Abolicionista de Washington

1835 El ferrocarril de Baltimore y Ohio une Washington con Baltimore. La tensión racial provoca el Snow Riot

1846 Comienza la construcción del Smithsonian Castle. Alexandria es devuelta a Virginia

que otros eran abolicionistas fervientes. Las casas de algunos abolicionistas y de negros libres, así como iglesias negras, ocultaron a esclavos fugitivos. Una noche de abril de 1848, 77 esclavos intentaron escapar de la ciudad a bordo de una goleta por el río Potomac. La noche siguiente fueron capturados y devueltos a Washington, donde fueron subastados. El incidente no hizo sino aumentar la tensión entre esclavistas y antiesclavistas. La esclavitud fue abolida finalmente en Washington en 1862.

LA GUERRA DE SECESIÓN

En 1860, a raíz de la elección del presidente Abraham Lincoln, varios estados sureños se separaron de la Unión como protesta contra la posición del presidente frente a la esclavitud. Los enfrentamientos en Fort Sumter en Charleston, Carolina del Sur, el 12 de abril de 1861, serían el comienzo de la guerra civil. En verano llegaron a Washington 50.000 voluntarios para unirse al ejército del Potomac bajo las órdenes del general George B. McClellan. De la noche a la mañana, la ciudad tuvo que encar-

Ciudadanos negros de Washington celebrando la abolición de la esclavitud en el distrito de Columbia

garse de alojar, alimentar y vestir a las tropas, además de cuidar a los heridos. Los edificios y las iglesias se convirtieron en hospitales improvisados. Muchas personas, entre ellas la escritora Louise May Alcott y el poeta Walt Whitman, acudieron a cuidar a los heridos.

Tras las escaramuzas del 12 de julio de 1864 en Fort Stevens, presenciadas por el propio Lincoln, los confederados se retiraron. En marzo de 1865 el final de la guerra parecía muy cercano. La rendición del general confederado Robert E. Lee, el 9 de abril de 1865, fue celebrada con desfiles, discurso y bandas de música. Sin embargo, la alegría duró poco. Cinco días después, trastornado por la victoria de la Unión, John Wilkes Booth asesinó a Lincoln en el Ford's Theatre durante el tercer acto de *Our American Cousin*. Lincoln fue llevado a la casa del sastre William Peterson, frente al teatro, donde moriría la mañana siguiente *(ver p. 90)*.

Desfile por las calles de Washington para celebrar el final de la guerra de Secesión en abril de 1865

1859 Se completa el ala del Capitolio destinada al Senado

1851 Comienza la ampliación del Capitolio

1857 Se completa el ala del Capitolio destinada al Congreso

1861 Comienza la guerra de Secesión con los enfrentamientos de Fort Sumter, en Carolina del Sur

1862 El distrito de Columbia abole la esclavitud

1850	1855	1860	1865

1848 77 esclavos intentan escapar de Washington en una goleta. Se inicia la construcción del Washington Monument

1863 Se redacta la Proclamación de Emancipación

1865 El general Robert E. Lee se rinde a la Unión. El presidente Lincoln es asesinado

El presidente Lincoln

1860 Abraham Lincoln es elegido presidente

La Posguerra

El Freedmen's Bureau (secretaría de los libertos) se creó para proporcionar casa, alimentos, educación y empleo a la población negra. En 1867 el general Oliver Otis Howard, comisario de la secretaría, destinó 500.000 dólares del presupuesto para adquirir terrenos y crear una universidad para afroamericanos. El general fue presidente de dicha institución, que más tarde se convertiría en Howard University, de 1869 a 1873.

El 21 de febrero de 1871 se constituyó un nuevo "gobierno territorial" para unificar Georgetown, Washington y el condado de Washington en el distrito de Columbia. El presidente Ulysses S. Grant nombró a un gobernador y creó un departamento de obras públicas. Bajo la dirección de Alexander *Boss* Shepherd, miembro del departamento, se pavimentaron e iluminaron las calles, se construyeron aceras y parques y se diseñó un avanzado

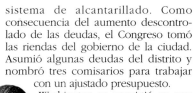

Frederick Douglass

sistema de alcantarillado. Como consecuencia del aumento descontrolado de las deudas, el Congreso tomó las riendas del gobierno de la ciudad. Asumió algunas deudas del distrito y nombró tres comisarios para trabajar con un ajustado presupuesto.

Washington se convirtió en una ciudad de contrastes que atrajo por igual a ricos y pobres. Uno de los más distinguidos literatos de la ciudad fue Henry Adams, conocido por su obra autobiográfica, *La educación de Henry Adams*. Vivió en Lafayette Square, en la casa contigua a la del también hombre de letras y secretario de Estado John Hay. Uno de los afroamericanos más influyentes de Washington, Frederick Douglass, vivió en Cedar Hill, en Anacostia, al otro lado del río. Nacido esclavo en Maryland, huyó al norte en busca de la libertad y fundó un periódico abolicionista. Durante la guerra de Secesión fue consejero de Lincoln.

A pesar de que muchos vivían bien, incluyendo a la floreciente clase media que se mudó a los nuevos suburbios de Mount Pleasant y LeDroit Park, los escondidos callejones de la ciudad albergaban a muchos pobres.

Un Nuevo Siglo

En 1901 el senador James McMillan de Michigan dirigió un plan para mejorar el diseño de Washington participando en el movimiento en boga de aquella época, *city beautiful* (ciudad bella). El proyecto de L'Enfant, que contemplaba la construcción de una avenida, el Mall, entre

Obras de la Biblioteca del Congreso

CRONOLOGÍA

Oliver Otis Howard (1830-1909)

1867 Fundación de Howard University

1871 Creación del gobierno territorial

1877 Frederick Douglass se traslada a Cedar Hill. Se publica el primer ejemplar del *Washington Post*

1878 El primer servicio de teléfonos de Washington se convierte en empresa municipal

1884 Finaliza la construcción del Washington Monument

1889 Comienzan las obras de la Biblioteca del Congreso

1897 Primer automóvil en el distrito de Columbia

1899 Se promulga la ley que regula la altura de los edificios de la ciudad

1901 El senador James McMillan encabeza el movimiento *city beautiful*

1870   1880   1890   1900

Sufragistas exigiendo un juicio justo para su dirigente, Alice Paul

años veinte fueron una época de florecimiento para la comunidad negra. En la zona de U Street y Howard University proliferaron los comercios, teatros, salas de fiesta y restaurantes, y se establecieron músicos y escritores como Duke Ellington, la cantante de ópera francesa Evanti, los poetas Langston Hughes y Paul Dunbar, Alain Locke, profesor de filosofía en Howard, y Jean Toomer, autor de *Cane*.

el Washington Monument y el Capitolio se llevó a cabo. Los arquitectos Daniel Burnham y Charles F. McKim, entre otros, fueron los responsables del monumento en honor del presidente Abraham Lincoln, el Lincoln Memorial.

Cuando Estados Unidos entró en la I Guerra Mundial en 1917, una multitud de mujeres llegó a la ciudad para ocupar los puestos de los hombres. Las sufragistas tomaron las calles para pedir el derecho al voto. El Partido Nacional de las Mujeres, dirigido por Alice Paul, exigió ante la Casa Blanca al presidente Wilson una enmienda constitucional que les permitiera votar.

Los afroamericanos de Washington no sólo no podían votar, sino que eran discriminados en vivienda y educación. Con la exclusión de un batallón negro de un desfile al final de la I Guerra Mundial, la tensión aumentó. El 20 de julio de 1919 comenzaron unos disturbios callejeros que durarían cuatro días. Aunque la discriminación no desapareció, los

El presidente Franklin D. Roosevelt y su esposa Eleanor

ROOSEVELT Y EL NEW DEAL

Con el derrumbamiento de la Bolsa de 1929, los empleados del gobierno federal vieron reducidos sus sueldos y muchos trabajadores de Washington perdieron su trabajo. Para paliar esta situación, el presidente Roosevelt emprendió un ambicioso programa de obras públicas, New Deal. La gente fue contratada para las más variadas tareas, desde plantar árboles en el Mall a finalizar la construcción del Tribunal Supremo, las oficinas gubernamentales del Triángulo Federal y la National Gallery of Art. Eleanor Roosevelt fue una defensora de los pobres y una reformadora incansable. En 1939, cuando las Hijas de la Revolución Americana no permitieron que la cantante negra Marian Anderson actuara en el Constitution Hall, organizó una actuación para que cantara en el Lincoln Memorial ante 75.000 personas.

Con la entrada de Estados Unidos en la II Guerra Mundial, en diciembre de 1941, la población de Washington aumentó. Llegaron mujeres para ocupar los puestos de trabajo federales mientras los hombres estaban en la guerra. Tuvieron que soportar la escasez de viviendas y largas colas para conseguir comida y distintos servicios. La ciudad también dio un respiro a los soldados de permiso. La actriz Helen Hayes, natural de Washington, abrió la Stage Door Canteen, donde los famosos ofrecían comida y entretenimiento.

Soldados patrullando tras la muerte de Martin Luther King.

EL MOVIMIENTO POR LOS DERECHOS CIVILES

El fallo del Tribunal Supremo en 1953 sobre el caso del restaurante Thompson prohibió la discriminación de los negros en los lugares públicos. Con la aprobación de otras leyes antidiscriminatorias, la vida empezó a cambiar en la ciudad. En 1954 se prohibió la segregación. El 17 de mayo del mismo año, el Tribunal Supremo declaró injusta la existencia de establecimientos educativos separados.

El 28 de agosto de 1963 más de 200.000 personas llegaron a la capital para la famosa marcha en apoyo de los derechos civiles. Desde la escalinata del

Lincoln Memorial, Marian Anderson cantó de nuevo y Martin Luther King compartió con el mundo su sueño, con palabras que serían recordadas durante muchos años *(ver p. 91)*.

En noviembre de 1963, el asesinato del presidente John F. Kennedy en Dallas, Texas, conmocionó a la nación. Su viuda, Jacqueline, encendió una llama eterna durante el funeral en el cementerio de Arlington. Cinco años más tarde, el 4 de abril de 1968, Martin Luther King era asesinado a la edad de 39 años. El mundo lo venera como héroe y mártir.

Protestas anti-Vietnam en Washington, 1969

La apertura del Kennedy Center for Performing Arts en 1971 fue un signo del creciente carácter internacional. La vida cultural se enriqueció con la apertura de museos de arte (el Ala Este de la National Gallery of Art, el Hirshhorn, el National Museum of American Art y la National Portrait Gallery). La construcción del metro alivió los problemas del tráfico. Las embajadas y los bancos

El hijo del presidente Kennedy saluda al pasar el féretro de su padre, cementerio de Arlington, 1963

CRONOLOGÍA

internacionales (el Banco Mundial, el Fondo Monetario Internacional y el Banco de Desarrollo Interamericano) junto con el creciente número de inmigrantes proporcionaron a la ciudad un aire cosmopolita.

Marion Barry, alcalde de Washington durante 16 años

UN GOBIERNO PROPIO

Los habitantes del distrito de Columbia nunca han participado plenamente en la política pues no tienen senadores en el Congreso. Por otra parte, hasta 1964 no votaron en las elecciones presidenciales, después de la vigesimotercera enmienda de 1961. En 1967, ante la exigencia de una mayor participación en el gobierno de la ciudad, el presidente Lyndon Johnson sustituyó el sistema de tres comisarios establecido por el congreso en 1871 por el de un alcalde y un consejo, con mayor poder de decisión en las cuestiones políticas y presupuestarias. Por primera vez en los últimos 100 años la ciudad tuvo un alcalde, Walter E. Washington. En 1971 los residentes consiguieron el derecho a elegir un delegado sin voto en el Congreso y desde 1973 eligen al alcalde y al consejo.

En 1978 fue elegido alcalde Marion Barry. Natural de Misisipí, llegó a Washington en 1965 para luchar por los derechos civiles. Barry sería alcalde durante 16 de los siguientes 20 años, pero al final de su mandato creció el descontento sobre su labor acompañado de un importante déficit económico. La clase media, blancos

Fuegos artificiales en Washington Monument en las celebraciones del año 2000

y negros, cambió el centro de la ciudad, cada vez más peligroso, por la seguridad de los suburbios. En 1995 el Congreso devolvió al alcalde gran parte de sus competencias y nombró un equipo de control financiero de cinco personas para supervisar la economía. En las elecciones de 1998 venció el foráneo Anthony Williams. A los pocos meses de empezar su mandato se había pasado del déficit al superávit, la población se había estabilizado y el paro había disminuido.

Washington entra en el nuevo milenio con un gobierno sin grandes problemas, un práctico sistema de transporte, una rica vida cultural y una comunidad orgullosa de su diversidad. La administración del alcalde Williams ha transformado la imagen de la ciudad. La considerada hasta hace poco capital del crimen de Estados Unidos ha vuelto a convertirse en un importante destino turístico y en un lugar más seguro y limpio para sus habitantes.

1976 El metro comienza a funcionar. Apertura del National Air and Space Museum

1993 Apertura del US Holocaust Memorial Museum

El presidente Bill Clinton (1946)

| 1980 | 1990 | 2000 |

1982 Construcción del Vietnam Veterans Memorial, diseñado por Maya Ying Lin

1978 Primera de las cuatro legislaturas de Marion Barry como alcalde

1998 Anthony Williams es elegido alcalde

1999 El proceso contra el presidente Clinton y su exculpación convierten a Washington en centro de atención

Los presidentes estadounidenses

LOS PRESIDENTES DE Estados Unidos son de diversos
orígenes sociales. Al menos dos de ellos nacieron en
cabañas de madera: Abraham Lincoln y Andrew
Jackson. Otros, como Franklin D. Roosevelt y John F.
Kennedy, provenían de clases privilegiadas.
Millard Fillmore asistió a una escuela unitaria y
Jimmy Carter cultivaba cacahuetes. Muchos, entre
ellos Ulysses S. Grant y
Dwight D. Eisenhower,
fueron militares que se
hicieron famosos por
sus éxitos en el campo
de batalla.

Benjamin Harr
(1889–

Chester A. Arthur
(1881–1885)

**Millard
Fillmore**
(1850-1853)

**Zachary
Taylor**
(1849-
1850)

**Franklin
Pierce**
(1853-1857)

James K. Polk
(1845-1849)

W.H. Harrison
(1841)

**Rutherford B.
Hayes**
(1877–1881)

**Andrew
Johnson**
(1865-
1869)

George Washington
(1789-1797) general de la
guerra de Independencia,
fue elegido por unanimi-
dad primer presidente de
Estados Unidos.

James Madison
(1809-1817), conocido
como el padre de la
Constitución por su
participación en la
redacción.

1775	1800	1825	1850	1875

1775	1800	1825	1850	1875

John Adams
(1797-1801),
abogado e
historiador, fue el
primer presidente
que residió en la
Casa Blanca.

**James
Monroe**
(1817-1825)

**John Quincy
Adams**
(1825-1829)

John Tyler
(1841-1845)

**Martin
Van Buren**
(1837-1841)

**James A.
Garfield**
(1881)

**Ulysses S.
Grant**
(1869-
1877)

**Grove
Clevelan**
(1885-188

**James
Buchanan**
(1857-1861)

Abraham Lincoln
(1861-1865), conocido
como el Gran
Libertador por su papel
en la abolición de la
esclavitud. Dirigió la
Unión durante la guerra
de Secesión.

Thomas Jefferson
(1801-1809),
arquitecto, inventor,
paisajista, diplomático
e historiador, un
verdadero humanista.

Andrew Jackson
(1829-1837) venció
a los británicos en
la batalla de Nueva
Orleans en la
guerra de 1812.

William McKinley (1897–1901)

Harry S. Truman (1945-1953) tomó la decisión de lanzar las bombas atómicas sobre Hiroshima y Nagasaki en 1945.

Woodrow Wilson (1913-1921) dirigió el país durante la I Guerra Mundial y preparó el terreno para la Liga de las Naciones.

John F. Kennedy (1961-1963) fue uno de los presidentes más populares. Envió el primer astronauta al espacio, creó los Cuerpos de Paz y la Agencia de Control de Armas y Desarme. Su asesinato conmovió a la nación.

Richard Nixon (1969-1974) estableció relaciones con China y envió el primer hombre a la Luna. Dimitió a raíz del escándalo *Watergate* (ver p. 111).

Franklin D. Roosevelt (1933-1945), creador del New Deal, política de reformas sociales y económicas en la Gran Depresión. Fue elegido cuatro veces.

Jimmy Carter (1977–1981)

George Bush (1989–1993)

1900	1925	1950	1975	2000

1900	1925	1950	1975	2000

Dwight D. Eisenhower (1953–1961)

William J. Clinton (1993–2000)

William H. Taft (1909–1913)

Herbert Hoover (1929–1933)

Gerald Ford (1974–1977)

Calvin Coolidge (1923–1929)

Ronald Reagan (1981-1989), antiguo actor de cine y presidente muy popular, bajó los impuestos, aumentó el gasto militar y redujo los programas gubernamentales.

Warren Harding (1921–1923)

Lyndon B. Johnson (1963-1969) recrudeció la guerra del Vietnam provocando intensas protestas.

Theodore Roosevelt (1901-1909) creó numerosos parques nacionales y supervisó la construcción del canal de Panamá.

rover eveland (893–1897)

EL PAPEL DE LA PRIMERA DAMA

En el siglo XIX, la primera dama actuaba como anfitriona y consejera en privado. Dolley Madison fue conocida como "el brindis de Washington". Con Eleanor Roosevelt, que ofrecía sus propias conferencias de prensa, el papel de la esposa cambió enormemente. Jackie Kennedy apoyó las artes y Rosalynn Carter asistió a las reuniones del Gabinete. Nancy Reagan colaboró en la campaña "Di no a las drogas". Barbara Bush impulsó la alfabetización y Hillary Clinton ha organizado su propia campaña política.

Eleanor Roosevelt en una rueda de prensa en 1930

Funcionamiento del Gobierno Federal

El gran sello de los Estados Unidos

L A CONSTITUCIÓN de Estados Unidos fue adoptada en septiembre de 1787 *(ver p. 85).* Se creó como "Ley suprema de la Tierra" para asegurar que prevalecería sobre las leyes de los estados. Los poderes del gobierno federal se dividieron en tres: el legislativo, que promulga las leyes, el ejecutivo, encargado de hacerlas cumplir, y el poder judicial, que las interpreta. Se constituyó un sistema de limitación de poderes para que ninguno de los tres tuviera demasiada autoridad y se consideraron posibles enmiendas a la Constitución. De hecho, en diciembre de 1791 se ratificaron diez enmiendas, conocidas como Bill of Rights.

LIMITACIÓN DE PODERES

El sistema de limitación de poderes garantiza que ningún poder abuse de su autoridad.

Poder ejecutivo: el presidente puede proponer y vetar leyes y puede también convocar al Congreso en sesión extraordinaria. El presidente elige a los jueces y puede indultar delitos federales.

Poder judicial: el Tribunal Supremo interpreta las leyes y los tratados y puede declarar la inconstitucionalidad de las leyes. Los juicios por *impeachment* (proceso de incapacitación presidencial) son presididos por el presidente del Tribunal Supremo.

Poder legislativo: el Congreso puede invalidar el veto del presidente a una ley con dos tercios de los votos. Los cargos elegidos por el presidente y los tratados deben ser aprobados por el Senado. El Congreso controla la jurisdicción de los tribunales y puede acusar y juzgar al presidente y a los jueces federales.

El Senado *reunido en una sesión en el Capitolio.*

EL PODER EJECUTIVO

El presidente y el vicepresidente son elegidos por cuatro años. El presidente propone, aprueba y veta las leyes. También es responsable de la política exterior y de las relaciones directas con otros países; es comandante en jefe de las fuerzas armadas y designa a los embajadores. Se reúne regularmente con los secretarios del Gabinete, compuesto por los responsables de distintos departamentos. El Consejo de Seguridad Nacional y la Oficina de Administración y Presupuesto son algunos de los organismos que intervienen en los asuntos tratados por el Ejecutivo.

Sello del presidente

Ulysses S. Grant, *presidente entre 1869 y 1877.*

PODER EJECUTIVO

|
PRESIDENTE

|
VICEPRESIDENTE

|
GABINETE

Henry A. Wallace, *vicepresidente durante el mandato de Franklin D. Roosevelt, de 1941 a 1945.*

La Casa Blanca, *residencia oficial del presidente de los Estados Unidos.*

Madeleine Albright, *primera mujer a cargo de la secretaría de Estado, fue designada en 1997.*

EL PODER JUDICIAL

El Tribunal Supremo, con nueve jueces vitalicios elegidos por el presidente, y otros tribunales federales determinan la constitucionalidad de las leyes federales, estatales y locales. Intervienen en los conflictos interestatales y en aquellos que afectan a embajadores y ciudadanos de diferentes estados. También juzgan por apelación asuntos de los tribunales ordinarios.

PODER JUDICIAL

9 JUECES DEL TRIBUNAL SUPREMO

El Tribunal Supremo es la más alta jurisdicción federal de los Estados Unidos, la última instancia en casos de constitucionalidad.

Thurgood Marshall, *primer juez del Tribunal Supremo de raza negra. Estuvo en el cargo de 1967 a 1991.*

DE LOS CUALES UNO ES **PRESIDENTE DEL TRIBUNAL SUPREMO**

Oliver Wendell Holmes, *juez del Tribunal Supremo de 1902 a 1932 y firme defensor de la libertad de expresión.*

Earl Warren, *juez del Tribunal Supremo de 1953 a 1969. Declaró la inconstitucionalidad de la segregación racial en las escuelas públicas en 1954 (ver p. 46).*

EL PODER LEGISLATIVO

El Congreso de Estados Unidos está compuesto por la Cámara de Representantes y el Senado. Cada estado elige dos senadores por un periodo de seis años, mientras que el número de representantes es proporcional a la población del estado y se eligen por dos años. El Congreso regula el comercio, puede exigir impuestos y declarar la guerra. También es el responsable de elaborar las leyes; éstas son primero discutidas, redactadas y revisadas en comisiones legislativas para después ser aprobadas por la Cámara de Representantes y el Senado y, por último, por el presidente.

Daniel Webster *fue miembro de la Cámara de Representantes (1813-1817) y del Senado (1822-1841).*

PODER LEGISLATIVO

CÁMARA DE REPRESENTANTES

SENADO

Newt Gingrich, *portavoz de la Cámara de Representantes desde 1995 a 1998.*

Edward Kennedy, *jefe de una de las familias políticas más populares de Estados Unidos, es senador desde 1962.*

El Capitolio, *sede de la Cámara de Representantes y del Senado.*

Washington de un Vistazo

WASHINGTON es más que la capital política de Estados Unidos. Es también la sede de la Smithsonian Institution, y como tal, el centro cultural del país. Cuenta con magníficos museos y galerías para todos los gustos. Uno de los lugares más visitados es la Casa Blanca, residencia oficial del presidente, a la que se acercan millones de turistas cada año. Otro lugar muy atractivo es el National Air and Space Museum, con una extraordinaria exposición de aviones y naves espaciales. Washington destaca también por sus numerosos monumentos conmemorativos. El enorme Washington Monument, en honor del primer presidente estadounidense, domina la ciudad. Los emotivos monumentos conmemorativos de las distintas guerras, dedicados a los miles de soldados muertos en campaña, ocupan rincones más tranquilos.

Washington: sus Grandes Atractivos

National Air and Space Museum
Ver pp. 60-63

La Casa Blanca *Ver pp. 102-105*

National Gallery of Art
Ver pp. 56–59

Kennedy Center
Ver pp. 112–113

Vietnam Veterans Memorial
Ver p. 79

National Cathedral
Ver pp. 136–137

Cementerio Nacional de Arlington
Ver pp. 124-125

Washington Monument
Ver p. 74

Lincoln Memorial
Ver p. 78

El Capitolio
Ver pp. 48-49

◁ **Vista de Pennsylvania Avenue desde el Capitolio**

Museos y galerías de Washington

POCAS CIUDADES PUEDEN presumir de contar con tantos museos y galerías en una misma zona como Washington. La mayoría se encuentra en el Mall y casi todos pertenecen a la Smithsonian Institution *(ver p. 68)*. El contenido de estos museos y galerías va desde grandes obras de arte a cohetes espaciales o recuerdos de los principales acontecimientos de la historia estadounidense. En la mayoría de los museos la entrada es gratis.

National Museum of American History
La estatua de George Washington con toga es uno de los millones de objetos de este museo de historia americana (ver pp. 70-73).

GEORGETOWN

LA CASA BLANCA Y FOGGY BOTTOM

Tidal Basin

Río Potomac

Corcoran Gallery of Art
Museo y escuela de bellas artes que alberga una colección de pintura y escultura estadounidense y europea que incluye las mejores obras de los artistas de Estados Unidos de los siglo XIX y XX (ver p. 107).

US Holocaust Memorial Museum
Mediante fotografías, vídeos y la reconstrucción de barracones de campos de concentración se muestra la brutalidad del holocausto y el terrible destino de los judíos en la Alemania nazi durante la II Guerra Mundial (ver p. 76-77).

National Museum of Natural History

Un enorme elefante africano es la mayor atracción del vestíbulo principal del edificio. Las fascinantes exposiciones del museo trazan la evolución de los animales y explican la creación de piedras preciosas y minerales (ver pp. 66-67).

National Portrait Gallery y National Museum of American Art

Este edificio alberga la mayor colección del mundo de pintura, escultura, fotografía y artesanía estadounidenses (ver pp. 92-95).

0 metros   500

ANTIGUO DOWNTOWN

COLINA DEL CAPITOLIO

EL MALL

National Gallery of Art

El East Building, de líneas futuristas, está dedicado al arte del siglo XX; el West Building, de los años treinta, a obras más antiguas (ver pp. 56-59).

National Air and Space Museum

El museo más popular de la ciudad, dedicado a la historia de la navegación aérea y espacial, alberga el primer avión de los hermanos Wright y el módulo espacial del Apolo XIV (ver pp. 60-63).

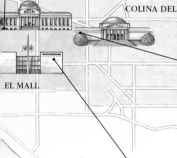

Monumentos conmemorativos de Washington

COMO CENTRO POLÍTICO de Estados Unidos y residencia del presidente, Washington cuenta con numerosos monumentos en honor a los principales personajes y acontecimientos históricos del país. Entre ellos, los más conocidos son el Washington Monument y el Lincoln Memorial, por el que sienten gran interés los visitantes de la ciudad. Para los que deseen recordar a los innumerables hombres y mujeres que perdieron su vida en defensa del país, existen emotivos monumentos en parques tranquilos donde se puede meditar en paz.

Korean War Veterans Memorial
Creado en 1995, sus 19 estatuas de acero de tamaño natural recuerdan los miles de soldados muertos en la guerra de Corea, 1950-1953 (ver p. 78).

GEORGETOWN

Lincoln Memorial
Estatua de mármol muy emotiva y popular, testigo de numerosas protestas por los derechos civiles (ver p. 78).

Iwo Jima Memorial
Impresionante monumento del cementerio de Arlington. Unos infantes de marina estadounidenses toman la isla japonesa de Iwo Jima en la II Guerra Mundial (ver p. 126).

Río Potomac

Vietnam Veterans Memorial
Este conmovedor y sencillo monumento lo componen unos muros de granito en forma de uve con una lista de nombres (ver p. 79).

Washington Monument
El obelisco de mármol de 170 metros de altura, una de las imágenes más características de Washington, puede verse desde toda la ciudad. Construido en dos partes, el monumento se terminó en 1884 (ver p. 74).

Jefferson Memorial
Este edificio neoclásico contiene una estatua de bronce del presidente Jefferson, figura clave en la lucha de Estados Unidos por la independencia (ver p. 75)

A CASA
ANCA Y
OGGY
TTOM

ANTIGUO
DOWNTOWN

EL MALL

COLINA DEL CAPITOLIO

0 metros   500

Franklin D. Roosevelt Memorial
Un extenso parque-monumento de casi tres hectáreas que incluye estatuas, cascadas y jardines ornamentales (ver pp. 78-79).

WASHINGTON
MES A MES

EN WASHINGTON se celebran acontecimientos a lo largo del año, pero es a principios de abril, con el florecimiento de sus famosos cerezos, cuando la ciudad viste sus mejores galas. Comienzan los desfiles y festivales al aire libre, que se prolongan durante el verano coincidiendo con la llegada masiva de turistas. En la Casa Blanca,

Patriota en el Día de la Independencia

el edificio más visitado de la ciudad, se celebran actos festivos durante todo el año –el Easter Egg Roll en primavera, conciertos en verano y otoño y el Candlelight tour en Navidad–. Esta guía incluye algunos de los acontecimientos más populares; para más información póngase en contacto con la Washington DC Convention and Visitors' Association *(ver p. 195).*

PRIMAVERA

LA PRIMAVERA se caracteriza por la limpia atmósfera, las mañanas frescas y los días cálidos con brisa suave. No deje de contemplar los famosos cerezos en flor que rodean el dique de marea, aunque es una zona muy concurrida. Con las celebraciones del Memorial Day comienza oficialmente el verano.

MARZO

International Washington Flower Show *(9-12 mar).* DC Convention Center, 900 9th St, NW. **(** *371-4200.* Exposición de flores.
San Patricio *(17 mar).* Celebración del día de Irlanda con desfiles, comida, música y baile. También se celebra en Alexandria y en el cementerio de Arlington.
Smithsonian Kite Festival *(último fin de semana),* Wa-

shington Monument. **(** *357-2700.* Concurso donde se premian los mejores diseños de cometas.

ABRIL

National Cherry Blossom Festival *(principios abr),* Constitution Ave, NW. **(** *728-11 37.* La ciudad celebra con desfiles, conciertos y bailes la floración de sus famosos cerezos.
White House Egg Roll *(Lunes de Pascua),* Césped de la Casa Blanca. **(** *456-2200.* Los niños entre tres y seis años hacen rodar huevos por el césped.
Imagination Celebration *(durante abr),* Kennedy Center. **(** *467-4600.* Juegos dirigidos a los niños.
Día de Thomas Jefferson *(13 abr),* Jefferson Memorial. **(** *619-7222.* Demostraciones militares, discursos y ofrendas florales.
White House Spring Garden Tours *(mediados abr).* **(** *208-1631.* El West Lawn y los Jackie

Madre e hija en el Easter Egg Roll en la Casa Blanca

Kennedy Gardens abren sus puertas durante dos días.
Aniversario del nacimiento de Shakespeare *(finales abr),* Folger Shakespeare Library, 201 E Capitol St. **(** *544-7077.* Música, teatro, comida, exposiciones y actividades para niños.

MAYO

Flower Mart *(primer fin de semana).* Washington National Cathedral. **(** *537-6200.* Tenderetes de flores y música.
Memorial Day Weekend Concert *(último domingo),* West Lawn del Capitolio. **(** *619-7222.* Actuación de la National Symphony Orchestra.
Memorial Day *(último lu),* Cementerio Nacional de Arlington. **(** *(703) 607-8052.* US Navy Memorial. **(** *737-2300.* Vietnam Veterans Memorial. **(** *619-7222.* Ofrendas florales, discursos y música en honor de los veteranos de guerra.
Memorial Day Jazz Festival *(último lu),* Alexandria. **(** *(703) 883-4686.* Actuaciones de jazz.

Cerezos de los alrededores del Jefferson Memorial en el dique de marea.

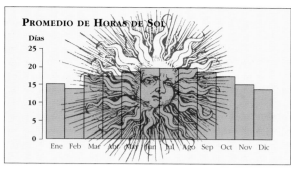

PROMEDIO DE HORAS DE SOL

Días
25
20
15
10
5
0
Ene Feb Mar Abr May Jun Jul Ago Sep Oct Nov Dic

Horas de sol
Las horas de sol no varían mucho de un mes a otro; incluso en los meses de invierno luce el sol la mitad de los días. En verano el sol está más presente que nunca, aunque hay tormentas ocasionales. El gráfico indica el número de días al mes con cielos despejados o con pocas nubes.

VERANO

EN JUNIO, JULIO y agosto Washington recibe visitantes de los más diversos lugares del mundo. Las calles y parques se llenan de gente que disfruta del sol. Muchas atracciones están muy concurridas, por lo que conviene llamar con antelación y reservar.

Pese a que el tiempo puede ser muy húmedo y caluroso, los desfiles y ferias al aire libre son muy populares. El 4 de julio, fiesta de la Independencia, es un día muy especial con un desfile durante el día y fuegos arficiales por la noche.

JUNIO

Shakespeare Free for All *(durante jun)*, Carter Barron Amphitheater, Rock Creek Park. **C** *547-3230/619-7222.* Representaciones nocturnas gratuitas de Shakespeare Theater Company.
Alexandria Waterfront Festival *(primer o segundo fin de semana)*, Oronoko Bay Park, Alexandria. **C** *(703) 549-8300.* Barcos, juegos y música celebran la historia marítima.
Smithsonian Festival of American Folklife *(finales jun-principios jul)*, el Mall. **C** *357-2700.* Festival de cultura popular, con música, bailes, juegos y comida.
Washington National Cathedral Summer Festival of Music *(mediados jun-mediados jul)*, Washington National Cathedral. **C** *537-6200.* Música clásica y moderna.
Dance Africa *(mediados jun)*, Dance Place, 3225 8th St, NE. **C** *269-1600.* Bailes, mercadillos y música africana.

Fuegos artificiales en Washington el 4 de julio

JULIO

Día de la Independencia *(4 jul)*, National Archives, Constitution Ave y Capitolio. **C** *501-5000.* Lectura de la Declaración de la Independencia en los Archivos Nacionales, desfile por Constitution Avenue y fuegos artificiales desde la escalinata del Capitolio.
Twilight Tattoo Military Pageant *(mi 19.00, abr-ago)*, Elipse sur de la Casa Blanca. **C** *685-2851.* Desfile militar que ilustra la historia del ejército.

Mary McLeod Bethune Celebration *(la fecha varía)*, Bethune Statue, Lincoln Palk, E Capitol St, SE, entre 11th St y 13th St. **C** *619-7222.* Ofrendas florales, música y discursos.
Caribbean Summer *(mediados jul)*, RFK Stadium, 2400 E Capitol St SE. **C** *547-9077.* Festival caribeño: música, comida y baile.
Hispanic-Latino Festival *(finales jul)*, Washington Monument. **C** *619-7222.* Música y comida para la fiesta de los 40 países latinoamericanos.

AGOSTO

Arlington County Fair *(mediados ago)*, Thomas Jefferson Center, Arlington, VA. **C** *(703) 228-5920.* Comida, artesanía, música y paseos a caballo.
Georgia Avenue Day *(finales ago)*, Georgia Ave, NW. **C** *723-5166.* Desfile, comida, tenderetes y música.
National Frisbee Festival *(finales ago)*, Washington Monument. **C** *619-7222.* Fin de semana dedicado al juego del *frisbee* (disco volador), con un concurso para campeones y aficionados.

Lanzamiento de discos voladores en el National Frisbee Festival

PLUVIOSIDAD MEDIA MENSUAL

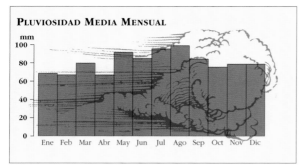

mm
100
80
60
40
20
0

Ene Feb Mar Abr May Jun Jul Ago Sep Oct Nov Dic

Índice de precipitaciones

En Washington el índice de precipitaciones es muy alto. El periodo más lluvioso es de mayo a agosto y la lluvia disminuye la humedad. Las precipitaciones empiezan a escasear en septiembre y octubre y alcanzan los niveles más bajos a finales de invierno, aunque los periodos secos apenas existen.

Actuación en la fiesta Kennedy Center Open House, Constitution Gardens

OTOÑO

PARA EL DÍA del Trabajo (primer lunes de septiembre), el aire se vuelve más fresco y el verano llega a su fin. Durante los meses de otoño, septiembre, octubre y noviembre, las temperaturas van descendiendo poco a poco. Una de las fiestas más divertidas de esta época del año es Halloween. Los niños se disfrazan de sus personajes favoritos para pedir dulces por las casas.

SEPTIEMBRE

Labor Day Weekend Concert *(do anterior al Día del Trabajo)*, parte oeste del Capitolio. ☎ 619-7222. Actuación de la National Symphony Orchestra.
John F. Kennedy Center for the Performing Arts Open House *(principios sep)*, ☎ 467-4600. Durante un día hay conciertos de *blues*, rock y

Calabaza de Halloween

jazz, y baile, teatro y películas.
Día de la Constitución *(17 sep)*, US National Archives. ☎ 501-5000. Se presenta la Constitución *(ver p. 16)* al público y se conmemora su firma con un desfile y actuaciones musicales.

OCTUBRE

Taste of DC *(fin de semana anterior al segundo lu)*, Pennsylvania Ave, NW. ☎ 724-4093. Festival gastronómico en los restaurantes de la ciudad.
Día de Colón *(segundo lu)*, Columbus Memorial, Union Station. ☎ 371-9441. Fiesta en honor del descubridor de América con discursos y ofrendas florales.
White House Fall Garden Tours *(mediados oct)*, ☎ 208-1631. Una oportunidad para pasear por los terrenos de la residencia del presidente, con actuaciones de bandas militares.
Halloween *(31 oct)*. A los niños les encanta llamar a las

casas diciendo *trick or treating* (pidiendo algún dulce) disfrazados de fantasmas, payasos, brujas o de sus personajes de dibujos animados favoritos. Dupont Circle y Georgetown son los lugares más concurridos.

NOVIEMBRE

Annual Seafaring Celebration *(la fecha varía)*, Navy Museum. ☎ 433-4882. Fiesta marinera para toda la familia con música, comida y exhibiciones navales.
Día de los Veteranos *(11 de nov)*, Cementerio Nacional de Arlington. ☎ *(703) 607-8052.* Se honra a los militares estadounidenses muertos en combate con servicios religiosos, desfiles y ofrendas florales en los monumentos conmemorativos de la ciudad. En el Vietnam Veterans Memorial se celebran ceremonias dedicadas a los veteranos. En el US Navy Memorial hay desfiles militares y música en honor de los marinos.

Guardia militar en el Día de los Veteranos, Cementerio de Arlington

Temperatura Media Mensual

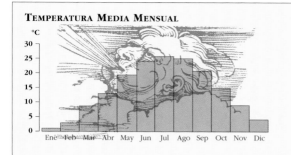

°C
30
25
20
15
10
5
0

Ene Feb Mar Abr May Jun Jul Ago Sep Oct Nov Dic

Temperatura
El clima de Washington es muy variado. En invierno el aire es tremendamente frío y las temperaturas bajísimas, mientras que julio y agosto son meses muy calurosos y húmedos. Las mejores épocas del año son la primavera y el otoño, el tiempo es muy agradable y el aire está limpio.

INVIERNO

EN LOS MESES de diciembre, enero y febrero las temperaturas pueden descender por debajo de los 0ºC. Es una buena época para visitar los lugares de interés pues la ciudad está muy tranquila. Conforme se acerca la Navidad, se vuelve a llenar de gente que acude a los numerosos actos festivos. Toda la ciudad se engalana con adornos de Navidad y muchos lugares, incluida la Casa Blanca, organizan visitas especiales.

Hacia finales de invierno se conmemora el nacimiento de personajes famosos como Martin Luther King, Abraham Lincoln y George Washington.

DICIEMBRE

National Christmas Tree Lighting *(mediados dic).* Elipse sur de la Casa Blanca. **⬛** *619-7222.* Encendido de la iluminación del árbol nacional de Navidad por el presidente.

Navidad en Washington National Cathedral *(durante dic).* **⬛** *537-6200.* Celebraciones festivas con música navideña.
White House Candlelight Tours *(tres días después de Navidad).* **⬛** *208-1631.* La decoración navideña del presidente es mostrada al público.

ENERO

Día de Robert E. Lee *(mediados ene),* Cementerio Nacional de Arlington y Alexandria, VA. **⬛** *(703) 557-0613.* Celebraciones en la casa de Lee en Alexandria.
Día de Martin Luther King *(tercer lu),* Lincoln Memorial. **⬛** *619-7222.* Se escucha el discurso "Tengo un sueño" de Martin Luther King.

FEBRERO

Año Nuevo Chino *(primeras dos semanas).* N St, Chinatown. **⬛** *638-1041.* Desfiles, comida china, bailes y música.
Mes de la Historia Afroamericana *(durante feb).* Actos diversos en

distintos puntos: infórmese en Smithsonian Institution (**⬛** *357-2700*), National Park Service (**⬛** *619-7222*) y Martin Luther King Memorial Center (**⬛** *727-1111*).
Desfile del Día de George Washington *(hacia el 15 feb).* Alexandria, VA. **⬛** *(703) 838-4200.*
Día de Abraham Lincoln *(12 feb),* Lincoln Memorial. **⬛** *619-7222.* Ofrendas florales y lectura del discurso de Gettysburg.

Girl scouts en el desfile del Día de George Washington

FIESTAS NACIONALES

Año Nuevo (1 ene)
Día de Martin Luther King (3er lu ene)
Día del Presidente (3er lu feb)
Lunes de Pascua (mar o abr)
Memorial Day (último lu may)
Día de la Independencia (4 jul)
Día del Trabajo (1er lu sep)
Día de Colón (2º lu oct)
Día de los Veteranos (11 nov)
Día de Acción de Gracias (último ju nov)
Día de Navidad (25 dic)

El árbol nacional de Navidad en el exterior de una nevada Casa Blanca

ITINERARIOS POR WASHINGTON

COLINA DEL CAPITOLIO

En 1791, después de la aprobación de la Constitución de 1788, se decidió construir la sede del gobierno en unos terrenos de cuatro hectáreas cedidos por el estado de Maryland. Pierre L'Enfant *(ver p. 17)* eligió una colina del lado este para erigir el edificio del Capitolio y el centro de la nueva ciudad.

En más de 200 años la Colina del Capitolio (Capitol Hill) se ha convertido en un bullicioso microcosmos de los Estados Unidos. Es donde se encuentran los principales

Estatua de romano en Union Station

símbolos del desarrollo cultural del país, desde los edificios federales a los centros de comercio, tiendas y restaurantes, así como zonas residenciales para ciudadanos de distintos orígenes.

Capitol Hill es frecuentada por los estadounidenses más poderosos, pero también por ciudadanos de a pie que quieren solicitar alguna petición a sus representantes en el Congreso o simplemente posar con ellos en la escalinata del Capitolio.

LUGARES DE INTERÉS

Edificios históricos
Biblioteca del Congreso pp. 44-45 ❶
Capitolio pp. 48-49 ❺
Folger Shakespeare Library ❷
Sewall-Belmont House ❹
Tribunal Supremo de EE UU ❸
Union Station ⓭

Museos y galerías
Capital Children's Museum ⓬
National Postal Museum ⓮

Parques y jardines
Bartholdi Park and Fountain ❾
Botanic Garden ❽

Monumentos conmemorativos
Ulysses S. Grant Memorial ❼
Robert A. Taft Memorial ❻

Mercado
Eastern Market ⓫

Iglesia
Ebenezer United Methodist Church ❿

SIGNOS CONVENCIONALES

Plano *pp. 42-43*

Ⓜ Estación de metro

ℹ️ Información turística

Policía

P Aparcamiento

✉ Oficina de correos

Estación de ferrocarril

0 metros   500

CÓMO LLEGAR

La forma más sencilla para ir a Capitol Hill es en metro, bien la línea roja hasta Union Station o las líneas azul o naranja hasta Capitol South o Eastern Market. Los autobuses 30, 32, 34, 35, 36, 91 y A11 paran en diversos puntos de Capitol Hill.

◁ **Las impresionantes puertas principales del Tribunal Supremo están rodeadas de columnas corintias**

Colina del Capitolio en 3 dimensiones

En el impresionante paisaje urbano que se extiende desde el Capitolio se combinan grandiosos edificios neoclásicos con espacios verdes. No hay rascacielos, sino inmensos pórticos y columnas de edificios gubernamentales. El bullicio y el ajetreo de alrededor del Capitolio y el Tribunal Supremo contrastan con la tranquilidad de los estanques y de las calles residenciales. En la zona se encuentran muchos de los pequeños detalles que hacen de la ciudad un lugar muy especial: las farolas antiguas de Second Street, la viva explosión de flores de las aceras o las alegres fachadas de Third Street, cerca de Folger Shakespeare Library.

★ **Capitolio**
La cúpula de la sede del gobierno de la nación es una de las mayores del mundo ❺

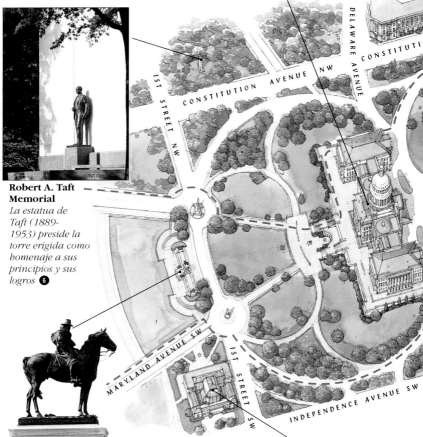

Robert A. Taft Memorial
La estatua de Taft (1889-1953) preside la torre erigida como homenaje a sus principios y sus logros ❻

Ulysses S. Grant Memorial
El general Grant (1822-1885), dirigente de la Unión en la guerra de Secesión, ocupa el centro de un grupo de estatuas ecuestres de bronce ❼

Botanic Garden
Creado en 1820, el jardín botánico alberga miles de plantas exóticas y autóctonas ❽

Sewall-Belmont House
Una estatua de tamaño natural de la mártir francesa Juana de Arco, esculpida en Francia, adorna la casa del siglo XVIII que alberga la sede del Partido Nacional de las Mujeres ❹

0 metros 150

Oficinas del Senado

MARYLAND AVENUE NE

AVENUE NE

1ST STREET NE

2ND STREET NE

EAST CAPITOL STREET

1ST STREET SE

2ND STREET SE

INDEPENDENCE AVENUE SE

PLANO DE SITUACIÓN
Ver Callejero plano 4

ANTIGUO DOWN-TOWN

COLINA DEL CAPITOLIO

EL MALL

SIGNOS CONVENCIONALES

– – – Itinerario sugerido

Tribunal Supremo de EE UU
La más alta instancia judicial del país está ubicada desde 1935 en este edificio neoclásico de mármol creado por Cass Gilbert ❸

Folger Shakespeare Library
La biblioteca, un homenaje a las obras y la época de Shakespeare, alberga también un museo de arte isabelino ❷

THE TRAGEDIE OF IVLIVS CÆSAR

★ **Biblioteca del Congreso**
La biblioteca personal de Thomas Jefferson fue el origen de la mayor colección mundial de libros, música, mapas y fotografías, en un grandioso edificio neorrenacentista italiano ❶

RECOMENDAMOS

★ **Capitolio**

★ **Biblioteca del Congreso**

Biblioteca del Congreso ❶

Fachada principal de Jefferson Building

Thomas Jefferson (1743–1826)

LA PRIMERA BIBLIOTECA de consultas creada por el Congreso data de 1800. Cuando el Capitolio se incendió en 1814, Thomas Jefferson ofreció su biblioteca personal, y su creencia en la universalidad del saber se convirtió en la base de la política de adquisiciones. En 1897 la Biblioteca del Congreso fue trasladada a un edificio neorrenacentista italiano diseñado por John L. Smithmeyer y Paul J. Pelz. El edificio, conocido hoy como Thomas Jefferson Building, es una verdadera obra de arte que cuenta con numerosos cuadros, mosaicos y balcones de mármol bellamente tallados. Actualmente, la Biblioteca del Congreso alberga la mayor colección del mundo de libros y materiales especializados. En el año 2000 se celebró su bicentenario.

★ **Sala principal de lectura**
Las mesas de lectura de la sala parecen diminutas frente a las ocho enormes columnas de mármol y las figuras femeninas de 3 m de altura que representan distintos aspectos del trabajo humano. La cúpula del techo se eleva 49 metros sobre el suelo.

Swann Gallery

Sala de lectura de África y Oriente Próximo
Una de las diez salas de lectura de Jefferson Building, donde los visitantes pueden utilizar los libros de la biblioteca.

RECOMENDAMOS

★ **Great Hall**

★ **Biblia Gutenberg**

★ **Sala principal de lectura**

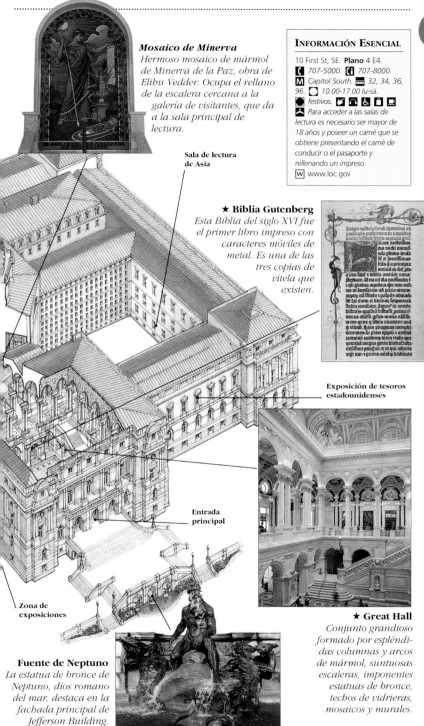

Mosaico de Minerva
Hermoso mosaico de mármol de Minerva de la Paz, obra de Elihu Vedder. Ocupa el rellano de la escalera cercana a la galería de visitantes, que da a la sala principal de lectura.

INFORMACIÓN ESENCIAL

10 First St, SE. **Plano** 4 E4.
707-5000. 707-8000.
Capitol South. 32, 34, 36, 96. 10.00-17.00 lu-sá.
festivos.
Para acceder a las salas de lectura es necesario ser mayor de 18 años y poseer un carné que se obtiene presentando el carné de conducir o el pasaporte y rellenando un impreso.
www.loc.gov

Sala de lectura de Asia

★ **Biblia Gutenberg**
Esta Biblia del siglo XVI fue el primer libro impreso con caracteres móviles de metal. Es una de las tres copias de vitela que existen.

Exposición de tesoros estadounidenses

Entrada principal

Zona de exposiciones

Fuente de Neptuno
La estatua de bronce de Neptuno, dios romano del mar, destaca en la fachada principal de Jefferson Building.

★ **Great Hall**
Conjunto grandioso formado por espléndidas columnas y arcos de mármol, suntuosas escaleras, imponentes estatuas de bronce, techos de vidrieras, mosaicos y murales.

Folger Shakespeare Library ❷

201 E Capitol St, SE. **Plano** 4 F4.
(*544-7077.* **M** *Capitol South.*
○ *10.00-16.00 lu-sá.* **●** *festivos.* ✅
& *Entradas para representaciones,*
conciertos y conferencias en ventanilla.
w *www.folger.edu*

Esta biblioteca-museo, inspirada en el tiempo de Shakespeare, está dedicada a las obras y la época del teatro isabelino.

La biblioteca fue donada al pueblo estadounidense en 1932 por Harry Clay Folger, que desde 1874, en sus años de estudiante, coleccionó obras de Shakespeare. Folger también financió la construcción del edificio destinado para su colección. Contiene 280.000 libros y manuscritos de la época isabelina y la mayor colección de obras de Shakespeare, incluida la tercera parte de las copias existentes del célebre *Folio* de 1623 (primeras ediciones de las obras de Shakespeare). Una de ellas se guarda en Great Hall.

La galería Shakespeare ofrece una presentación multimedia sobre el período isabelino basada en "Las siete edades del hombre" de la comedia *Como gustéis* (c.1599).

La Folger organiza numerosos actos culturales, aunque no siempre abiertos al público. En su teatro isabelino, con capacidad para 250 personas, se representan obras de Shakespeare. También hay una programación anual de

Great Hall de Folger
Shakespeare Library

La impresionante fachada neoclásica del Tribunal Supremo de EE UU

recitado de poemas, así como conferencias y charlas. La orquesta de cámara de la Biblioteca, la aclamada Folger Consort Ensemble, interpreta música de los siglos XII al XVIII.

Tribunal Supremo de EE UU ❸

1st St entre E Capitol St y Maryland Ave.
Plano 4 E4. **(** *479-3000.*
M *Capitol South.* **○** *9.00-16.25 lu-vi.* **●** *festivos.* **&** **Conferencias.**

El tribunal supremo forma parte del poder judicial, uno de los tres poderes del Estado *(ver pp. 26-27)*. Creado en 1787 en la Convención Constitucional de Filadelfia, es la más alta instancia jurídica para pleitos y casos sobre constitucionalidad. Algunos juicios históricos fueron *Brown contra el Consejo de Educación*, que prohibió la discriminación racial en las escuelas, y *Miranda contra Arizona*, que estableció el derecho de los sospechosos a ser asistidos por un abogado antes de ser interrogados. El

Tribunal Supremo garantiza la igualdad de los ciudadanos ante la ley, *Equal Justice Under Law*, lema inscrito en la entrada.

Hasta 1929 las dependencias del Tribunal Supremo estaban repartidas en distintas áreas del Capitolio. Ante la insistencia del presidente del Tribunal, William Howard Taft, el Congreso autorizó que se erigiera un edificio, una grandiosa construcción neocorintia diseñada por Cass Gilbert que se inauguró en 1935. La escalinata está flanqueada por figuras alegóricas de la Contemplación y la Justicia y por el Guardián de la Ley; el frontón de la entrada está adornado con las esculturas de Taft (al final a la izquierda), John Marshall, el cuarto presidente del Tribunal Supremo (al final a la derecha) y las figuras del escultor Robert Aitken y de Cass Gilbert.

A través de Great Hall, una extensión de mármol con columnas y bustos de antiguos presidentes del Tribunal Supremo, se llega hasta la elegante sala de juicios. Ésta luce un techo de taracea de escayola, decorado con pan de oro, y un friso con figuras reales y alegóricas del mundo de la justicia. La sala de exposiciones muestra los distintos sistemas legales y ofrece una presentación interactiva y túnicas de jueces de distintos países. La enorme estatua, al final de la sala, representa al presidente del Tribunal John Marshall.

El público puede asistir a las vistas de octubre a abril, de lunes a miércoles. La admisión se realiza por orden de llegada. Cuando no hay vistas se celebran conferencias públicas cada hora en la sala de juicios.

Pasillo de Sewall-Belmont House del siglo XVIII

Sewall-Belmont House **❹**

144 Constitution Ave, NE. **Plano** 4 E4. **☎** 546-3989. **M** *Capitol South, Union Station.* **○** *11.00-15.00 ma-vi, 12.00-16.00 sá y previa cita.*
● *festivos. Se admiten donativos.*
✉ W *www.natwomanparty.org*

ROBERT SEWALL, primer propietario de esta bonita casa del siglo XVIII, se la alquiló a Albert Gallatin, secretario de Estado durante la presidencia de Thomas Jefferson, a principios del siglo XIX. En esta casa fue donde Gallatin reunió a ciudadanos adinerados con cuya ayuda financiera se compró Luisiana en 1803 y se dobló el tamaño de Estados Unidos. Años más tarde, durante la invasión británica de 1814, la casa fue el único lugar de

Washington que resistió el ataque mientras que el Capitolio se incendiaba; los soldados estadounidenses se refugiaron en ella para disparar contra los británicos.

El Partido Nacional de las Mujeres, que consiguió el derecho al voto para las mujeres estadounidenses en 1920, compró la casa en 1929 con la ayuda de la feminista divorciada Alva Vanderbilt Belmont. La casa sigue siendo la sede del partido. En su interior se pueden contemplar muebles de época y objetos de las sufragistas, como el escritorio en el que Alice Paul, líder del partido, escribió la entonces sin ratificar enmienda de igualdad de los derechos de 1923, un busto de Alice Paul y una estatua de Juana de Arco traída desde la catedral francesa de Reims, además de la biblioteca feminista más antigua de EE UU.

Capitolio **❺**

Ver pp. 48-49.

Robert A. Taft Memorial **❻**

Constitution Ave y 1st St, NW. **Plano** 4 E4. **M** *Union Station.* **○**

LA ESTATUA DE Robert A. Taft (1889-1953), senador de Ohio, se alza en un parque frente al Capitolio. La escultura, de Wheeler Williams, queda empequeñecida por la gran

Estatua de Robert Taft

torre campanario que se sitúa detrás. Este monumento, de Douglas W. Orr, se erigió en 1959 como "homenaje a la honradez, al indomable coraje y a los nobles principios del gobierno libre simbolizados por su vida". El hijo del presidente William Howard Taft fue un republicano que se hizo famoso como instigador de la ley Taft-Hartley, que regula las relaciones entre la patronal y los trabajadores.

Ulysses S. Grant Memorial **❼**

Union Square, delante de Reflecting Pool, en el lado oeste del Capitolio. **Plano** 4 E4. **M** *Capitol South, Union Station.* **○**

ESTE CONJUNTO escultórico ecuestre esculpido por Henry Merwin Shrady en 1922, con un total de 13 caballos, es uno de los más complejos de su género. El grupo de bronce que rodea al general Grant representa el sufrimiento de la guerra de Secesión. La artillería, formada por caballos y soldados que tiran de un cañón, es dirigida por su jefe a caballo, que enarbola una bandera con el mástil roto. La infantería se encuentra en el centro del combate, donde acaban de caer un caballo y su jinete.

Shrady trabajó durante 20 años en esta escultura, tomando como modelos a soldados entrenándose. Murió dos semanas después de ser inaugurado.

Grupo de artilleros en Ulysses S. Grant Memorial

Capitolio de Estados Unidos ❺

EL CAPITOLIO, sede del poder legislativo desde hace 200 años, es uno de los símbolos más famosos de la democracia. Al igual que la arquitectura neoclásica del edificio, el sistema político se basó en los principios de la Grecia y la Roma antiguas. George Washington puso la primera piedra del Capitolio en 1793 y en 1800 ya se utilizaba a pesar de no estar terminado. El arquitecto Benjamin Latrobe reanudó las obras con la obtención de nuevos fondos, pero los británicos quemaron el Capitolio en 1812. La reconstrucción comenzó en 1815. Muchos elementos arquitectónicos y artísticos, como la estatua de la Libertad y los murales de Brumidi, son posteriores.

Cúpula
Diseñada por Thomas U. Walter, la cúpula fue construida originariamente en madera y cobre.

★ **Rotonda**
La Apoteosis de Washington, *un fresco de Constantino Brumidi, corona esta rotonda de 55 m que fue terminada en 1824.*

Sala de columnas, con estatuas de estadounidenses notables.

Cámara de los Representantes

Cripta y centro geográfico de Washington

★ **National Statuary Hall**
En 1864 el Congreso invitó a todos los estados a contribuir con dos estatuas de ciudadanos notables para esta sala.

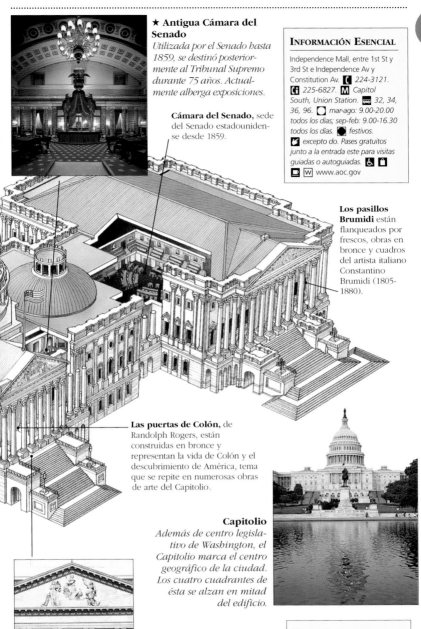

★ Antigua Cámara del Senado
Utilizada por el Senado hasta 1859, se destinó posteriormente al Tribunal Supremo durante 75 años. Actualmente alberga exposiciones.

Cámara del Senado, sede del Senado estadounidense desde 1859.

INFORMACIÓN ESENCIAL

Independence Mall, entre 1st St y 3rd St e Independence Av y Constitution Av. ☎ *224-3121.* ⓕ *225-6827.* Ⓜ *Capitol South, Union Station.* 🚌 *32, 34, 36, 96.* ⏰ *mar-ago: 9.00-20.00 todos los días; sep-feb: 9.00-16.30 todos los días.* ⬤ *festivos.* ⓩ *excepto do. Pases gratuitos junto a la entrada este para visitas guiadas o autoguiadas.* ♿ ▯ ▯ Ⓦ *www.aoc.gov*

Los pasillos Brumidi están flanqueados por frescos, obras en bronce y cuadros del artista italiano Constantino Brumidi (1805-1880).

Las puertas de Colón, de Randolph Rogers, están construidas en bronce y representan la vida de Colón y el descubrimiento de América, tema que se repite en numerosas obras de arte del Capitolio.

Capitolio
Además de centro legislativo de Washington, el Capitolio marca el centro geográfico de la ciudad. Los cuatro cuadrantes de ésta se alzan en mitad del edificio.

Entrada este
En ella se facilitan los pases para las visitas guiadas o autoguiadas. El frontón luce estatuas neoclásicas que simbolizan América, flanqueadas por las figuras de la Justicia y la Esperanza.

RECOMENDAMOS

★ **National Statuary Hall**

★ **Antigua Cámara del Senado**

★ **Rotonda**

Botanic Garden

1st St y Maryland Ave, SW. **Plano** 4 D4.
🆔 225-8333. Ⓜ Federal Center SW.
⏰ llamar para informarse. ⬤ festivos.
♿ 🅦 www.aoc.gov/usbg

DESPUÉS DE TRES años de reformas, el Jardín Botánico ha abierto sus puertas con excelentes exposiciones. La enorme Palm House, de 24 m de altura, es el principal lugar de interés. El edificio, con su aspecto de 1933, ha sido adaptado para albergar plantas tropicales y subtropicales y la colección de helechos y orquídeas. Se muestran también plantas originarias de los desiertos del Viejo y el Nuevo Mundo, plantas de valor económico y curativo y plantas en peligro de extinción rescatadas a través de un programa internacional.

El Jardín Botánico fue creado por el Congreso para cultivar especies beneficiosas para el pueblo estadounidense, y se enriqueció en 1824 cuando la expedición Wilkes trajo a su regreso de los mares del Sur plantas de todo el mundo, algunas de ellas todavía en el jardín.

Cerca del invernadero se han destinado unas hectáreas para un Jardín Nacional de plantas autóctonas de la región central del Atlántico, con un jardín acuático, un jardín de rosas y un centro de educación medioambiental.

Bartholdi Park and Fountain ⑨

Independence Ave y 1st St, SW. **Plano** 4 D4. Ⓜ Federal Center SW. ♿
🅦 www.aco.gov/usbg/barthold.htm

LA BONITA fuente que domina este precioso parque fue obra de Frédéric August Bartholdi (el escultor de la estatua de la Libertad) para el centenario de 1876. Cuando la primitiva iluminación de gas fue sustituida por alumbrado eléctrico en 1881 el parque se convirtió en una concurrida zona nocturna.

Esta fuente de formas simétricas está realizada con hierro fundido y decorada con figuras

La elegante Bartholdi Fountain, rodeada de diminutos jardines

de ninfas y tritones. Alrededor de la fuente hay unos diminutos jardines plantados para inspirar a los jardineros urbanos. Hay un jardín terapéutico, uno romántico, y otro con plantas como helenium, clavellinas y avena silvestre.

Ebenezer United Methodist Church ⑩

4th St y D St, SE. 🆔 544-9539.
Plano 4 F5. Ⓜ Eastern Market.
⏰ 10.00-15.00 ma-vi.

CONSTRUIDA en 1819, Ebenezer Church fue la primera iglesia negra para miembros de las confesiones metodista y episcopal. El número de feligreses creció rápidamente por lo que se construyó una nueva

iglesia, Little Ebenezer. Un año después de que el Congreso decretara, tras la Proclamación de Emancipación de 1863 (ver p. 19), que los niños negros tenían derecho a la educación pública, Little Ebenezer se convirtió en la primera escuela para niños negros del distrito de Columbia. En 1868 se construyó otra iglesia, que sería gravemente dañada por una tormenta en 1896. La iglesia construida en 1897 para sustituirla, Ebenezer United Methodist Church, aún se conserva. Junto a ella hay una maqueta de la desaparecida Little Ebenezer.

Eastern Market ⑪

7th St y C St, SE 🆔 546-2698.
Plano 4 F4. Ⓜ Eastern Market.
⏰ 7.00-18.00 ma-sá; 9.00-16.00 do.
⬤ lu, 1 ene, 4 jul, Día de Acción de Gracias y el día siguiente, 25 y 26 dic.

EASTERN MARKET ocupa toda una manzana de Capitol Hill desde 1871. Los artículos que se venden recuerdan todavía aquella época. Se pueden degustar filetes de ternera y de cerdo, salchichas y quesos de todo el mundo. El olor a pan recién horneado, a pollo asado y a flores invade el mercado. Los sábados los puestos cubiertos del exterior ofrecen artesanía y productos de granjas y los domingos albergan un mercadillo.

Ebenezer Church, edificio de ladrillo rojo de finales del siglo XIX

Friso decorativo en la acera exterior del Capital Children's Museum

Capital Children's Museum ⑫

800 3rd St, NE. **Plano** 4 F2. 675-4120. Union Station. 10.00-17.00 todos los días. 1 ene, 25 dic. www.ccm.org

EL ALEGRE BULLICIO de la chiquillería llena este laberíntico edificio, que más que un museo es un encuentro interactivo con el arte, la cultura y la ciencia. En la entrada hay un jardín con personajes de cuento creados con materiales reciclados por el artista indio Nek Chand. Los niños pueden hacer desde artesanía y tortitas en una aldea mexicana a experimentar con una máquina de burbujas gigante o construir un laberinto.

Una película de Chuck Jones muestra cómo se hacen los dibujos animados y los niños pueden convertirse en un personaje de estos dibujos en el estudio de vídeo. En el Chemical Science Center un químico presenta los misterios del hielo y otros fenómenos naturales.

El parque de bomberos y la cueva del período de los glaciales son muy populares. Las incorporaciones más recientes son un vagón del metro y la Tatami Room, que muestra la visión de Japón que tienen los niños.

Union Station ⑬

50 Massachusetts Ave, NE. **Plano** 4 E3. 371-9441. Union Station. todos los días.. previa cita. www.lasalle.com/union

CUANDO UNION Station se inauguró en 1907, su elegante diseño *beaux arts* se convirtió en el modelo arquitectónico de la ciudad durante 40 años. Era una estructura de granito blanco de bellas proporciones cuyos tres arcos

principales imitaban el Arco de Constantino de Roma. Durante medio siglo fue la estación de ferrocarril más grande del mundo y un importante nudo de comunicaciones; sin embargo, el desarrollo del transporte aéreo provocaría la decadencia de los trenes de pasajeros.

En los años cincuenta el tamaño de la estación resultaba desproporcionado para los pocos viajeros que la utilizaban. Tras dos décadas de debates entre las autoridades ferroviarias y el Congreso, finalmente una corporación con capital público y privado restauró el edificio.

Union Station volvió a abrirse en 1988 y actualmente es uno de los lugares más visitados. El techo abovedado de 29 m de altura se ha cubierto con pan de oro de 22 quilates. En el edificio hay un centenar de tiendas y una zona de restaurantes; en el vestíbulo principal se celebran actos culturales y cívicos durante todo el año. Y sigue siendo una estación por donde pasan unos 100 trenes al día.

Sello antiguo de Benjamin Franklin

National Postal Museum ⑭

1st St y Massachusetts Ave, NE. **Plano** 4 E3. 357-2991. Union Station. 10.00-17.30 todos los días. 25 dic. www.si.edu/postal

ESTE FASCINANTE museo, abierto en 1990 por la Smithsonian Institution, ocupa la antigua oficina de correos. Se exhiben una diligencia y un vagón postal que muestran cómo funcionaba el correo antes del moderno transporte aéreo. La exposición *Art of Cards and Letters* ilustra el aspecto personal y artístico de la correspondencia y *Stamps and Stories* exhibe sellos de la extensa colección. Las exposiciones multimedia muestran cómo funciona el sistema de correos y cómo se hace un sello.

En los quioscos de tarjetas se puede enviar una postal electrónicamente para ver la ruta hasta su destino, y si le pone un sello, depositarla en un buzón.

Columbus Memorial, obra de Lorado Taft, delante de Union Station

El Mall

Espejo de oro, Sackler Gallery

EN LOS PLANOS originales de la nueva capital de Estados Unidos el Mall estaba concebido como una gran avenida flanqueada por elegantes sedes diplomáticas de estilo francés. Aunque el proyecto de L'Enfant no se realizó en su totalidad, el Mall actual es igual de grandioso: una extensa avenida arbolada con museos de la Smithsonian Institution que limita al este con el Capitolio y al oeste con el Washington Monument. El Mall, tal como está hoy, no se completó hasta después de la II Guerra Mundial. Hasta entonces, en su lugar hubo un zoológico, una terminal de ferrocarril y bosques. El Mall es una parte vital de la historia de Estados Unidos: ha acogido numerosas manifestaciones en su recorrido desde Washington Monument hasta el Capitolio. En este lugar ha oficiado misa el Papa, la soprano afroamericana Marian Anderson cantó a petición de una primera dama, Eleanor Roosevelt, y Martin Luther King pronunció su famoso discurso "Tengo un sueño". El 4 de julio, Día de la Independencia, se celebra en el Mall con fuegos artificiales. En las tardes de verano equipos de *softball* de trabajadores federales juegan en sus campos.

Lugares de Interés

Museos y galerías
Arthur M. Sackler Gallery ❽
Arts and Industries Building ❹
Freer Gallery of Art ❾
Hirshhorn Museum ❸
National Air and Space Museum pp. 60-63 ❷
National Gallery of Art pp. 56-59 ❶
National Museum of African Art ❺
National Museum of American History pp. 70-73 ❿
National Museum of Natural History pp. 66-67 ❻
Smithsonian Castle ❼
United States Holocaust Memorial Museum pp. 76-77 ⓬

Monumentos conmemorativos
Franklin D. Roosevelt Memorial ⓰
Jefferson Memorial ⓮
Korean War Veterans Memorial ⓱
Lincoln Memorial ⓲
Vietnam Veterans Memorial ⓳
Washington Monument ⓫

Parques y jardines
Tidal Basin ⓯

Edificios oficiales
Bureau of Engraving and Printing ⓭

Cómo Llegar
Aunque existen zonas de aparcamiento limitado es más fácil llegar en autobús (líneas 32, 34, 36 o 52) o en metro. Las paradas más cercanas de metro son Smithsonian y Archives-Navy Memorial.

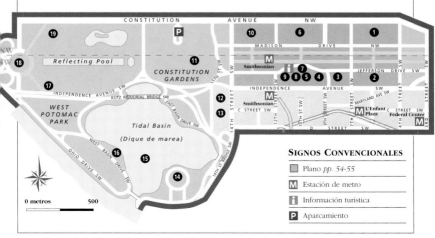

Signos Convencionales

▦	Plano *pp. 54-55*
Ⓜ	Estación de metro
ⓘ	Información turística
Ⓟ	Aparcamiento

◁ **Vista nocturna de Washington Monument con el Capitolio al fondo**

El Mall en 3 dimensiones

E L MALL, una avenida de 1,5 km de extensión entre el Capitolio y Washington Monument, es el centro cultural de la ciudad; los diferentes museos de la Smithsonian Institution se alinean a lo largo de esta arbolada avenida. En la esquina noreste del Mall se encuentra la National Gallery of Art; justo enfrente está ubicado el National Air and Space Museum, uno de los museos más famosos del mundo, que ocupa una imponente construcción de acero y cristal. En el lado norte del Mall se sitúan el National Museum of American History y el National Museum of Natural History, que también atraen a muchos visitantes.

★ National Museum of Natural History
La rotonda central, de estilo neoclásico, se abrió al público en 1910 **6**

Smithsonian Castle
El actual centro de información de la Smithsonian Institution acogió en su día el germen de las distintas colecciones repartidas hoy en los numerosos museos del Mall **7**

★ National Museum of American History
La historia estadounidense está en este museo, desde la dentadura de madera de Washington a este Tucker Torpedo de los cuarenta **10**

Washington Monument

0 metros   100

Freer Gallery of Art
Esta galería expone arte estadounidense y asiático, como esta pintura china de tinta sobre seda del siglo XIII **9**

Arthur M. Sackler Gallery
Extensa colección de arte asiático donada al país por el neoyorquino Arthur Sackler **8**

National Museum of African Art
Creado en 1965 en una planta del subsuelo, este museo alberga una muestra representativa del arte africano antiguo y moderno **5**

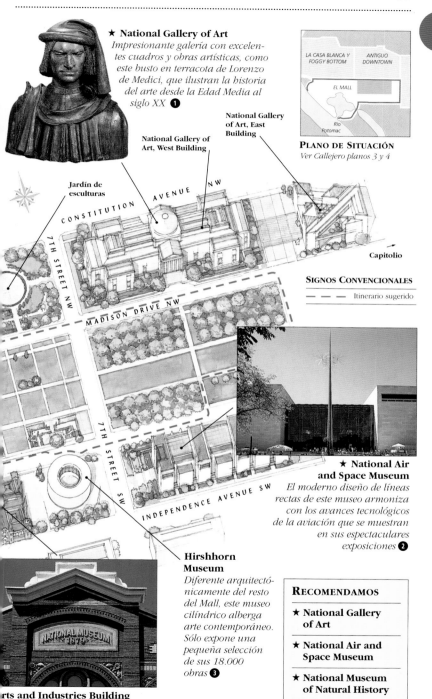

★ **National Gallery of Art**
Impresionante galería con excelen-tes cuadros y obras artísticas, como este busto en terracota de Lorenzo de Medici, que ilustran la historia del arte desde la Edad Media al siglo XX ❶

PLANO DE SITUACIÓN
Ver Callejero planos 3 y 4

LA CASA BLANCA Y FOGGY BOTTOM
ANTIGUO DOWNTOWN
EL MALL
Río Potomac

National Gallery of Art, East Building

National Gallery of Art, West Building

Jardín de esculturas

CONSTITUTION AVENUE NW

7TH STREET NW

MADISON DRIVE NW

Capitolio

SIGNOS CONVENCIONALES
– – – Itinerario sugerido

7TH STREET SW

INDEPENDENCE AVENUE SW

★ **National Air and Space Museum**
El moderno diseño de líneas rectas de este museo armoniza con los avances tecnológicos de la aviación que se muestran en sus espectaculares exposiciones ❷

Hirshhorn Museum
Diferente arquitectó-nicamente del resto del Mall, este museo cilíndrico alberga arte contemporáneo. Sólo expone una pequeña selección de sus 18.000 obras ❸

NATIONAL MUSEUM 1879

rts and Industries Building
sta obra maestra victoriana fue construida ara albergar piezas procedentes de la xposición del Centenario de Filadelfia ❹

RECOMENDAMOS

★ **National Gallery of Art**

★ **National Air and Space Museum**

★ **National Museum of Natural History**

★ **National Museum of American History**

National Gallery of Art ❶

E N LA DÉCADA DE 1870 el financiero y estadista estadounidense Andrew Mellon comenzó una colección de obras de arte europeo de los siglos XVII y XVIII. En 1937 donó 141 obras, el núcleo de la nueva National Gallery of Art. Otros coleccionistas del país siguieron su ejemplo. Cuando el edificio neoclásico destinado al museo se abrió en 1941 contenía las mejores obras del arte occidental de los siglos XIII al XIX. Hacia 1970 la galería contaba con un edificio más, West Building, y la familia Mellon encargó otro al arquitecto I. M. Pei para exponer las obras del siglo XX. Esta ampliación (East Building) fue el edificio moderno más innovador de la ciudad.

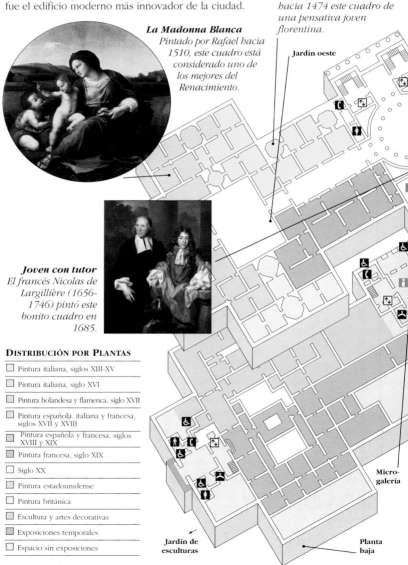

★ Ginebra Benci
Leonardo da Vinci pintó hacia 1474 este cuadro de una pensativa joven florentina.

La Madonna Blanca
Pintado por Rafael hacia 1510, este cuadro está considerado uno de los mejores del Renacimiento.

Jardín oeste

Joven con tutor
El francés Nicolas de Largillière (1656-1746) pintó este bonito cuadro en 1685.

DISTRIBUCIÓN POR PLANTAS

- ☐ Pintura italiana, siglos XIII-XV
- ☐ Pintura italiana, siglo XVI
- ☐ Pintura holandesa y flamenca, siglo XVII
- ☐ Pintura española, italiana y francesa, siglos XVII y XVIII
- ☐ Pintura española y francesa, siglos XVIII y XIX
- ☐ Pintura francesa, siglo XIX
- ☐ Siglo XX
- ☐ Pintura estadounidense
- ☐ Pintura británica
- ☐ Escultura y artes decorativas
- ☐ Exposiciones temporales
- ☐ Espacio sin exposiciones

Micro-galería

Jardín de esculturas

Planta baja

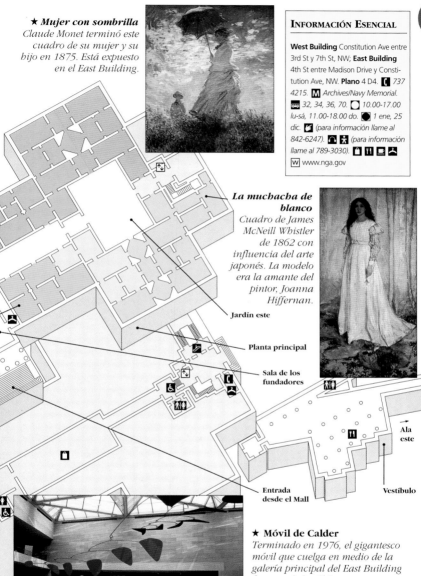

★ *Mujer con sombrilla*
Claude Monet terminó este cuadro de su mujer y su hijo en 1875. Está expuesto en el East Building.

INFORMACIÓN ESENCIAL

West Building Constitution Ave entre 3rd St y 7th St, NW; **East Building** 4th St entre Madison Drive y Constitution Ave, NW. **Plano** 4 D4. 🄲 *737 4215.* Ⓜ *Archives/Navy Memorial.* 🚌 *32, 34, 36, 70.* ⬜ *10.00-17.00 lu-sá, 11.00-18.00 do.* ⬤ *1 ene, 25 dic.* ☑ *(para información llame al 842-6247).* 🅰️ 🅱️ *(para información llame al 789-3030).* 🅴🅵🅶🅷 Ⓦ *www.nga.gov*

La muchacha de blanco
Cuadro de James McNeill Whistler de 1862 con influencia del arte japonés. La modelo era la amante del pintor, Joanna Hiffernan.

Jardín este

Planta principal

Sala de los fundadores

Ala este

Entrada desde el Mall

Vestíbulo

★ **Móvil de Calder**
Terminado en 1976, el gigantesco móvil que cuelga en medio de la galería principal del East Building fue uno de los últimos encargos realizados por Alexander Calder.

GUÍA DEL MUSEO

La National Gallery of Art consta de dos edificios. West Building, dedicado a la pintura y escultura europeas de los siglos XIII al XIX, incluye obras estadounidenses y una importante muestra de impresionismo. East Building alberga obras del siglo XX y exposiciones temporales. Los dos edificios están unidos por una galería subterránea.

RECOMENDAMOS

★ **Móvil de Calder**

★ **Ginebra Benci**

★ **Mujer con sombrilla**

Explorando The National Gallery of Art

L OS DOS EDIFICIOS del museo son muy distintos entre sí. El elegante y clásico West Building, diseñado por John Russell Pope, está compuesto por una rotonda flanqueada por dos alas simétricas. Construido con mármol de Tennessee, su silueta se alza sombría en el Mall. Está dedicado al arte occidental de los siglos XIII al XIX. East Building, terminado en 1798, está ubicado entre Constitution Avenue y Pennsylvania Avenue. La asimetría de este edificio triangular resulta audaz frente a la arquitectura conservadora de West Building, pero sorprendentemente el conjunto resulta armonioso. Su interior es un espacio con galerías a ambos lados dedicadas al arte moderno. El jardín de esculturas, contiguo a West Building, tiene una zona que se convierte en una pista de hielo en invierno.

Expulsión de los mercaderes del templo (anterior a 1570), de El Greco

Madonna con Niño de Giotto, pintado entre 1320 y 1330

PINTURA ITALIANA DE LOS SIGLOS XIII AL XV

L A SALA ITALIANA contiene cuadros de los siglos XIII al XV. Son obras prerrenacentistas de tema religioso fuertemente marcadas por el arte bizantino.

Madonna con Niño (c.1320) del florentino Giotto muestra la transición entre la pintura clásica y la renacentista. *La Adoración de los Reyes Magos,* pintado hacia 1480 por Boticelli representa a una serena Madonna con Niño rodeado de figuras en un paisaje italiano. Por la misma época Pietro Perugino pintó *Crucifixión con la Virgen, San Juan, San Jerónimo y Santa María Magdalena.* Andrew Mellon compró el tríptico al Museo Hermitage de Leningrado. *La Madonna Blanca,* pintada por Rafael en

1510, ha sido definida como la mejor obra de la pintura renacentista en cuanto a composición. *Ginebra Benci* (1474) de Leonardo da Vinci se considera el primer retrato psicológico de la historia del arte.

PINTURA ITALIANA DEL SIGLO XVI

E STA SECCIÓN incluye obras de Tintoretto, Tiziano y Rafael. En el siglo XVI el clasicismo italiano alcanzó su máximo esplendor. *San Jorge y el dragón* (c.1510) de Rafael es una muestra de la perfección de la técnica característica de esta escuela. En *Cristo en el lago Tiberíades* (c.1575), Tintoretto muestra a Jesucristo de pie en la orilla y a sus discípulos en una barca sacudida por la tempestad. La intensidad emocional y la importancia de la naturaleza en sus cuadros hicieron de Tintoretto uno de los grandes pintores venecianos.

PINTURA ESPAÑOLA, ITALIANA Y FRANCESA DE LOS SIGLOS XVII Y XVIII

E N ESTA SECCIÓN se encuentra el cuadro de Jean-Honoré Fragonard *Diana y Endimión* (1753), muy influenciado por su mentor, François Boucher. La *Expulsión de los mercaderes del templo* (anterior a 1570) de El Greco muestra influencia de las escuelas italianas del siglo XVI. El cuadro está firmado con su verdadero nombre, Domenikos Theotokópoulos.

PINTURA HOLANDESA Y FLAMENCA DEL SIGLO XVII

E N ESTA COLECCIÓN están representados grandes maestros como Rubens, Van Dyck y Rembrandt. La galería posee uno de los autorretratos de Rembrandt, un óleo pintado en 1654, diez años

Diana y Endimión (c.1753), óleo de Jean-Honoré Fragonard

antes de su muerte.

Esta sección incluye también obras de Rubens que demuestran su genialidad. *Daniel en la guarida de los leones* (c.1615), que lo pintó a cambio de unos mármoles antiguos de un diplomático británico, representa a Daniel pidiendo compasión por su vida a unos leones. También de Rubens es el cuadro *Deborah Kip, esposa de Balthasar Gerbier, y sus hijos* (1629-1630). No es un retrato familiar convencional, ya que la expresión retraída y pensativa de la mujer y sus cuatro hijos sugieren tristeza, e incluso una tragedia oculta. Van Dyck pintó a la primera mujer de Rubens, *Isabella Brant* (c.1621), hacia el final de su vida, con cara sonriente pero ojos melancólicos.

Siluetas geométricas de West Building y East Building

PINTURA FRANCESA DEL SIGLO XIX

LA GALERÍA posee la mejor colección de cuadros impresionistas existente fuera de París. Alberga *La estación de San Lázaro* (1873) de Manet, *Niña con regadera* (1876) de Renoir, *Cuatro bañistas* (c.1899) de Degas, *Palazzo da Mula, Venecia* (1908) y *Mujer con sombrilla* (1875) de Monet y *El padre del artista* (1866) de Cézanne.

Entre los cuadros posimpresionistas se encuentran *El faro de Honfleur* (1886) de Seurat, cuadro puntillista donde la imagen surge de la unión de miles de puntos, y *Muchacha de blanco* (1890) de Van Gogh, que lo terminó justo un mes antes de suicidarse. La muchacha está de pie en medio de un campo de amapolas con la mirada ausente. El cuadro de Toulouse-Lautrec *Moulin Rouge: el comienzo de la cuadrilla* (1892) muestra una bailarina que enseña provocativamente sus tobillos.

Mrs. Adrian Iselin (1888) de John Singer Sargent

PINTURA ESTADOUNIDENSE

ESTA PINTURA refleja temas genuinamente estadounidenses con técnicas de influencia europea. *La muchacha de blanco* (1862) de James McNeill Whistler tiene un aire sofisticado europeo, mientras que Mary Casatt, exiliada en Europa, muestra una gran influencia del impresionismo, sobre todo de Degas. Su *Boating Party* (1893-1894) trata con una mirada distanciada uno de sus temas recurrentes: madre con niño. John Singer Sargent, uno de los mejores retratistas, también está representado con obras como *Mrs. Adrian Iselin* (1888). *Breezing Up* (1876) es una obra genial del gran maestro del realismo Winslow Homer. El cuadro muestra una encantadora escena de pesca con cuatro niños y un pescador en un día claro.

ARTE DEL SIGLO XX

EL ARTE del siglo XX se muestra en el enorme West Building, en un inmenso patio con cuatro balcones y galerías adyacentes. Este espacio abierto está pensado para albergar piezas gigantescas de arte moderno. El centro del patio lo ocupa la escultura *Untitled*, una obra en rojo, azul y blanco encargada a Alexander Calder en 1972 para la apertura del museo en 1978. Cerca de la entrada se encuentra la escultura de bronce de Henry Moore, *Knife Edge Mirror Two Piece* (1977-1978). En el atrio cuelga también el tapiz titulado *Mujer* (1977) de Joan Miró.

East Building acoge exposiciones itinerantes que no se limitan al arte moderno. Por él han pasado el arte japonés antiguo, los impresionistas estadounidenses y los bocetos de Leonardo da Vinci. Comparadas con el atrio, las galerías son muy íntimas.

El edificio alberga también un centro de investigación, oficinas para los conservadores, una biblioteca y una amplia colección de dibujos y grabados.

JARDÍN DE ESCULTURAS

Situado en la 7th Street, junto a West Building, este jardín muestra 20 esculturas. Las obras del siglo XX se alzan alrededor del perímetro del jardín, con trabajos de Isamu Noguchi, Louise Bourgeois, Roy Lichtenstein y Joan Miró. Las esculturas se encuentran muy espaciadas y son de características muy diversas. El jardín es a la vez una galería al aire libre en verano y un agradable remanso de paz dentro de la ciudad; en invierno se convierte en una pista de hielo. El café del pabellón está abierto todo el año.

National Air and Space Museum ❷

Insignia de las Fuerzas Aéreas de EE UU

Este MUSEO se inauguró el 4 de julio de 1976 coincidiendo con el bicentenario del nacimiento de la nación. De 1964 a 1976 estuvo ubicado en el Washington Armory, un estrecho edificio del siglo XIX que actualmente alberga el National Museum of African Art y la Arthur M. Sackler Gallery. La arquitectura estilizada del nuevo edificio, diseñado por Hellmuth, Obata y Kassabaum, es más acorde con los aviones, cohetes, globos, cápsulas espaciales, la exploración del espacio y la tecnología de su interior. En la actualidad se están realizando reformas cuya finalización está prevista para el 2001.

El *Apolo* hacia la Luna es la galería que muestra los primeros días de la carrera espacial entre Estados Unidos y la Unión Soviética.

Skylab
Fue un taller en órbita para una tripulación de tres personas que realizaban experimentos sobre la rotación.

Restaurantes

★ Lanzadera espacial *Columbia*
Maqueta a escala de la lanzadera espacial Columbia. *Fue construida como maqueta de trabajo con fines experimentales.*

Samuel P. Langley IMAX® Theater

RECOMENDAMOS

★ **Avión de los Wright (1903)**

★ **Lanzadera *Columbia***

★ **Módulo de mando del *Apolo XI***

★ ***Spirit of St. Louis***

GUÍA DEL MUSEO

La primera planta del museo alberga todo tipo de aparatos, desde los primeros aeroplanos hasta estaciones espaciales. La tienda del museo y el IMAX® Theater se encuentran también en la primera planta. La segunda planta está destinada a exposiciones especiales y educativas.

Entrada desde el Ma

★ **Módulo de mando del *Apolo XI***
Este módulo transportó a los astronautas Aldrin, Armstrong y Collins en su histórica misión a la Luna en julio de 1969, cuando Neil Armstrong pisó la Luna.

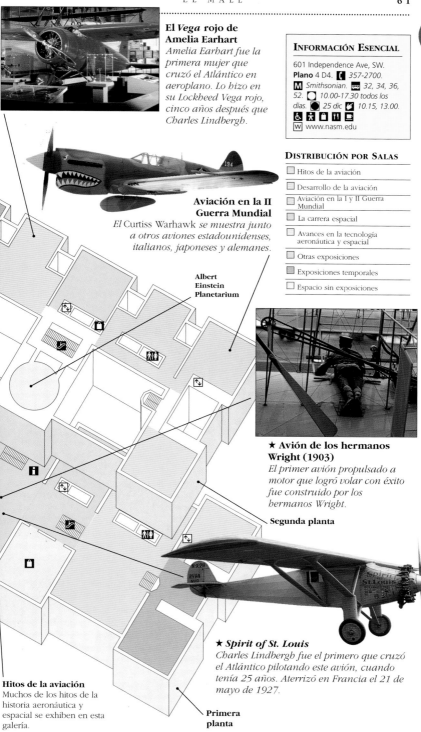

El *Vega* rojo de Amelia Earhart
Amelia Earhart fue la primera mujer que cruzó el Atlántico en aeroplano. Lo hizo en su Lockheed Vega rojo, cinco años después que Charles Lindbergh.

INFORMACIÓN ESENCIAL

601 Independence Ave, SW.
Plano 4 D4. 357-2700.
Smithsonian. 32, 34, 36, 52. 10.00-17.30 todos los días. 25 dic 10.15, 13.00.
W www.nasm.edu

DISTRIBUCIÓN POR SALAS

☐ Hitos de la aviación
☐ Desarrollo de la aviación
☐ Aviación en la I y II Guerra Mundial
☐ La carrera espacial
☐ Avances en la tecnología aeronáutica y espacial
☐ Otras exposiciones
☐ Exposiciones temporales
☐ Espacio sin exposiciones

Aviación en la II Guerra Mundial
El Curtiss Warhawk *se muestra junto a otros aviones estadounidenses, italianos, japoneses y alemanes.*

Albert Einstein Planetarium

★ **Avión de los hermanos Wright (1903)**
El primer avión propulsado a motor que logró volar con éxito fue construido por los hermanos Wright.

Segunda planta

★ ***Spirit of St. Louis***
Charles Lindbergh fue el primero que cruzó el Atlántico pilotando este avión, cuando tenía 25 años. Aterrizó en Francia el 21 de mayo de 1927.

Hitos de la aviación
Muchos de los hitos de la historia aeronáutica y espacial se exhiben en esta galería.

Primera planta

Explorando el National Air and Space Museum

Apesar de los 18.500 m² destinados a exposiciones, el National Air and Space Museum tiene dificultad para acoger a los millones de personas que lo visitan. Al gran volumen de visitantes hay que añadir el gigantesco tamaño de los objetos expuestos, entre ellos cientos de cohetes, aviones y cápsulas espaciales. Hasta un avión tan sencillo como el *Flyer* de los hermanos Wright dejaría pequeño a un museo convencional. Este enorme y espectacular edificio, diseñado por Hellmuth, Obata y Kassabaum, es una muestra del uso creativo del cristal y el granito en la arquitectura de museos.

Boeing F4B

Hitos de la Aviación

Si se entra al museo desde el Mall, la primera parada es la ambiciosa galería **Hitos de la aviación,** que traza la historia de ésta. Se muestran algunos objetos que supusieron importantes avances en la tecnología aeronáutica y espacial en el intento del hombre por dominar el espacio.

La galería está pensada para albergar grandes aviones y módulos espaciales. Sin embargo, hay máquinas pioneras que sorprenden por su reducido tamaño. El *Spirit of St. Louis* de Charles Lindbergh, el primer avión que cruzó el Atlántico con un solo hombre, no podía transportar suficiente combustible para completar el viaje, y Lindbergh improvisó un tanque en el blindaje del ala. El *Friendship 7*, la nave en la que John Glenn giró alrededor de la Tierra, es como un cubo de basura grande.

Cerca de la entrada se encuentra una roca lunar, símbolo de la exploración del espacio por el hombre. En la misma sala se expone el módulo de mando del *Apolo XI*, que transportó al primer hombre a la Luna. En el techo está el *Flyer* de los hermanos Wright, que consiguieron volar por primera vez en un aparato más pesado que el aire el 17 de diciembre de 1903 en Kitty Hawk, Carolina del Norte.

Desarrollo de la Aviación

El avión es hoy un medio de transporte rutinario, seguro y rápido. Sin embargo, este museo muestra máquinas y artefactos de un tiempo en que volar era toda una aventura. La sección **Pioneros de la avia-**ción está dedicada a las personas que se enfrentaron a barreras físicas y psicológicas para elevarse desde la tierra. Cal Rogers fue el primer piloto que atravesó Estados Unidos volando, aunque con muchas paradas. En su recorrido de costa a costa en 1911 tardó menos de 30 días, pero realizó 70 aterrizajes. Su primer biplano se incluye en la exposición. Doce años más tarde un Fokker T-2 hizo el viaje en menos de 27 horas.

El Lockheed Vega rojo de Amelia Earhart, la primera mujer que sobrevoló el Atlántico, justo cinco años después que Charles Lindbergh, también está en la sección, así como el *Tingmissartoq*, un hidroavión Lockheed Sirius de Charles Lindbergh. Su nombre significa en la lengua de los esquimales "alguien que vuela como un pájaro". La **Edad de oro de la aviación** está dedicada a los grandes avances aeronáuticos de la I y II Guerra Mundial. El gran interés del público dio lugar a carreras, exhibiciones y exploraciones aventureras. Se pueden ver aviones equipados con esquíes para aterrizar en la nieve, con alas cortadas para las carreras y un avión *staggerwing* con el ala inferior delante de la superior.

La galería de **Operaciones mar-aire** muestra el Boeing F4B usado por los escuadrones de la Infantería de Marina, que sería desarrollado durante las dos guerras mundiales. Más tarde los aviones de hélices fueron sustituidos por los avio-

Correo y aviones de carga en la galería Transporte aéreo

**Cohetes expuestos en la galería
Carrera espacial**

nes a reacción. **Aviación a
reacción** contiene el primer
avión de guerra a reacción, el
alemán Messerschmitt Me 262A.
Lulu Belle, el primer modelo de
EE UU, se utilizó en la guerra de
Corea (1950-1953). **Transporte
aéreo** expone aviones de los
primeros tiempos del correo
aéreo, con la cabina abierta con
el correo en la cabina frontal y
el piloto en la lateral. Los primeros aviones, como el Fairchild
FC-2, eran de madera y tela.

Aviación en la I y II Guerra Mundial

UNA DE LAS ZONAS MÁS populares del museo es la galería
**Aviación en la II Guerra
Mundial,** con aviones de los
aliados y de las fuerzas aéreas
del eje. En la pared cuelga el
gigantesco Boeing B-17G
Flying Fortress, colocado contra
una tela pintada de Keith Ferris
y cerca el Mitsubishi A6M5 Zero
Model 52 japonés, un *caza*
ligero muy manejable.
   La facilidad de manejo del
Messerschmitt BF 109 lo convirtió
en el *caza* alemán más célebre.
Éste fue igualado por el Super-
marine Spitfire, que consiguió el
control del espacio aéreo para
Gran Bretaña en 1940-1941.

La Carrera Espacial

EL ENFRENTAMIENTO entre
Estados Unidos y la Unión
Soviética después de la II Guerra
Mundial se manifestó en la
carrera espacial. A Estados Uni-
dos le cogió por sorpresa el

lanzamiento del cohete soviético
Sputnik 1 el 4 de octubre de
1957. El intento de revancha
estadounidense de lanzar su primer satélite fracasó cuando el
Vanguard explotó en diciembre
de 1957. Algunas piezas del satélite se conservan en el museo.
   En 1961 el soviético Yuri Ga-
garin se convirtió en el primer
hombre que giró alrededor de la
Tierra. El mismo año los estadounidenses contrarrestaban con el
primer vuelo espacial tripulado
de Alan Shepard en el *Freedom
7*. El primer paseo espacial lo dio
desde la cápsula *Gemini IV* el
estadounidense Edward H.
White en 1965.
   La historia de los
esfuerzos del
hombre por llegar al
espacio se ilustra en
la galería **Cohetes y
vuelos espaciales,**
desde el siglo XIII a la
actualidad. También
se emite un vídeo,
La Tierra hoy, sobre
los satélites y el traje espacial
de los primeros astronautas.
   Se incluyen en esta sección
una reconstrucción de dimensiones reales del módulo de
mando del *Skylab 4* y el *Gemini
7*, la nave para dos personas
que consiguió girar alrededor de
la Tierra en 1965.
   Esta galería muestra el resultado del pulso final entre las
dos grandes potencias con el
proyecto Apolo Soyuz, que
incluía el acoplamiento del
módulo estadounidense
Apolo con la nave soviética *Soyuz*. Este
proyecto marcó
el principio del
fin de la carrera
espacial.

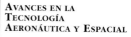

Cápsula *Gemini IV*

Avances en la Tecnología Aeronáutica y Espacial

PARTE DE LA fascinación por la
aviación se explica por el
deseo de ver la Tierra desde
lejos y de acercarse a otros
planetas. En la entrada de Independence Avenue la obra del
artista Robert T. McCall muestra
el nacimiento del universo, los
planetas y la llegada del hombre a la Luna.
   El telescopio Hubble, enviado desde la lanzadera espacial
Discovery en abril de 1990,
facilitó fotografías de
la Tierra. El
telescopio Apolo
fue lanzado por el
Skylab para estudiar la
Luna. Los satélites
lunares iban equipados
con laboratorios fotográ-
ficos que enviaban
mapas detallados de la
Luna. El *Ranger*, lanza-
do en 1964, tomó fotografías de
alta calidad de la Luna.
Más allá de los límites
ilustra los grandes cambios
debidos a la informática y
muestra los últimos diseños
aeronáuticos.

Traje de los astronautas del *Apolo*, 1961

Hirshhorn Museum ❸

Independence Ave y 7th St, SW.
Plano 3 C4. 📞 357-2700.
Ⓜ Smithsonian. ⏰ 10.00-17.30
todos los días (jardín de esculturas,
10.00-atardecer) ⬤ 25 dic. 📷 ♿
🆆 www.si.edu/hirshhorn

Cuando el Hirshhorn Museum era un proyecto, S. Dillon Ripley, el entonces secretario de la Smithsonian Institution, comentó al consejo de planificación que el edificio debía ser "controvertido en todos los sentidos", como corresponde a un museo de arte contemporáneo.

El deseo arquitectónico de Ripley se cumplió. El edificio, que ha sido descrito como un buñuelo o un platillo volador, es un cilindro asimétrico de cuatro plantas que alberga una de las mejores colecciones de arte moderno de Estados Unidos.

El mecenas del museo, Joseph H. Hirshhorn, fue un inmigrante excéntrico y estrafalario de Letonia que reunió una colección de 6.000 obras de arte contemporáneo. Desde que el museo se inauguró en 1974, la Smithsonian ha aumentado la donación original de Hirshhorn. Actualmente alberga 3.000 esculturas, 4.000 dibujos y fotografías y unos 5.000 cuadros, ordenados cronológicamente. Las plantas

Two Disks **(1965) de Alexander Calder, Hirshhorn Museum**

primera y segunda están dedicadas a los siglos XIX y XX, y se incluyen obras de Matisse y Degas entre otros; la tercera planta contiene obras de artistas contemporáneos como Bacon, De Kooning, John Singer Sargent y Cassatt. El jardín de esculturas, situado en la calle que hay frente al museo, muestra obras de Auguste Rodin y Henry Moore y de muchos otros escultores.

Junto a la colección permanente, el Hirshhorn Museum alberga al menos tres importantes exposiciones temporales al año, dedicadas a temas específicos u homenajes a artistas como Lucien Freud,

Alberto Giacometti o Francis Bacon. El café exterior situado en la plaza circular, en el centro del edificio, sirve almuerzos ligeros durante todo el verano.

Arts and Industries Building ❹

900 Jefferson Drive, SW. **Plano** 3 C4.
📞 357-2700. Ⓜ Smithsonian.
⏰ 10.00-17.30 todos los días.
⬤ 25 dic. 🎭 sólo Discovery Theater.
📷 previa cita. ♿ 🆆 www.si.edu/ai

Las extensas y adornadas galerías y la rotonda de este edificio fueron diseñadas por Montgomery Meigs, arquitecto del National Building Museum *(ver p. 97).* El Arts and Industries Building es extraordinario; destaca por la enorme extensión de espacio abierto (17 zonas ininterrumpidas de exposiciones) y la abundancia de luz natural. El museo ha tenido distintos usos desde que fue terminado el 4 de marzo de 1881: el año de su apertura fue sede del baile inaugural del mandato del presidente James Garfield; exhibió objetos de la Exposición del Centenario de Filadelfia de 1876, como un tren de vapor; y albergó una colección de trajes de las primeras damas y el famoso

Fuente, Arts and Industries Building

Fuente de la plaza central del Hirshhorn Museum, rodeada por un jardín de esculturas

Rotonda del Arts and Industries Building

aeroplano de Lindbergh *Spirit of St. Louis*, antes de que fueran trasladados a otros museos del Mall.

El Arts and Industries Building acoge exposiciones temporales, muchas de ellas sobre la cultura afroamericana y ameroindia. El teatro para niños Discovery Theater programa actuaciones de cantantes, bailarines y marionetas de septiembre a julio. El resto del edificio alberga actualmente oficinas administrativas de la Smithsonian Institution.

National Museum of African Art ❺

950 Independence Ave, SW.
Plano 3 C4. 357-2700.
Smithsonian. 10.00-17.30 todos los días. 25 dic.
www.si.edu/nmafa

EL NATIONAL MUSEUM OF AFRICAN ART es uno de los lugares más tranquilos del Mall. Pasa desapercibido para muchos visitantes, quizá porque la mayor parte está en el subsuelo. Desde el pequeño pabellón de la entrada se desciende a tres plantas subterráneas cuyo espacio comparte el museo con el contiguo Ripley Center (oficinas administrativas de la Smithsonian) y con la Arthur

M. Sackler Gallery *(ver pp. 68-69)*.

Fundado en 1965 por Warren Robbins, antiguo funcionario del American Foreign Service, el museo estuvo emplazado en un principio en la casa de Frederick Douglass *(ver p. 139)*, en Capitol Hill. La colección de Robbins fue adquirida por la Smithsonian en 1979 y se trasladó a su nueva sede en 1987.

Entre las 7.000 piezas de la colección permanente se encuentran muestras de arte africano moderno y antiguo, aunque la mayoría es de los siglos XIX y XX. Se exponen obras tradicionales en bronce, cerámica y oro y numerosas máscaras. También se exhiben ropas *kente* de Ghana de vivos colores y diseños, símbolo del nacionalismo africano. Los

archivos Eliot Elisofon Photographic Archives contienen 300.000 grabados y numerosas películas sobre arte y cultura africana.

Se celebran exposiciones especiales y talleres, algunos destinados específicamente a los niños. La tienda de regalos vende ropa de vivos colores, libros y postales.

Cabeza de bronce de Benin, National Museum of African Art

HISTORIA DEL MALL

En septiembre de 1789 el francés Pierre L'Enfant (1754-1825) pidió permiso a George Washington para diseñar la capital de Estados Unidos. Mientras el resto de la ciudad se desarrollaba, el área diseñada por L'Enfant como una gran avenida que saldría al oeste desde el Capitolio permanecía como terreno pantanoso. En 1855 el paisajista Jackson Downing fue contratado para diseñar la zona de acuerdo con el proyecto de L'Enfant. Pero el dinero se acabó y las obras se interrumpieron. Al final de la guerra de Secesión, el presidente Lincoln, deseoso de continuar la construcción de la ciudad, mandó que se reanudaran las obras y el Mall empezó a tomar la apariencia de parque que tiene actualmente. Con la creación de museos y monumentos conmemorativos en la segunda mitad del siglo XX, el Mall se convirtió en el centro cultural de Washington.

Vista aérea del Mall en dirección al Capitolio

National Museum of Natural History ❻

ESTE MUSEO, inaugurado en 1910, expone objetos de diferentes culturas del mundo junto a fósiles y criaturas vivas del mar y la tierra. Aunque sólo se muestra parte de los numerosos objetos de su fondo, visitar el museo es una ardua empresa. Es preferible ver lo mejor de la exposición y dejar el resto para otras visitas. Insect Zoo, con gigantescas cucarachas y una colonia de hormigas cortahojas, es muy popular entre los niños. En la Discovery Room se pueden tocar desde cabezas de cocodrilos hasta colmillos de elefantes. El renovado Dinosaur Hall hace las delicias de jóvenes y adultos.

★ Insect Zoo
Esta popular exposición muestra la vida y el hábitat de la especie animal más simple y numerosa, con muchos ejemplares vivos.

The Samuel Johnson IMAX®
Theater proyecta fascinantes películas en dos y tres dimensiones.

Elefante africano
El enorme elefante africano de la sabana es una de las estrellas del museo. Ocupa el centro de la rotonda y ofrece una vista impresionante de la entrada del museo.

Entrada desde el Mall

Planta baja

RECOMENDAMOS

★ **Dinosaur Hall**

★ **Insect Zoo**

★ **Hope Diamond**

GUÍA DEL MUSEO

Las principales exposiciones de la primera planta presentan mamíferos de diferentes continentes y hábitats. También se exhiben dinosaurios y objetos de numerosas culturas. La colección de piedras preciosas y minerales y el Insect Zoo ocupan la segunda planta.

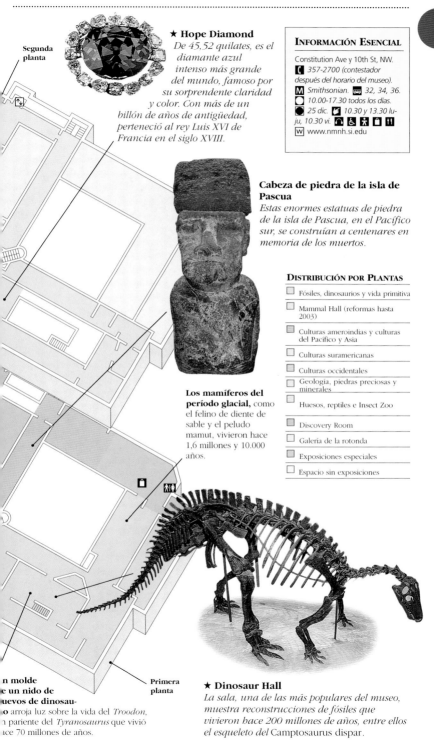

★ **Hope Diamond**
De 45,52 quilates, es el diamante azul intenso más grande del mundo, famoso por su sorprendente claridad y color. Con más de un billón de años de antigüedad, perteneció al rey Luis XVI de Francia en el siglo XVIII.

Segunda planta

INFORMACIÓN ESENCIAL

Constitution Ave y 10th St, NW.
357-2700 (contestador después del horario del museo).
Smithsonian. 32, 34, 36.
10.00-17.30 todos los días.
25 dic. 10.30 y 13.30 lu-ju, 10.30 vi.
www.nmnh.si.edu

Cabeza de piedra de la isla de Pascua
Estas enormes estatuas de piedra de la isla de Pascua, en el Pacífico sur, se construían a centenares en memoria de los muertos.

DISTRIBUCIÓN POR PLANTAS

☐ Fósiles, dinosaurios y vida primitiva
☐ Mammal Hall (reformas hasta 2003)
☐ Culturas ameroindias y culturas del Pacífico y Asia
☐ Culturas suramericanas
☐ Culturas occidentales
☐ Geología, piedras preciosas y minerales
☐ Huesos, reptiles e Insect Zoo
☐ Discovery Room
☐ Galería de la rotonda
☐ Exposiciones especiales
☐ Espacio sin exposiciones

Los mamíferos del período glacial, como el felino de diente de sable y el peludo mamut, vivieron hace 1,6 millones y 10.000 años.

n molde
e un nido de
uevos de dinosau-
o arroja luz sobre la vida del *Troodon*, n pariente del *Tyranosaurus* que vivió ace 70 millones de años.

Primera planta

★ **Dinosaur Hall**
La sala, una de las más populares del museo, muestra reconstrucciones de fósiles que vivieron hace 200 millones de años, entre ellos el esqueleto del Camptosaurus dispar.

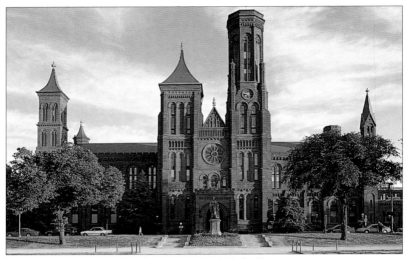

La elegante fachada victoriana de Smithsonian Castle vista desde el Mall

Smithsonian Castle ❼

1000 Jefferson Drive, SW. **Plano** 3 C4.
█ 357-2700. Ⓜ *Smithsonian.*
◯ *10.00-17.30 todos los días.* ● *25 dic.* ☑ *10.15 vi, 9.30 y 10.30 sá.*
♿ ☑ www.si.edu

Eᴤᴛᴇ ᴠɪꜱᴛᴏꜱᴏ edificio victoriano fue la primera sede de la Smithsonian Institution y la residencia del primer secretario de ésta, Joseph Henry, cuya estatua se levanta ante el edificio, y su familia.

Construido con piedra arenisca roja en 1855, fue diseñado por James Renwick, arquitecto de

Tumba de James Smithson

Renwick Gallery *(ver p. 107)* y St. Patrick's Cathedral de Nueva York. Aunque tiene influencia románica, es una de las construcciones neogóticas más interesantes de la ciudad. Posee nueve torres y una preciosa cornisa.

Actualmente es la sede de la Smithsonian Institution y alberga su Centro de Información. Se puede visitar la sala de la cripta y ver la tumba de James Smithson, que donó su fortuna a Estados Unidos. La sala de la torre sur fue la primera dedicada a los niños en un museo de Washington. El techo y los

alegres estarcidos de las paredes se restauraron en 1987.

En el exterior se encuentra el jardín de rosas, con bellos híbridos de rosas de té. Éste se comunica con el Arts and Industries Building *(ver p. 64)* a través de un anexo que se hizo posteriormente.

Arthur M. Sackler Gallery ❽

1050 Independence Ave, SW.
Plano 3 C4. █ 357-4880.
Ⓜ *Smithsonian.* ◯ *10.00- 17.30 todos los días.* ● *25 dic.* ☑ *11.30 ma-ju.* ♿ ☑ www.si.edu/asia

Eʟ ꜰíꜱɪᴄᴏ ɴᴇᴏʏᴏʀQᴜɪɴᴏ Arthur M. Sackler comenzó a coleccionar arte asiático en

---

JAMES SMITHSON (1765–1829)

Aunque nunca llegó a visitar Estados Unidos, el científico y filántropo inglés James Smithson, hijo ilegítimo del duque de Northumberland, legó toda su fortuna, medio millón de dólares, para fundar en Washington una organización con el nombre de Smithsonian Institution que aumentara y difundiera el saber entre los hombres. Esto sólo debía ocurrir, sin embargo, si su sobrino y heredero moría sin hijos, lo que sucedió en 1835, pasando la fortuna de Smithson al gobierno de Estados Unidos, que no sabía muy bien qué hacer con tan inmenso legado. Tras debatir diversas propuestas durante 11 años, el Congreso decidió crear una fundación pública que administrara todos los museos nacionales. La primera colección de la Smithsonian se expuso en Smithsonian Castle en 1855.

James Smithson

Escultura de la diosa Uma, Arthur M. Sackler Gallery

los años cincuenta. En 1982 donó más de 1.000 piezas junto con cuatro millones de dólares a la Smithsonian Institution para la creación de este museo. Los gobiernos coreano y japonés donaron un millón de dólares cada uno para la construcción del edificio, que se terminó en 1987.

Se entra por un pequeño pabellón de la planta baja que conduce a dos plantas en el subsuelo. Entre sus 3.000 piezas de arte asiático, el museo posee cuadros de Irán y la India, cerámica china de los siglos VII al X, telas y artesanía rural del sur de Asia e impresionantes piezas chinas de bronce y jade, algunas del 4.000 a.C.

Con los años la galería fue ampliando sus fondos. En 1987 adquirió la impresionante colección de Henry Vever, que incluye libros islámicos de los siglos XI al XIX, grabados japoneses de los siglos XIX y XX, pinturas japonesas, indias y chinas y fotografías modernas.

El otro museo subterráneo situado en el mismo complejo es el National Museum of African Art (ver p. 65). El Sackler también está comunicado con la Freer Gallery of Art. Las dos galerías comparten director y personal administrativo, así como el Meyer Auditorium, recito donde se celebran actuaciones de danza y conciertos de música de cámara y se proyectan películas. La Arthur M. Sackler Gallery posee asimismo una biblioteca de investigación dedicada al arte asiático.

Freer Gallery of Art ❾

Jefferson Drive y 12th Street, SW **Plano** 3 C4. 🄲 357-3200. 🄼 Smithsonian. ⬤ 10.00-17.30 todos los días. ⬤ 25 dic. 🖼 🄳 🅦 www.si.edu/asia

Esta galería toma su nombre del magnate del ferrocarril Charles Lang Freer, que donó su colección de 9.000 piezas de arte estadounidense y asiático a la Smithsonian Institution y ordenó la construcción de un museo para albergarla. Freer murió en 1919 sin poder verlo terminado. Cuando se

Detalle de un biombo, Thomas Wilmer Dewing

inauguró en 1923, se convirtió en el primer museo de arte de la Smithsonian Institution.

El edificio, de una sola planta neorrenacentista italiana, posee un bonito patio con una fuente. Tiene 19 galerías, la mayoría con claraboyas que iluminan la magnífica colección de arte asiático y estadounidense. Desde su creación ha triplicado sus fondos. En la sección de arte asiático se exponen esculturas, cerámicas, biombos y pinturas chinas, japonesas y coreanas, así como una exquisita selección de esculturas budistas y de pintura y caligrafía indias.

La Freer exhibe también obras estadounidenses, con clara influencia asiática, de Childe Hassam (1859-1935); John Singer Sargent (1865-1925) y Thomas Wilmer Dewing (1851-1938). La sala más impresionante es la de James McNeill Whistler, The

Peacock Room. Whistler (1834-1903) fue un amigo de Freer que le animó a coleccionar arte. Pintó un comedor para Frederick Leyland en Londres, pero a éste no le gustó. Antes de que la habitación se pintara de nuevo, Freer la compró en 1904; posteriormente se trasladó a Washington y se instaló en el museo tras la muerte de Freer. Frente a la sutil elegancia de las otras salas, esta habitación es una explosión de azules, verdes y dorados. Los pavos reales adornan paredes y techo.

El precioso patio de la Freer Gallery of Art

National Museum of American History ❿

ESTE MUSEO, conocido como el Desván de América *(America's Attic)*, reúne los enseres más diversos. Entre sus 3 millones de objetos se encuentran los trajes de las primeras damas para el baile inaugural del mandato presidencial, una oficina de correos de mitad del siglo XIX, ordenadores, una locomotora de vapor de 280 toneladas, las zapatillas rojas de *El mago de Oz* y la bandera de estrellas (Star-Spangled Banner) que ondeó en Fort McHenry en 1814. El núcleo de este ecléctico museo se formó con objetos de la Exposición del Centenario de Filadelfia de 1876 y de la Oficina de Patentes de Estados Unidos.

Las zapatillas rojas que llevaba Dorothy (Judy Garland) en *El mago de Oz* son uno de los innumerables objetos de la cultura popular estadounidense.

Brújula de Lewis y Clark
Esta brújula de navegación de bolsillo guió a los exploradores Meriwether Lewis y William Clark en su expedición al Oeste en el siglo XIX.

Segunda planta

Cerámica Redware y Blackware
Creada por artistas de Santa Clara, esta cerámica se decora con motivos ondulados. Se encuentra en la exposición American Encounters.

Entrada desde el Mall

★ Bandera de estrellas
La bandera, símbolo del país, inspiró el poema de Francis Scott Key que se convertiría en el himno nacional de Estados Unidos.

DISTRIBUCIÓN POR PLANTAS

☐ Primera planta

☐ Segunda planta

☐ Tercera planta

RECOMENDAMOS

★ Bandera de estrellas

★ First Ladies Hall

★ *Model T* de 1913

★ Oficina de correos de Headsville

★ First Ladies Hall
La sala muestra más de 800 objetos, entre ellos una colección de vestidos de las primeras damas utilizados en los bailes inaugurales y trajes de diseño.

GUÍA DEL MUSEO

La primera planta está dedicada al transporte y la ciencia y alberga el restaurante Palm Court. Entre lo más interesante de la segunda planta están First Ladies Hall y la bandera de estrellas. La ecléctica tercera planta muestra, entre otros, telas, cerámica y objetos militares.

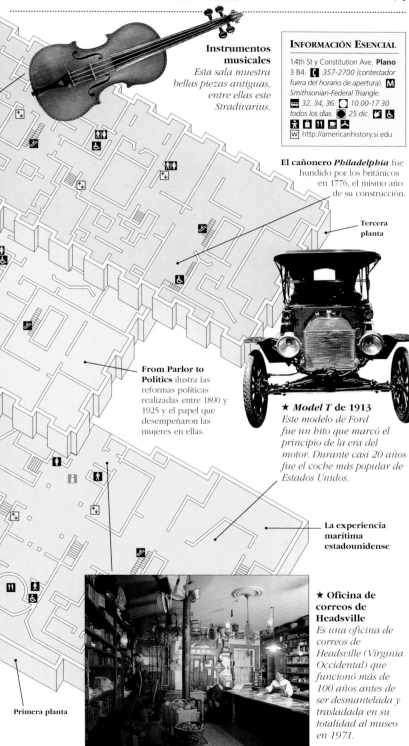

Instrumentos musicales
Esta sala muestra bellas piezas antiguas, entre ellas este Stradivarius.

INFORMACIÓN ESENCIAL

14th St y Constitution Ave. **Plano** 3 B4. 357-2700 (contestador fuera del horario de apertura). Smithsonian-Federal Triangle. 32, 34, 36. 10.00-17.30 todos los días. 25 dic.

W http://americanhistory.si.edu

El cañonero *Philadelphia* fue hundido por los británicos en 1776, el mismo año de su construcción.

Tercera planta

From Parlor to Politics ilustra las reformas políticas realizadas entre 1890 y 1925 y el papel que desempeñaron las mujeres en ellas.

★ ***Model T* de 1913**
Este modelo de Ford fue un hito que marcó el principio de la era del motor. Durante casi 20 años fue el coche más popular de Estados Unidos.

La experiencia marítima estadounidense

★ Oficina de correos de Headsville
Es una oficina de correos de Headsville (Virginia Occidental) que funcionó más de 100 años antes de ser desmantelada y trasladada en su totalidad al museo en 1971.

Primera planta

Explorando el National Museum of American History

ESTE MUSEO abarca temas tan diversos que el visitante puede emplear todo su tiempo y paciencia yendo de una sección a otra sin poder conocerlo en su totalidad. Sus grandes dimensiones hacen imposible que se vea en una sola visita; por ello, lo mejor es ser selectivo y elegir entre sus muchas secciones, por ejemplo la de los trajes de las primeras damas para el baile inaugural del mandato presidencial o las colecciones de billetes y monedas, medallas o instrumentos musicales.

La moderna fachada del museo en Madison Drive

PRIMERA PLANTA

LA ENTRADA POR CONSTITUTION Avenue lleva directamente a la oficina de correos de Headsville (Virginia Occidental). Construida en 1861, fue desmantelada y montada de nuevo por la Smithsonian en 1971. Se pueden enviar cartas con un matasellos especial.

Algunas secciones del ala oeste están dedicadas a objetos de la era industrial, como maquinaria pesada y potentes motores utilizados en la agricultura, el ferrocarril, la electricidad y el transporte por carretera. Se pueden contemplar el *Old Red*, recolectora de algodón de la International Harvester, y el *Model T* de Ford de 1913.

En el ala oeste los amantes de la cultura popular disfrutarán con objetos de antiguos programas de televisión, como la chaqueta de cuero de los protagonistas de *Happy Days*, en una pequeña exposición cerca de los ascensores.

También se muestran objetos científicos. La exposición **Information Age** ilustra la historia de las telecomunicaciones, desde los telégrafos de la década de 1840 y la invención del teléfono (1876) al nacimiento de Internet y la tecnología de los ordenadores y la información.

La exposición **Science in American Life** estudia la repercusión de los descubrimientos científicos en la vida cotidiana. El Hands-On-Science Center permite conocer temas tan diversos como las huellas dactilares, el calentamiento global y la radioactividad.

En la misma planta se encuentra el restaurante Palm Court, con una tienda de caramelos de 1900 y un puesto de helados de principios del siglo XX.

SEGUNDA PLANTA

EN EL ALA ESTE de la segunda planta se encuentra la sección más popular del museo **First Ladies: Political Role and Public Image.** Muestra los trajes que han lucido las primeras damas en el baile inaugural del mandato presidencial. Los más elegantes son los de Nancy Reagan y Jackie Kennedy, pero cabe destacar el de Rosalynn Carter por habérselo confeccionado ella misma. Cerca hay una reconstrucción del Cross Hall, la entrada para ceremonias de la Casa Blanca, y muebles y accesorios de la residencia presidencial. Contigua a los trajes de las primeras damas hay una encantadora sección dedicada a los ositos de peluche. Estos muñecos tomaron su nombre *(teddy bears)* del presidente Theodore *(Teddy)* Roosevelt. Éste se negó en una cacería a disparar contra un osezno que había sido capturado para él. Al día siguiente apareció en el *Washington Post* un chiste que inspiró la fabricación de estos peluches.

También en el ala este se ilustra el papel desempeñado por las mujeres a principios del siglo XX en **From Parlor to Politics.** Algunos objetos son folletos sobre la educación y pancartas que exigen la prohibición del trabajo infantil. También se

Interior de una casa española de Taos, Nuevo México, en la segunda planta

Piezas de una imprenta antigua expuestas en la tercera planta

recuerda en esta sección el trabajo de Nannie Helen Burroughs, que fundó la National Training School for Women and Girls en 1909 para facilitar a las mujeres negras el aprendizaje de un empleo y estudios artísticos.

En la sección **After the Revolution,** en el ala este, se ubica la reconstrucción de interiores de casas estadounidenses de entre 1780 y 1800, en los primeros años de la nación.

El profundo proceso de restauración de la bandera de estrellas que ondeó en Fort McHenry en 1814 e inspiró el poema de Francis Scott Key que se convertiría en himno nacional durará unos cuantos años. En un laboratorio y una exposición adyacente del ala oeste se ilustra este proceso de restauración.

La exposición **Communities in a Changing Nation,** también en el ala oeste, incluye la brújula de bolsillo que perteneció a los exploradores de la frontera oeste, Meriwether Lewis y William Clark.

En **American Encounters** están documentados los esfuerzos realizados por los angloamericanos, los ameroindios y los hispánicos por convivir en el suroeste de Estados Unidos. La muestra incluye fotografías, telas, joyas y objetos religiosos que ilustran cómo aprendieron estas comunidades a coexistir en la nueva nación.

Oso de peluche de 1903

Uno de los mayores atractivos de esta planta es la **Hands-on-History Room,** especialmente popular entre los niños. Se puede tocar, examinar y probar todo en más de 30 actividades que dan al visitante una idea de cómo vivían los estadounidenses en el pasado. Se puede montar en monociclo (precursor de la bicicleta), enviar un telegrama, probar los aparatos inventados para simplificar las tareas domésticas en el siglo XIX y juzgar si realmente ahorraban trabajo. La exposición ilustra también cómo era la vida de un esclavo, de un vendedor ambulante, de un indio zuni o de una jovencita de una plantación de Virginia.

Las actividades de esta sala están relacionadas con las muestras del resto del museo. Los niños deben ir acompañados por un adulto; los fines de semana y en las épocas concurridas hay que sacar entrada. Está abierto todos los días de 12.00 a 15.00.

Tercera Planta

La sección más extensa de la planta la ocupa el cañonero *Philadelphia*, en el ala este, centro de diversas exposiciones de la historia militar. Construido en 1776, el barco fue hundido ese mismo año en una batalla contra los británicos. Es el más antiguo de su clase que se conserva.

En el ala oeste se exponen desde cerámica, telas e instrumentos musicales a dinero, medallas y grabados. **Printing and Graphic Arts Hall** muestra equipos de imprentas, tipografías y fabricación de papel.

Otra sección popular de la tercera planta es **Hall of Textiles,** con piezas pintorescas como el edredón de Pocahontas, donde se representa la vida de la famosa india.

Hall of Musical Instruments exhibe un violonchelo de Antonio Stradivari de 1701 que perteneció al violonchelista belga Adrien François Servais.

Esta planta incluye dos exposiciones que hacen las delicias de los niños: una completísima casa de muñecas y objetos de la cultura popular, como las zapatillas rojas de Judy Garland en *El mago de Oz.*

Detalle del edredón de Pocahontas

Washington Monument ⓫

Compuesto por 36.000 piezas de mármol y granito, el Washington Monument, diseñado por Robert Mills, es uno de los monumentos más emblemáticos de la ciudad. El grueso de los fondos iniciales para el homenaje al primer presidente de Estados Unidos provino de ciudadanos particulares. Las obras comenzaron en 1848, pero se interrumpieron durante 20 años por falta de financiación. En 1876 se reavivó el interés público por terminar el proyecto (un ligero cambio en el color de la piedra señala el punto en que se reanudaron las obras). El monumento ha sufrido hace poco una profunda reforma: ha sido limpiado, las grietas se han sellado, los desconchados se han tapado y las 192 piedras conmemorativas han sido reparadas.

INFORMACIÓN ESENCIAL

900 Ohio Drive, SW. **Plano** 2 F5 y 3 B4. 📞 426-6841.
Ⓜ *Smithsonian*. 🚌 13, 52.
⭕ 7 sep-3 abr: 9.00-17.00 todos los días; 4 abr-6 sep: 8.00-24.00 todos los días. ⬤ 25 dic. ♿ 🚻
🎤 **Charlas explicativas.**
ⓦ www.nps.gov/wamo

Mirador

El diseño original
Aunque el diseño original incluía una columnata circular alrededor del monumento, la falta de fondos impidió su construcción.

El distinto tono de la piedra señala la parte construida hasta 1858 y la continuación en 1876.

Ascensor hasta la parte superior

Remate de mármol
La piedra superior pesa 2.000 kg y está coronada a su vez con una pirámide de aluminio. En 1934 se restauró el monumento dentro del proyecto de Obras Públicas del presidente Roosevelt (ver p. 21).

Las piedras conmemorativas del interior del monumento están dedicadas a ciudadanos notables, sociedades y países.

50 astas con banderas rodean el monumento

Vista del monumento
La reluciente piedra blanca del recientemente restaurado monumento se ve desde casi toda la ciudad. Desde la parte alta de éste las vistas de Washington son impresionantes.

Restauración
Un andamiaje diseñado para el monumento lo recubrió los dos años que duraron su restauración y limpieza.

Templete con columnas del Jefferson Memorial con la estatua de bronce

United States Holocaust Memorial Museum ⑫

Ver pp. 76-77.

Bureau of Engraving and Printing ⑬

14th St, SW, entre Maine Ave e Independence Ave. **Plano** 3 B5.
📞 874-3188. Ⓜ *Smithsonian.*
🕐 9.00-14.00 lu-vi (jun-ago también 17.00-18.40). ⬤ *sá y do, festivos.* ♿
W www.moneyfactory.com

Hasta 1863 la emisión de dinero estadounidense la realizaban bancos privados. La escasez de moneda y la necesidad de financiar la guerra de Secesión obligaron a emitir billetes estandarizados y se creó el Bureau of Engraving and Printing. Este organismo ocupó primero los sótanos del Treasury Building *(ver p. 106)* y se trasladó en 1914 a su sede actual. En este lugar se imprimen más de 140 billones de dólares, sellos, documentos federales y las invitaciones de la Casa Blanca. Las monedas se acuñan en unas oficinas federales de Filadelfia.

La visita, de 40 minutos, incluye un vídeo y un recorrido por el edificio para conocer el proceso de impresión y el control de billetes defectuosos. Además se exponen billetes fuera de circulación, falsos y uno especial de 100.000 dólares. En el centro de visitantes hay una tienda de regalos, vídeos y objetos expuestos.

Jefferson Memorial ⑭

Orilla sur del Tidal Basin.
Plano 3 B5. 📞 426-6841. Ⓜ *Smithsonian.* 🕐 8.00-24.00.
⬤ *25 dic.* **Charlas explicativas.** ♿
W www.nps.gov/thje/index2.htm

Thomas Jefferson *(ver p. 154)* fue el tercer presidente de Estados Unidos, de 1801 a 1809, y desempeñó un importante papel en la redacción de la Declaración de Independencia en 1776.

El monumento, proyectado por John Russell Pope, es una construcción neoclásica situada en el centro del Tidal Basin. En la época en que se realizó, 1943, el metal estaba racionado y se utilizó escayola en vez de bronce para la estatua de Jefferson. Al final de la II Guerra Mundial se esculpió en bronce y la estatua de escayola se instaló en el sótano.

Algunos detractores lo llamaron peyorativamente el "mollete

La majestuosa estatua de 6 m de Jefferson

de Jefferson" pues lo consideraban demasiado femenino para un personaje tan valiente e influyente. En las paredes están grabadas palabras de Jefferson tomadas de la Declaración de Independencia. Parece que fueron los arquitectos los que decidieron modificar las citas y escribir mal algunas palabras por falta de espacio.

Tidal Basin (dique de marea) ⑮

Embarcadero: 1501 Maine Ave, SW.
Plano 2 F5 y 3 A5. 📞 484-0206.
Ⓜ *Smithsonian.* 🕐 *abr-oct:* 10.00-18.00. ♿

Este dique de marea se construyó en 1897 para recoger las aguas desbordadas del río Potomac y evitar inundaciones. En los años veinte se plantaron en las orillas de este lago artificial cientos de cerezos, obsequio del gobierno japonés.

Los cerezos en flor es una de las imágenes más fotografiadas de Washington. En las dos semanas en que florecen los árboles (entre mediados de marzo y mediados de abril) el dique es un caos. Esta zona, normalmente muy tranquila, se llena de coches y autobuses de turistas y la única manera de evitar el alboroto es yendo al anochecer.

Tidal Basin vuelve a convertirse en un parque relativamente tranquilo cuando pasa la floración y desaparecen los turistas. Se pueden alquilar barcas de pedales en Maine Avenue.

Orillas del Tidal Basin, con Jefferson Memorial al fondo

United States Holocaust Memorial Museum ⑫

Eﾠste museo, inaugurado en 1993, da testimonio del plan de persecución y aniquilación sistemática que llevó a cabo el III Reich contra seis millones de judíos y otros grupos considerados indeseables por los nazis, como homosexuales y discapacitados. En el museo se combinan espacios intencionadamente claustrofóbicos junto a otros solemnes. Contiene 2.500 fotografías, 4.000 objetos, 53 monitores de vídeo y 30 puntos interactivos que con imágenes muy gráficas obligan al visitante a no quedar impasible ante los horrores del holocausto. Aunque la sección de Daniel's Story puede ser vista por niños desde 8 años, el resto del museo sólo es apto para mayores de 11 años.

★ **Hall of Remembrance**
La sala del recuerdo alberga una llama eterna como homenaje a las víctimas del holocausto.

Segunda planta

★ **Daniel's Story**
Esta exposición, para niños entre 8 y 12 años, cuenta la historia del holocausto vista por un niño judío de ocho años en la Alemania de los años treinta.

DISTRIBUCIÓN POR PLANTAS

- ☐ Vestíbulo
- ☐ Primera planta
- ☐ Segunda planta
- ☐ Tercera planta
- ☐ Cuarta planta

GUÍA DEL MUSEO

El museo está pensado no sólo para ser visto, sino para ser vivido. Las imágenes filmadas, objetos, fotografías y testimonios de los supervivientes ocupan desde la cuarta a la segunda planta. La primera planta es un espacio interactivo y en el vestíbulo se encuentra el Children's Tile Wall.

First Flo

Entr
desde 1
St

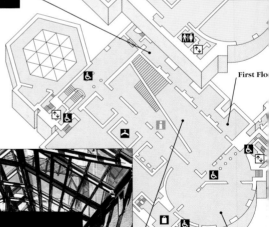

★ **Hall of Witness**
Este atrio central de altos techo suele albergar exposiciones temporales y permite acceder a las exposiciones permanentes.

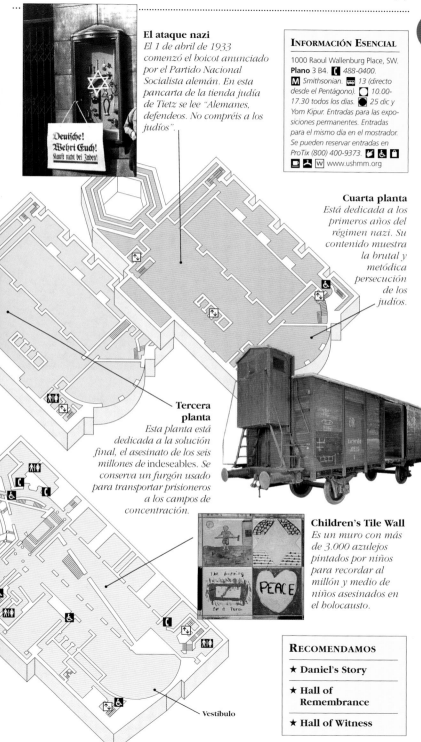

El ataque nazi

El 1 de abril de 1933 comenzó el boicot anunciado por el Partido Nacional Socialista alemán. En esta pancarta de la tienda judía de Tietz se lee "Alemanes, defendeos. No compréis a los judíos".

Deutsche! Wehrt Euch! Kauft nicht bei Juden!

INFORMACIÓN ESENCIAL

1000 Raoul Wallenberg Place, SW.
Plano 3 B4. (488-0400.
M *Smithsonian.* 13 *(directo desde el Pentágono).* 10.00-17.30 *todos los días.* 25 dic y Yom Kipur. *Entradas para las exposiciones permanentes. Entradas para el mismo día en el mostrador. Se pueden reservar entradas en ProTix (800) 400-9373.*
W www.ushmm.org

Cuarta planta

Está dedicada a los primeros años del régimen nazi. Su contenido muestra la brutal y metódica persecución de los judíos.

Tercera planta

Esta planta está dedicada a la solución final, el asesinato de los seis millones de indeseables. *Se conserva un furgón usado para transportar prisioneros a los campos de concentración.*

Children's Tile Wall

Es un muro con más de 3.000 azulejos pintados por niños para recordar al millón y medio de niños asesinados en el holocausto.

Vestíbulo

RECOMENDAMOS

★ Daniel's Story

★ Hall of Remembrance

★ Hall of Witness

Franklin D. Roosevelt Memorial ⑯

EN CIERTA OCASIÓN Franklin Roosevelt comentó al juez del Tribunal Supremo Felix Frankfurter que en caso de que construyeran un monumento en su honor le gustaría que estuviera situado en un espacio verde delante de los Archivos Nacionales y que fuera del tamaño de su escritorio. El monumento tardaría en construirse 50 años y no tiene nada que ver con el humilde deseo del presidente. Inaugurado en 1997, es en realidad un gigantesco parque con cuatro salas abiertas de granito, una por cada uno de sus mandatos, con estatuas y cascadas. El presidente, enfermo de polio, está representado en una silla, con su perro *Fala* al lado.

La cuarta sala honra el cuarto mandato de Roosevelt e incluye una estatua de su mujer, Eleanor.

Relieve del cortejo fúnebre de Roosevelt, *realizado por Leonard Baskin en un muro de granito. Muestra el ataúd en un coche de caballos seguido de un grupo que llora tras él.*

Las espectaculares cascadas *caen en unos estanques de la cuarta sala. El agua simboliza la paz que tan vehementemente Roosevelt deseaba lograr antes de su muerte.*

Emotivas estatuas del Korean War Veterans Memorial

Korean War Veterans Memorial ⑰

900 Ohio Drive, SW. **Plano** 2 E5.
C 426-6841. **M** Smithsonian.
O 8.00-24.00 todos los días. **●** 25 dic. **&** **W** www.nps.gov/kwvm

EL MONUMENTO A LOS VETERANOS de la guerra de Corea fue tan controvertido como la propia guerra. A pesar de que participaron en el conflicto un millón y medio de estadounidenses, oficialmente no existió y se la conoce como "la guerra olvidada". La elección del monumento se vio precedida de un intenso debate. Finalmente, el 27 de julio de 1995, fecha del 42 aniversario del armisticio que puso fin a la guerra, el monumento se inauguró. Está compuesto por grandes estatuas de acero de los 19 soldados de un escuadrón que van por el campo de batalla. En el extremo sur se alza un muro con las imágenes de más de 2.400 veteranos.

Lincoln Memorial ⑱

900 Ohio Drive, SW. **Plano** 2 E5.
C 426-6841. **M** Smithsonian.
O 8.00-24.00 todos los días.
● 25 dic. **&** **W** www.nps.gov/linc

DE LAS NUMEROSAS PROPUESTAS para un monumento al presidente Lincoln una de las menos atractivas era una construcción que se ubicara en un terreno pantanoso al oeste del Washington Monument. Sin embargo, precisamente este monumento se convertiría en una de las imágenes más emblemáticas de la ciudad. Dominando el gran estanque se alza la figura sentada de Lincoln en su templo neoclásico.

Antes de construir el edificio en 1914 se drenó la zona. Se alzaron como cimientos sólidos pilares de hormigón para que el edificio se ancla en el lecho de la roca. Las obras continuaron durante la I Guerra Mundial, pero cuando estaba casi terminado el arquitecto Henry Bacon se percató de que la estatua quedaría empeque-

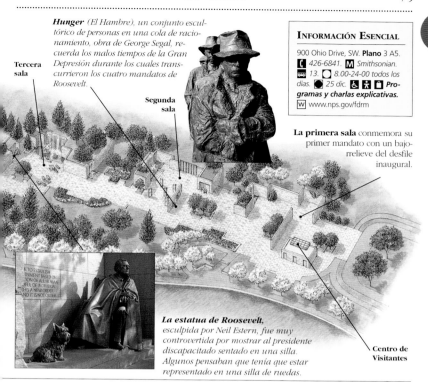

Tercera sala

Hunger (El Hambre), un conjunto escultórico de personas en una cola de racionamiento, obra de George Segal, recuerda los malos tiempos de la Gran Depresión durante los cuales transcurrieron los cuatro mandatos de Roosevelt.

Segunda sala

La primera sala conmemora su primer mandato con un bajorrelieve del desfile inaugural.

La estatua de Roosevelt,
esculpida por Neil Estern, fue muy controvertida por mostrar al presidente discapacitado sentado en una silla. Algunos pensaban que tenía que estar representado en una silla de ruedas.

Centro de Visitantes

ñecida por un edificio tan gigantesco. La estatua original de Daniel Chester French, de 3 m de altura, dobló su tamaño. Se utilizaron 28 bloques de mármol unidos, pues no había uno lo suficientemente grande.

Grabadas en la pared están las palabras de Lincoln del discurso de Gettysburg *(ver p. 151)*. En este lugar fue también donde Martin Luther King dio su famoso discurso "Tengo un sueño" *(ver p. 91)*.

Vietnam Veterans Memorial ⑲

900 Ohio Drive, SW. **Plano** 2 E4.
426-6841. Ⓜ Smithsonian.
◯ 8.00-24.00 todos los días.
● 25 dic. ⓦ www.nps.gov/vive

MAYA LIN, una estudiante de 21 años de Yale University, presentó un diseño a un concurso convocado para erigir un monumento en honor de los veteranos del Vietnam. El diseño era un trabajo para

una clase de arquitectura. Este sencillo proyecto, uno de los 1.421 presentados, consistía en dos muros negros triangulares hundidos en la tierra con un ángulo de 125 grados, uno orientado al Lincoln Memorial y otro al Washington Monument. En los muros se inscribirían los nombres de los estadounidenses muertos en la guerra de Vietnam por orden cronológico, desde 1958 hasta 1975.

Lin no consiguió la mejor nota en su clase pero ganó el concurso. El monumento, definido como una herida en la tierra, se ha convertido en uno de los más emotivos del Mall. Los veteranos y sus familias dejan recuerdos, poemas, fotografías y flores junto al nombre de sus familiares muertos.

Para apaciguar a los detractores de este monumento abstracto, Frederick Hart añadió tres estatuas de soldados en 1984, dos años después de su inauguración. En 1993 se erigió en las cercanías un monumento a las mujeres muertas en la guerra, el Vietnam Women's Memorial.

El majestuoso Lincoln Memorial, reflejado en las aguas del estanque

ANTIGUO DOWNTOWN

CON EL CAPITOLIO al este y la Casa Blanca al oeste, el Downtown era el corazón de la ciudad hace 100 años. F Street, la primera calle pavimentada, estaba llena de oficinas de periódicos, bares e iglesias, caballos y carruajes. Downtown era también un importante barrio residencial. Las clases altas habitaban elegantes casas mientras que los comerciantes de clase media

vivían encima de sus tiendas. Sin embargo, hacia los años cincuenta muchos de sus habitantes se trasladaron a los suburbios y en 1980 el Downtown era un barrio de edificios apuntalados y de tiendas baratas. La apertura del MCI Center en los años 90 atrajo nuevos restaurantes y tiendas y se produjo un cambio radical en la zona y el inicio de su regeneración.

Escultura exterior, National Museum of American Art

LUGARES DE INTERÉS

Museos y galerías
National Building Museum **22**
National Museum of American Art and National Portrait Gallery pp. 92-95 **17**
National Museum of Women in the Arts **13**

Estatuas y fuentes
Benjamin Franklin Statue **8**
Mellon Fountain **1**

Acuario
National Aquarium **10**

Edificios históricos y oficiales
FBI Building **5**
Ford's Theatre **14**
Hotel Willard **11**
Martin Luther King Memorial Library **15**
MCI Center **18**
National Theater **12**
Old Post Office **7**
Ronald Reagan Building **6**
US National Archives **2**

Barrios, calles y plazas
7th Street **19**
Chinatown **16**
Freedom Plaza **9**
Judiciary Square **20**
Pennsylvania Avenue **4**

Monumentos
National Law Enforcement Officers' Memorial **21**
US Navy Memorial **3**

0 metros 500

CÓMO LLEGAR
Downtown cuenta con varias paradas de metro: McPherson Square, Gallery Place-Chinatown, Metro Center, Judiciary Square, Archives-Navy Memorial y Federal Triangle. Los autobuses 32, 34 y 36 atraviesan Pennsylvania Avenue.

SIGNOS CONVENCIONALES
Plano *pp. 82-83*
Estación de metro
Información turística
Policía
Oficina de correos
Iglesia

◁ **Estatua de Benjamin Franklin delante de las banderas de Old Post Office**

Antiguo Downtown en 3 dimensiones

A MEDIADOS DEL SIGLO XX Pennsylvania Avenue, itinerario principal de los desfiles inaugurales presidenciales, era una zona decadente muy deteriorada. En la actualidad se ha convertido en una gran avenida digna de los planes de L'Enfant. El edificio de hormigón del FBI, de provocador estilo moderno, es uno de sus lugares emblemáticos. Frente al cercano US Navy Memorial se encuentra US National Archives, donde se conservan los originales de la Constitución y la Declaración de Independencia. Al este se alza Mellon Fountain y la National Gallery of Art. El Ronald Reagan Building fue sede de la cumbre de la OTAN en 1999 y la Old Post Office ha sido bellamente restaurada.

★ FBI Building
El austero diseño del cuartel general del Federal Bureau of Investigation, construido entre 1967 y 1972, buscaba crear la imagen de un gran centro de archivos ❺

Pennsylvania Avenue
Incluida ya en el proyecto original del L'Enfant, Pennsylvania Avenue fue la primera calle principal de Washington. Une el Capitolio con la Casa Blanca ❹

Estatua de Benjamin Franklin
Inventor, estadista, escritor y editor, este hombre genial es recordado en esta estatua como impresor ❽

Ronald Reagan Building
Construido en 1997, este impresionante edificio recuerda la arquitectura neoclásica de otros edificios del Federal Triangle ❻

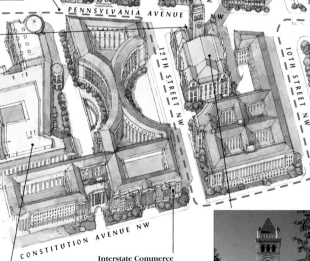

Interstate Commerce Commission

★ Old Post Office
Este majestuoso edificio de granito se terminó en 1899. Actualmente alberga tiendas y restaurantes. Su elegante torre con reloj mide 96 m de altura ❼

US Navy Memorial
Situado en Market Square, el monumento incluye un gigantesco grabado rodeado de muros bajos de granito ❸

PLANO DE SITUACIÓN
Ver Callejero planos 3 y 4

ANTIGUO DOWNTOWN

EL MALL

Commission on the Arts

6TH STREET NW

7TH STREET NW

9TH STREET NW

PENNSYLVANIA AVENUE NW

CONSTITUTION AVENUE NW

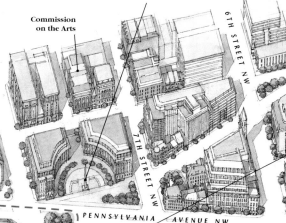

★ **US National Archives**
La rotonda alberga los documentos más preciados de los Archivos Nacionales, los Fueros de la Libertad, como las enmiendas del Bill of Rights. También guarda una copia de la Carta Magna Británica ❷

Federal Trade Commission

Justice Department

Mellon Fountain
Situada junto al edificio este de la National Gallery of Art debe su nombre a Andrew Mellon, empresario y coleccionista de arte que fundó la galería en los años treinta ❶

0 metros   100

SIGNOS CONVENCIONALES

— — — Itinerario sugerido

RECOMENDAMOS

★ **FBI Building**

★ **Old Post Office**

★ **US National Archives**

Cascada de la neoclásica Mellon Fountain

Mellon Fountain **❶**

Constitution Ave y Pennsylvania Ave, NW. **Plano** 4 D4. **M** *Archives-Navy Memorial.*

SITUADA FRENTE a la National Gallery of Art *(ver pp. 56-59)*, la fuente recuerda al hombre que fundó la galería con su colección. Andrew Mellon, financiero y empresario, fue secretario del Tesoro. Tras su muerte, sus amigos donaron 300.000 dólares para construir la fuente, que se inauguró el 9 de mayo de 1952.

El diseño, tres estanques de bronce con cascadas, se inspiró en una fuente pública de Génova (Italia). En el fondo del estanque más grande están grabados en bajorrelieve los signos del zodíaco. Las líneas clásicas de la fuente recuerdan el estilo arquitectónico del edificio oeste de la National Gallery of Art.

US National Archives **❷**

Constitution Ave, entre 7th St y 9th St, NW. **Plano** 3 C3. **C** *501-5000.* **M** *Archives-Navy Memorial.* **❍** *1 abr-Día del Trabajo: 10.00-21.00 todos los días; sep-mar: 10.00-17.30 todos los días.* **●** *25 dic.* **✉ ♿** **W** *www.nara.gov*

EN LOS AÑOS treinta el Congreso reconoció la necesidad de preservar los documentos oficiales de la nación antes de que se deterioraran, se perdieran o se destruyeran. Con este propósito se inauguró en 1935 el edificio de los Archivos Nacionales, diseñado por John Russell Pope, arquitecto de la National Gallery of Art y el Jefferson Memorial. Su impresionante biblioteca alberga los documentos históricos y legales más importantes de Estados Unidos.

En su majestuosa rotonda se exponen la Declaración de

Estatua exterior, US National Archives

Independencia, la Constitución de Estados Unidos y una copia de 1297 de la Carta Magna Británica, un préstamo indefinido de Inglaterra. Los documentos están protegidos con helio para preservarlos y para más seguridad por la noche se bajan al sótano.

Los Archivos guardan también millones de documentos, fotografías, películas y grabaciones que abarcan dos siglos en 250.000 ficheros. El National Archives and Records Administration (NARA) se encarga de catalogar y conservar este material, la mayor parte ya informatizado. Los Archivos Nacionales son también un importante centro de investigación. La Central Research Room se reserva a los investigadores, que pueden pedir reproducciones y copias de documentos raros. También se pueden hacer copias de documentos militares, de inmigración, de transferencias de esclavos, certificados de defunción e información sobre impuestos, muy útiles para aquellos que investigan su historia familiar. Asimismo, se dispone también de una inmensa base de datos accesible por Internet.

La impresionante fachada neoclásica del National Archives Building

La Constitución de Estados Unidos

Bandera original de los 13 primeros estados

EN 1787, LOS PRIMEROS 13 esta-dos enviaron a sus delega-dos a Filadelfia para revisar los Artículos de Confederación *(ver p. 16)*. Pronto surgió la necesidad de redactar un nue-vo documento más que de revisar el ya existente. Los de-bates duraron meses pues se trataba de establecer las bases de una nueva na-ción. Gracias a un proceso de compro-miso y cooperación se consiguió crear la Constitución, el documento que estable-ce los poderes del gobierno central y el funcionamiento del Congreso. Uno de los temas fundamen-tales era la forma de elección de los representantes y se determinó que fuera por vota-ción directa del pueblo. Una vez firmada, se envió a los distintos estados para su revi-sión. Federalistas y antifederalistas deba-tieron fervientemente su contenido en panfletos, discursos y artículos. Al final, la mayoría de los estados ratificó la Cons-titución renunciando a algunos poderes en beneficio de una unión más perfecta.

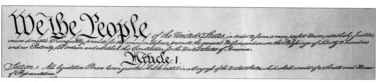

Preámbulo de la Constitución de Estados Unidos

Firmas en la Constitución

LA FIRMA DE LA CONSTITUCIÓN

Tras meses de debate entre los delegados de la Convención Federal, el texto de la Cons-titución se completó y 39 de los 55 delegados estatales la firmaron el 17 de septiembre de 1787 en el Assembly Hall de Filadelfia. El delegado de mayor edad fue Ben-jamín Franklin, con 81 años. James Madison desempeñó un papel importante al conseguir que la nueva Constitución se ratificara dos años después de su firma.

James Madison

LA CONSTITUCIÓN HOY

Los siete artículos de la Constitución (de los cuales los tres primeros establecen los principios de gobierno, *ver pp. 26-27)* siguen recogiendo las leyes fundamentales de Estados Unidos. A estos artículos se han añadido enmiendas. Las diez primeras constituyen el Bill of Rights, que regula cuestiones como el dere-cho a portar armas y la libertad de religión y de expresión.

Juramento de lealtad

El juramento de lealtad a la bandera se escribió en 1892 coincidiendo con el IV centenario del descu-brimiento de América por Colón. Hoy lo reci-tan los colegiales y los inmigrantes cuando adquieren la naciona-lidad estadounidense.

Manifestación pública
Unos ciudadanos hacen uso del derecho a la libertad de expresión contra la guerra del Golfo.

Vista de la arbolada Pennsylvania Avenue con el Capitolio al fondo

US Navy Memorial ❸

Market Square, Pennsylvania Ave, entre 7th St y 9th St, NW. **Plano** 3 C3. **M** *Archives-Navy Memorial.* **&** **Naval Heritage Center** 701 Pennsylvania Ave, NW. **C** 737-2300. **◯** 9.30-17.00 lu-sá; 12.00-17.00 do. **⊠**

EL CENTRO DEL monumento a la armada de Estados Unidos, en Market Square, es la estatua solitaria de un marino. Esculpida en bronce por Stanley Bleifeld en 1990, es un emotivo homenaje a los hombres y mujeres que sirvieron en la armada estadounidense.

La escultura se alza sobre un vasto mapa del mundo; las siluetas de los países están grabadas en el suelo y protegidas por muros bajos. Cuatro cascadas y banderas completan el monumento. En el verano se celebran en la plaza conciertos gratuitos de bandas militares. Detrás se encuentra el **Naval Heritage Center,** que ilustra la historia de la armada con retratos de famosos oficiales, entre ellos John F. Kennedy.

El marino solitario del US Navy Memorial

Pennsylvania Avenue ❹

Pennsylvania Ave. **Plano** 3 A2 a 4 D4. **M** *Federal Triangle, Archives-Navy Memorial.*

EL PROYECTO de Pierre L'Enfant de 1789 para la capital de los nuevos Estados Unidos contemplaba la construcción de una gran avenida que atravesara el centro desde el palacio presidencial al edificio legislativo. Durante 200 años Pennsylvania Avenue se quedó corta para los sueños de L'Enfant. A principios del siglo XIX no era más que un sendero del bosque. En 1833 se pavimentó y se convirtió en un barrio de casas de huéspedes, tiendas y hoteles.

Según el *Works Progress Administration Guide to Washington,* durante la guerra de Secesión la zona se llenó de tabernas, antros de juego, tiendas y diversiones baratas. Cuando en el desfile inaugural del mandato del presidente Kennedy en 1961, éste contempló la "Calle Mayor Americana", con su mezcolanza de establecimientos de espectáculos pornográficos, casas de empeño y licorerías, ordenó reformarla. Esta orden de Kennedy hizo que se reconsiderara el futuro de Pennsylvania Avenue.

Casi 15 años después, el Congreso creó la Pennsylvania Avenue Corporation, un consorcio mixto público y privado que desarrolló un plan de revitalización. En la actualidad Pennsylvania Avenue es una calle limpia flanqueada por árboles. Los parques, monumentos

DESFILES PRESIDENCIALES INAUGURALES

La tradición de celebrar un desfile para inaugurar el mandato de los presidentes comenzó en 1809 cuando James Madison fue acompañado por el ejército desde su casa de Virginia hasta Washington. Las bandas militares formaron parte del desfile desde el principio y la banda del ejército dirige la procesión por Pennsylvania Avenue desde el Capitolio a la Casa Blanca. El primer desfile con carrozas fue el del presidente William Henry Harrison en 1841. En 1985, el extremo frío de enero obligó a celebrar el desfile inaugural de Ronald Reagan en un estadio cubierto.

Desfile inaugural del tercer mandato de Franklin D. Roosevelt, 1941

El imponente exterior del FBI Building en Pennsylvania Avenue

conmemorativos, tiendas, teatros, hoteles, museos y edificios gubernamentales le dan un aspecto grandioso y elegante y la convierten en el marco ideal para los desfiles inaugurales de los mandatos presidenciales.

FBI Building ❺

935 Pennsylvania Ave, NW. **Plano 3** C3. ☎ 324-3000. Ⓜ Archives-Navy Memorial, Gallery Place. ◯ 8.45-17.15 lu-vi. ⬤ festivos. 🎟 previa cita, último turno 16.15. ♿ Ⓦ www.fbi.gov

LA CONSTRUCCIÓN DEL cuartel general del Federal Bureau of Investigation comenzó en 1963 y terminó en 1975. El nombre oficial es J. Edgar Hoover FBI Building en honor del que fuera durante mucho tiempo jefe del FBI.

Creado en 1910 con el lema "Fidelidad, Valentía e Integridad", el FBI tiene jurisdicción sobre el crimen organizado y el tráfico de drogas. El Bureau, como es conocido, se hizo muy famoso en las décadas de 1920 y 1930 cuando se encargó de hacer cumplir la ley seca, ley federal que penalizaba la venta de alcohol.

La visita al edificio del FBI es muy popular, sobre todo tras el éxito de la serie televisiva de culto *Expediente X*, cuyos protagonistas son dos agentes del FBI. Entre las armas expuestas se encuentran rifles de asalto y revólveres, algunos pertenecientes a famosos criminales como Pretty Boy Floyd y John Dillinger. Un agente guía la visita, donde se muestra la historia del FBI y la lista de los 10 fugitivos más buscados, se explican las técnicas de análisis de ADN y los avances en la identificación de huellas dactilares, y finaliza con una exposición de las armas de fuego de los agentes del FBI, aunque éstos raramente las utilicen.

Ronald Reagan Building ❻

1300 Pennsylvania Ave, NW. **Plano 3** B3. ☎ 312-1300. Ⓜ Federal Triangle. ◯ 6.00-14.00 todos los días. ⬤ festivos. 🎟 ♿

ESTE EDIFICIO ocupó el último terreno sin construir de la zona del Federal Triangle, el antiguo Downtown de la ciudad. Sin embargo, no ha conseguido convertirse en el grandioso centro cultural y de comercio internacional que en un principio pretendía ser.

Parece como si el edificio hubiera sido diseñado para agradar a todo el mundo y al final no ha agradado a nadie. De fachada exterior neoclásica e interior moderno, este enorme complejo terminado en 1998, el edificio federal más caro de la historia, es sólo algo más pequeño que el Vaticano (Roma).

El dudoso éxito arquitectónico resulta sorprendente si tenemos en cuenta que el arquitecto fue James Inigo Freed, responsable del US Holocaust Memorial Museum *(ver pp. 76-77)*. En defensa de Freed hay que señalar que su diseño sufrió muchos cambios antes de convertirse en una inmensa mole de cristal y acero.

El Ronald Reagan Building alberga negocios particulares, empresas, restaurantes y tiendas. En 1999 se celebró la cumbre de la OTAN durante la crisis de Kosovo.

Fuera del edificio se alza el Oscar Straus Memorial Fountain, con una escultura de Adolph Alexander Weinman.

Escultura, Oscar Straus Memorial Fountain

La entrada neoclásica del inmenso Ronald Reagan Building

Restaurantes en el espectacular interior de Old Post Office

Old Post Office ❼

1100 Pennsylvania Ave, NW. **Plano** 3 C3.
📞 289-4224. Ⓜ *Federal Triangle.* ⏰
10.00-19.00 lu-sá; 12.00-18.00 do.
⬤ *1 ene, Día de Acción de Gracias, 25
dic.* 🎫 *sólo la torre (llamar al 606-8691).*
♿ Ⓦ www.oldpostofficedc.com

Construida en 1899, la Old
Post Office fue el primer
rascacielos de Washington. El
edificio se alza 12 pisos y es
una obra de ingeniería
moderna resistente al fuego,
con una estructura metálica
cubierta de granito. En su
interior, el primer generador
utilizado en la ciudad proveía
de electricidad a 3.900
bombillas eléctricas. Su bonito
estilo arquitectónico
neorrománico tuvo mucho
éxito cuando se construyó;
todavía sorprende la
espectacular mezcla de luz,
color y metal reluciente de su
impresionante vestíbulo.
En los 15 años que siguieron
a su construcción, fue objeto
de controversias. Se criticaron
sus torretas y arcos, antaño
alabados. El *New York Times* lo
describió como una construcción a caballo entre una
catedral y un molino de
algodón. Los técnicos
gubernamentales consideraron
que desentonaba con el estilo
neoclásico dominante en el
resto de la ciudad. Cuando
Correos se trasladó a otro
edificio en 1934, ya no parecía
existir ninguna razón para

conservar aquella reliquia
arquitectónica. Sólo la falta de
fondos durante la Gran
Depresión, en la década de
1930 *(ver p. 21)*, evitó que
fuera derruido.
El edificio fue ocupado
intermitentemente por
organismos gubernamentales
hasta que a mediados de los
sesenta su estado ruinoso alertó
a los defensores de su
demolición, pero la asociación
Don't Tear It Down (No lo
derribéis) defendió su
importancia histórica y la
demolición se atrasó de nuevo.
El restaurado edificio, más
conocido como Pavilion, hoy
alberga tiendas y restaurantes;
la torre del edificio, de 82 m de
altura, tiene un observatorio
con las mejores vistas de la
ciudad. Se puede visitar gratis
la torre desde la planta baja.

Estatua de Benjamin Franklin ❽

Pennsylvania Ave y 10th St, NW.
Plano 3 C3. Ⓜ *Federal Triangle.*

La estatua, donada por el
editor Stilson Hutchins
(1839-1912) fue descubierta por
la biznieta de Franklin en 1889.
En los cuatro lados del pedestal
de la estatua se leen las palabras "Impresor, Filósofo, Patriota, Filántropo". Franklin fue
administrador de correos,
escritor y científico, además de

miembro clave de la
comisión que redactó
la Declaración de Inde-
pendencia en 1776.
Como diplomático en la
corte de Luis XVI de
Francia viajó a Versalles
en 1777 para pedir
apoyo a la causa de la
independencia
estadounidense
frente a los ingleses.
Franklin volvió a
Francia en 1783 para
negociar el Tratado
de París, que puso fin
a la guerra de Independencia
de Estados Unidos *(ver p. 16)*.

Majestuos
estatua de
Benjamin
Franklin

Freedom Plaza ❾

Pennsylvania Ave entre 13th St y 14th
St, NW. **Plano** 3 B3. Ⓜ *Federal
Triangle, Metro Center.*

Freedom plaza formaba parte
del proyecto de renovación
de Pennsylvania Avenue de
mediados de los años setenta.
Las obras terminaron en 1980
según un diseño de Robert
Venturi y Denise Scott Brown.
Incrustado en el suelo está el
plano de Washington de L'Enfant en piedra blanca y negra.
En los bordes hay grabadas
citas sobre la ciudad de
famosos como Walt Whitman y
el presidente Wilson.
Desde Freedom Plaza, la
entrada a Pennsylvania
Avenue *(ver pp. 86-87)* es
espectacular. En el lado norte,
donde Pennsylvania

Reproducción a gran escala del
proyecto de L'Enfant, Freedom Plaza

desemboca en E Street, se encuentran el **Warner Theatre** y el **National Theatre**. En el lado sur se halla la construcción *beaux arts* **District Building,** destinada a empleados federales. Durante todo el año se celebran festivales y conciertos al aire libre.

National Aquarium ⑩

Commerce Building, 14th St y Constitution Ave, NW. **Plano** 3 B3.
🎙 482-2825. Ⓜ *Federal Triangle.*
🕘 9.00-17.00 todos los días.
⬤ 25 dic. 📷 ♿

E L ACUARIO estuvo emplazado en su origen en 1873 en Woods Hole (Massachusetts), importante centro de biología marina. En 1888 se trasladó a Washington para que lo visitara más gente. Desde 1932 se encuentra en el sótano del edificio del Departamento de Comercio y contiene 1.500 ejemplares en 54 tanques de cristal.

La exposición está compuesta por peces de río y de mar, con especies autóctonas como la trucha, el róbalo y el lucio, en un ambiente lo más parecido posible a su hábitat natural.

El acuario cuenta con un teatro donde se proyecta un vídeo sobre las especies del acuario; también hay un tanque especialmente preparado para poder coger y tocar a sus ocupantes.

Tortuga verde del National Aquarium

Hotel Willard ⑪

1401 Pennsylvania Ave, NW.
Plano 3 B3. 🎙 628-9100, (800) 327-0200. Ⓜ *Metro Center.* ♿
Ⓦ www.washington@interconti.com

D ESDE 1816 ha existido un hotel en este lugar. El primero fue el Tennison's, con seis edificios contiguos de dos plantas. Reconstruido en 1847, fue regentado por el hotelero Henry Willard, de quien tomó el nombre en 1850. Muchos famosos se alojaron en él

durante la guerra de Secesión (1861-1865), como el escritor Nathaniel Hawthorne, que cubría el conflicto para una revista, y Julia Wardhowe, autora del clásico de la guerra de Secesión *The Battle Hymn of the Republic*. Se cree que el término *lobbyist* (cabildero) se acuñó en el hotel, por los hombres que acudían a su *lobby* (vestíbulo) en busca del apoyo de congresistas influyentes con sus mismas ideas.

El edificio actual, un hotel con 340 habitaciones diseñado por el arquitecto del Plaza Hotel de Nueva York Henry Hardenbergh, se terminó en 1904. Hasta finales de la II Guerra Mundial, cuando comenzó la decadencia del barrio, fue el hotel de moda. Durante 20 años estuvo apuntalado y a punto de ser demolido. Una asociación formada por defensores de su conservación y el Pennsylvania Avenue Development Corporation trabajó para restaurar el edificio *beaux arts*, que finalmente se abrió con renovado esplendor en 1986.

El gran vestíbulo del Willard no tiene parangón. Está adornado con 35 tipos de mármol, madera pulida y tiene una conserjería en forma de pétalo. Cuenta con un café *art nouveau*, un bar y un restaurante, The Willard Room.

Fachada del National Theatre, E Street

National Theatre ⑫

1321 Pennsylvania Ave, NW.
Plano 3 B3. 🎙 628-6161. Ⓜ *Metro Center, Federal Triangle.* ♿
Ⓦ www.nationaltheatre.org

E L NATIONAL THEATRE actual es el sexto teatro que ha ocupado este emplazamiento. Los cuatro primeros se quemaron y el quinto se sustituyó por el actual en 1922, que a su vez sufrió una profunda remodelación en 1984. Acoge producciones estilo Broadway y compañías itinerantes con obras como *Chicago* y *Los miserables*.

El National es considerado un "teatro de actores" debido a su excelente acústica; el más mínimo ruido en la escena se escucha en su parte más alta. El teatro está habitado por el fantasma de John McCullough, un actor del siglo XIX que, asesinado por un compañero, fue enterrado rápidamente bajo el escenario.

Peacock Alley, uno de los lujosos pasillos del Hotel Willard

National Museum of Women in the Arts ⓭

1250 New York Ave, NW. **Plano** 3 C3.
❰ 783-5000. **M** Metro Center.
◐ 10.00-17.00 lu-sá; 12.00-17.00 do.
◑ Día de Acción de Gracias, 25 dic.
⬗ sólo grupos (llamar al 783-7996).
⬚ **W** www.nmwa.org

Este museo alberga una colección que abarca desde el Renacimiento hasta nuestros días. Su origen se encuentra en las pinturas, esculturas y fotografías de todo el mundo que Wilhelmina Holladay y su esposo empezaron a reunir en los años sesenta.

El museo estuvo en la residencia privada de los Holladay algunos años hasta que ocupó su emplazamiento actual en una antigua logia masónica, un emblemático edificio neorrenacentista. La colección reúne obras maestras de artistas estadounidenses, entre ellas *The Bath* (1891) de Mary Cassatt y *The Cage* (1885) de Berthe Morisot. Entre las obras del siglo XX destacan *Bacchus 3* (1978) de Elaine de Kooning y *Autorretrato entre cortinas* y *Dedicatoria a Trotsky* de la mexicana Frida Kahlo. En la tienda del museo se pueden adquirir objetos realizados por mujeres.

Asesinato del Presidente Lincoln

La tarde del 14 de abril de 1865, Viernes Santo, Abraham Lincoln acudió al Ford's Theatre para asistir a la representación de *Our American Cousin*. Por detrás del palco del presidente, John Wilkes Booth, simpatizante confederado y

participante en la obra, disparó al presidente en la cabeza y huyó. Éste, herido, fue trasladado a una casa de huéspedes cercana donde moriría a la mañana siguiente. El asesino escapó a caballo en dirección a Maryland y después a Virginia, donde fue capturado por las tropas federales y ejecutado. Más tarde fueron ahorcadas cuatro personas más declaradas culpables de intervenir en la conspiración.

Cuadro en el que John Wilkes Booth está a punto de disparar a Lincoln

Ford's Theatre ⓮

511 10th St, entre E St y F St, NW.
Plano 3 C3. **❰** 426-6924. **M**
Gallery Place-Chinatown, Metro
Center. **◐** 9.00-17.00 todos los días
(excepto mañana de los días de ensayo;
llamar con antelación). **◑** 25 dic.
House Where Lincoln Died ◐ 9.00-
17.00 todos los días. **◑** 25 dic. **⬚**
W www.fordstheatre.org

El empresario teatral John T. Ford construyó esta pequeña joya en 1863. Durante la guerra de Secesión, Washington era una ciudad en auge y el teatro, en un próspero distrito comercial, gozó de gran popularidad.

Fachada del Ford's Theatre, escenario del asesinato de Lincoln

Sin embargo, su futuro se truncó el 14 de abril de 1865 cuando fue escenario del asesinato del presidente Lincoln por John Wilkes Booth mientras asistía a una representación. **House Where Lincoln Died** (la casa donde murió Lincoln), en la acera de enfrente, es un museo que conserva el dormitorio donde falleció el presidente.

Tras la tragedia, la gente dejó de apoyar el teatro y Ford se vio obligado a venderlo al gobierno federal un año después. El edificio fue deteriorándose hasta que casi un siglo después el gobierno decidió restaurarlo con su original esplendor.

Regentado por el National Park Service, acoge actualmente pequeñas producciones. El palco presidencial está decorado en honor a Lincoln.

La impresionante fachada del National Museum of Women in the Arts

Martin Luther King Memorial Library ⓯

901 G St con 9th St, NW. **Plano** 3 C3.
🄲 727-1111. Ⓜ *Gallery Place–Chinatown, Metro Center.* 🕐 *9.00-21.00 lu-ju; 10.00-17.30 vi y sá, 13.00-17.00 do.* ⬤ *festivos.* ♿
Ⓦ www.dclibrary.org/mlk

ESTE MONUMENTO es la única muestra arquitectónica de la ciudad del eminente arquitecto del siglo XX Ludwig Mier van der Rohe. La biblioteca se terminó poco antes del fallecimiento del arquitecto en 1969. Se dedicó a Martin Luther King a petición de sus dirigentes cuando sustituyó en 1971 a la pequeña y anticuada Carnegie Library como principal biblioteca pública de la ciudad.

Arquitectónicamente el edificio es una muestra de la teoría de Van der Rohe de que "menos es más". Es una estructura austera en forma de caja con un vestíbulo en forma de nicho. En su interior, un mural pintado por Don Miller representa la vida de Martin Luther King, líder del Movimiento por los Derechos Civiles.

En la biblioteca se celebran conciertos, recitales y actos para niños.

El Friendship Archway sobre H Street, en el corazón de Chinatown

Chinatown ⓰

6th St a 8th St y de G St a H St, NW.
Plano 3 C3 y 4 D3. Ⓜ *Gallery Place–Chinatown.*

EL BARRIO DE Chinatown sólo abarca seis manzanas. Creado hacia 1930 y habitado por unos 500 chinos, nunca ha sido muy grande. La zona se ha revitalizado con la creación del MCI Center *(ver p. 96)* en 1997. Aunque los alquileres han subido y algunos veteranos restaurantes se han visto obligados a cerrar, el creciente número de visitantes ha traído prosperidad a la zona. La calle más animada es

H Street, con numerosas tiendas y restaurantes.

El corazón de Chinatown es Friendship Archway, un espectacular arco sobre H Street en su unión con 7th Street. Construido en 1986, fue financiado por Pekín, ciudad hermanada con Washington, como señal de aprecio y se inspiró en la arquitectura de la dinastía Quing (1649-1911). Posee siete tejados, coronados por 300 dragones pintados, sujetos por una base de acero y hormigón que lo convierte en el arco chino de una sola pieza más grande del mundo. Se ilumina de noche.

MARTIN LUTHER KING

Orador carismático y defensor de las teorías de la no violencia de Mahatma Gandhi, Martin Luther King fue un ministro baptista negro que dirigió el Movimiento por los Derechos Civiles de Estados Unidos.

Nacido en Atlanta (Georgia) en 1929, su lucha por los derechos civiles comenzó en 1955 con el boicot al autobús de Montgomery (Alabama), una protesta contra la segregación racial en el transporte. El movimiento se extendió y protagonizó protestas en lugares públicos donde no admitían negros. Sus métodos no violentos fueron contestados a veces con perros policías y tácticas brutales.

El acto cumbre fue la marcha sobre Washington el 28 de agosto de 1963: 200.000 personas ante el Lincoln Memorial en defensa de los derechos civiles. El momento principal fue el discurso de Luther King "Tengo un sueño". Una consecuencia directa fue la aprobación por el Congreso de la legislación de los derechos civiles en 1964. King recibiría el premio Nobel de la Paz ese mismo año. A su asesinato en Memphis (Tennessee) en 1968, siguieron disturbios en 100 ciudades estadounidenses, entre ellas Washington.

Discurso de Martin Luther King en el Lincoln Memorial

National Museum of American Art y National Portrait Gallery ⑰

Estos DOS MUSEOS, inaugurados en 1968, ocupan la antigua Oficina de Patentes de Estados Unidos, un bello edificio de 1836. Actualmente cerrados por reformas, ilustran mejor que ningún otro la historia de la nación. La National Portrait Gallery, con cuadros, fotografías y esculturas que representan a miles de estadounidenses famosos, es el álbum familiar del país. El National Museum of American Art alberga obras clásicas y controvertidas de artistas de Estados Unidos que reflejan la historia y la cultura de la nación.

Fachada del edificio de los dos museos, antigua Oficina de Patentes

★ 'AQUELOO Y HÉRCULES'

Este cuadro de Thomas Hart Benton (1889-1975) es una representación mitológica del nacimiento del país. Según la interpretación más aceptada, Hércules simboliza el dominio de la Naturaleza por el hombre, que disfruta posteriormente de sus trabajos.

Hércules intenta capturar al toro.

Aqueloo, el dios del río, se representa con un toro sujeto por Hércules, símbolo del esfuerzo del pueblo estadounidense.

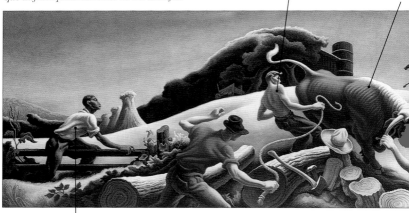

Un negro americano cruza una verja en busca de la idealizada igualdad de Estados Unidos.

★ *Cliffs of the Upper Colorado River*
Esta espectacular obra, realizada en 1882, capta la grandeza del oeste de Estados Unidos. Es uno de los paisajes de Thomas Moran expuestos en la galería.

Old Bear, a Medicine Man
Este estupendo cuadro fue pintado por George Caitlin en 1832. Los nativoamericanos era uno de los temas favoritos del artista.

Mary Cassatt
Edgar Degas pintó hacia 1882 a su amiga, la artista Mary Cassatt, jugando a las cartas.

John Singleton Copley
El famoso retratista pintó también su autorretrato hacia el año 1780.

Casey Stengel
Escultura de bronce del famoso jugador de béisbol, realizada por Rhoda Sherbell en 1981 con un molde de 1965.

El hombre que trabaja la tierra representa el pueblo de Estados Unidos, que gozará de sus frutos tras el trabajo.

Hércules a punto de arrancar el cuerno del toro.

El cuerno se transforma en una cornucopia, el cuerno de la abundancia, símbolo de una tierra rica llena de oportunidades.

★ Game Fish
Larry Fuente realizó en 1988 esta sorprendente obra de arte. El artista cubrió un trofeo en forma de pez aguja con juguetes y piezas de juegos como dominó, fichas de scrabble, *pelotas de pim-pón y yoyós.*

In the Garden
Este hermoso retrato de la poeta Celia Thaxter fue realizado por Childe Hassan en 1892.

RECOMENDAMOS

★ **Aqueloo y Hércules**

★ **Game Fish**

★ **Cliffs of the Upper Colorado River**

Explorando el National Museum of American Art

EN NINGÚN LUGAR se nota tanto la predilección de la ciudad por copiar las arquitecturas griega y romana como en el antiguo edificio de la Oficina de Patentes de EE UU, sede del National Museum of American Art y la National Portrait Gallery desde 1968. El estilo clásico de la Oficina de Patentes proporciona el marco idóneo para albergar estas dos colecciones.

Jirafa hecha con tapones

ARTE POPULAR

LA SECCIÓN de arte popular muestra algunas obras verdaderamente sorprendentes realizadas con los más diversos materiales. *Throne of the Third Heaven of the Nations Millennium General Assembly* (c.1950-1964) de James Hampton es una de las más importantes. Hampton, un conserje de Washington, creó en su garaje esta magnífica obra de arte visionaria con oro, hojalata, muebles viejos y bombillas. Con el paso de los años construyó un trono, púlpitos, coronas y otros objetos religiosos, todos ellos incluidos en su insólita pero hermosa obra.

SIGLO XIX Y PRINCIPIOS DEL SIGLO XX

LOS PAISAJES del Oeste de Estados Unidos de Thomas Moran es uno de los atractivos de esta sección. Moran fue uno de los pocos pintores que supieron captar la grandeza del Gran Cañón y el río Colorado, especialmente en *Cliffs of the Upper Colorado River, Wyoming Territory* (1882).

Pintores como Albert Pinkham Ryder, Winslow Homer y John Singer Sargent, representados en esta sección, fueron precursores del impresionismo. En el cuadro de Homer *High Cliffs, Coast of Maine* (1894) el mar y la tierra se unen en una imagen espectacular. Los paisajes fueron también un tema recurrente de Pinkham Ryder. *Jonah* (c.1885) ilustra el relato bíblico de Jonás y la ballena: Dios observa a Jonás flotando en el mar durante una tormenta. Otro de los cuadros más interesantes es *Fired On*, impresionante óleo de Frederick Remington, artista más conocido como escultor que como pintor de vaqueros y caballos.

De las paredes del museo cuelgan cientos de retratos de nativoamericanos, muchos realizados por el antropólogo George Caitlin. También fue un tema recurrente de Charles Bird King, Christina Nahl y John Mix Stanley. Los principales impresionistas

estadounidenses, Mary Cassatt, William Merritt Chase, John Henry Twachtman y Childe Hassam, están representados en el museo. Los cuadros de Hassam, inspirados en el impresionismo francés, rezuman frescura y calma. El apacible paisaje de *The South Ledges Appledore* (1913) es típico de su estilo.

Reservoir (1961), óleo de técnica mixta de Robert Rauschenberg

ARTE CONTEMPORÁNEO

LOS ENORMES lienzos de los pintores contemporáneos contrastan con los paisajes y retratos de los siglos XIX y XX. Las pinceladas negras sobre un lienzo blanco de *Merce C.* (1961), de Franz Kline, son la antítesis de la delicadeza de los impresionistas. Las composiciones geométricas de Kenneth Noland semejan dianas de tiros. Otros artistas son Jasper Johns, Andy Warhol, Hans Hofman y Robert Rauschenberg, cuya obra *Reservoir* nació de su relación con el bailarín Merce Cunningham.

GREAT HALL

EN EL GREAT HALL de la tercera planta se mezclan los azulejos y los techos con medallones. En el friso de la sala se ilustra la evolución de la tecnología en Estados Unidos. Antiguamente la Oficina de Patentes exponía en este lugar los nuevos inventos.

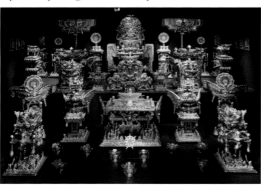

Throne of the Third Heaven of the Nations' Millennium General Assembly

Explorando la National Portrait Gallery

EL CIERRE ACTUAL por reforma de la National Portrait Gallery, junto con el National Museum of American Art, está sirviendo para que el museo organice su impresionante colección de cuadros, esculturas y fotografías de estadounidenses famosos. En la actualidad tiene prestadas más de 18.000 piezas a museos de todo el mundo y a diversas galerías de Estados Unidos. Póngase en contacto con el museo para informarse sobre dónde pueden verse dichos objetos. La apertura está de momento prevista para el año 2003.

Óleo de Ronald Reagan pintado por Henry C. Casselli Jr. en 1989

RESUMEN DE LA COLECCIÓN

LA NATIONAL Portrait Gallery es como el álbum familiar de la nación. Los retratos no sólo arrojan luz sobre sus personajes, sino también sobre su época. La colección permanente alberga miles de imágenes –retratos, fotografías, esculturas, grabados, dibujos– tanto de héroes como de villanos. En el museo están representadas personas muertas al menos hace diez años, a excepción de los cuadros de antiguos presidentes vivos. Casi todos los retratos fueron realizados en vida.

Retrato de Pocahontas de un artista desconocido

Líderes religiosos, magnates, pioneros de los derechos civiles (como Martin Luther King) y de los derechos de la mujer, exploradores y científicos están representados en distintos materiales, óleos, escayola y bronce. El museo también exhibe numerosas fotografías; entre las últimas adquisiciones se encuentran unas fotos de Marilyn Monroe que fueron tomadas durante una visita que la actriz realizó para animar a los soldados de la guerra de Corea.

HALL OF PRESIDENTS

EL CENTRO del museo lo constituye la sala con los retratos de los presidentes de la nación, ordenados cronológicamente. En 1857, el Congreso encargó a George Peter Alexander Healy los retratos de los presidentes. Éstos iban a instalarse en la Casa Blanca como una crónica artística de sus ocupantes. Sin embargo, conforme aumentaron los cuadros, la colección tuvo que reubicarse, y aunque se trasladó a la Portrait Gallery, un número importante permaneció en la Casa Blanca. Los retratos de George y Martha Washington ocupan un lugar preeminente en la galería.

El cuadro más famoso es el de George Washington, de Gilbert Stuart, realizado del natural en 1796, retrato que aparece en los billetes de un dólar. El presidente Lincoln posó para el fotógrafo Alexander Gardener cuatro días antes de su muerte (ver p. 90). En la fotografía aparece preocupado y serio. El presidente Clinton está representado con un busto.

CIUDADANOS NOTABLES

LA NATIONAL Portrait Gallery no se limita a la historia política del país. Alberga más de 60.000 retratos de estadounidenses que han destacado en el arte, el deporte o en la historia cultural o religiosa del país. El famoso jugador de béisbol Babe Ruth y el entrenador de béisbol Casey Stengel son algunos de los personajes del deporte. Del mundo del espectáculo se puede contemplar a Judy Garland, Tallulah Bankhead, Mary Pickford, John Wayne, Buster Keaton, Clark Gable y James Cagney. Hay también un busto del poeta T. S. Eliot y del humorista Will Rogers.

Diana Ross y The Supremes, fotografiadas por Bruce Davidson en 1965

Entrada al moderno complejo deportivo MCI Center por 6th Street

MCI Center ⓲

601 F St, NW. **Plano** 4 D3. 【 628-3200. Ⓜ *Gallery Place-Chinatown.* ◑ *11.00-18.00 todos los días (más tarde para los partidos).* 🎦 *para la National Sports Gallery.* 📷 *para la National Sports Gallery.* 🚻 ⓦ www.mcicenter.com

El MCI CENTER es un complejo deportivo inaugurado en 1997 que alberga también tiendas y tres restaurantes además de la **National Sports Gallery,** un museo deportivo interactivo donde se puede encontrar desde el bate de béisbol de Babe Ruth a la camiseta olímpica de Magic Johnson.

El estadio del MCI, para 20.000 personas, es la gran obra de Abe Pollin, propietario de los dos equipos de baloncesto de Washington, The Wizards (masculino) y The Mystics (femenino) y del equipo de hockey, The Capitals. El enorme éxito del complejo ha revitalizado la zona hasta quedar casi irreconocible con la apertura de restaurantes y tiendas para atender a los visitantes que ha atraído el MCI Center. Para adecuarse a la altura de los edificios de este barrio histórico, Pollin construyó la mitad de las gradas por debajo del nivel del suelo y logró una estructura armoniosa. Además de los acontecimientos deportivos más importantes, se celebran conciertos de rock y exhibiciones deportivas. Se aconseja ir en metro, pues sólo cuenta con 500 plazas de aparcamiento.

7th Street ⓳

7th St, NW. **Plano** 3 C2 y 3 C3. Ⓜ *Gallery Place-Chinatown, Archives-Navy Memorial.*

Los EDIFICIOS victorianos que lindan con el extremo sur de 7th Street cuando se cruza con Pennsylvania Avenue pertenecen al Washington de otros tiempos. Sin embargo, tras las fachadas históricas se han abierto restaurantes de moda que dan mucha vida a esta parte de la ciudad. Las galerías de arte ubicadas tradicionalmente en la zona de 7th Street que une Pennsylvania Avenue con Massachussets Avenue han recobrado su antigua prosperidad.

De la misma renovada prosperidad disfrutan las tiendas asiáticas de Chinatown *(ver p. 91),* en el extremo norte de 7th Street, alrededor de G Street.

Judiciary Square ⓴

4th St y E St, NW. **Plano** 4 D3. Ⓜ *Judiciary Square.*

En JUDICIARY SQUARE, centro jurídico del distrito de Columbia desde 1800, conviven edificios municipales y tribunales de justicia. Arquitectónicamente, el más interesante es el **United States Tax Court,** que se encuentra en 2nd Street, entre D Street y E Street. El edificio, construido en 1973 con diseño de Victor A. Lundy, se asemeja a una gigantesca caja negra de cristal. Es una excelente muestra del estilo austero de los edificios de cristal y acero, sobre un armazón de granito rosa en este caso. Desde su entrada por 2nd Street, parece flotar en el aire.

El **Old City Hall,** del siglo XIX, en D Street, alberga varios tribunales, igual que **Federal Courthouse,** con una galería para que el público contemple los juicios.

El Renacimiento del Antiguo Downtown

En la década de 1990 el antiguo Downtown dejó de ser una zona histórica abandonada para convertirse en una de las más solicitadas. La construcción del MCI Center y el interés renovado por la restauración de sus edificios victorianos aceleraron el proceso. Al desaparecer su aspecto bohemio también perdió muchos artistas que habían construido estudios en las casas de techos altos y alquileres bajos, pero su huella queda patente en las galerías de arte y exposiciones. La subida de alquileres obligó a mudarse a algunas organizaciones no lucrativas y pequeños negocios que tenían sus oficinas en grandes y viejos edificios, e hizo que se cerrasen algunos restaurantes chinos tradicionales de alrededor del MCI Center, reemplazados por restaurantes de élite. En la actualidad el antiguo Downtown es una zona tranquila para pasear y posee una variada oferta de actividades nocturnas, acontecimientos deportivos, teatros, conciertos y animados restaurantes.

Moderno edificio de oficinas entre dos fachadas victorianas en 7th Street

Majestuoso león en un muro del monumento a la policía

National Law Enforcement Officers Memorial ㉑

E St entre 4th St y 5th St, NW.
Plano 4 D3. 737-3400.
Judiciary Square. **Centro de visitantes** 9.00-17.00 lu-vi; 10.00-17.00 sá; 12.00-17.00 do.
www.nleomf.com

ESTE MONUMENTO, inaugurado por el presidente George Bush en 1991, fue construido como homenaje a los 14.000 policías estadounidenses muertos desde el nacimiento de la nación. Ocupa 1,21 hectáreas en el centro de Judiciary Square y sus senderos con flores lucen bellísimos en primavera. Los nombres de los policías muertos están inscritos en muros de mármol, y cada uno es guardado por un león que cuida de sus cachorros, símbolo del papel protector de la policía.

National Building Museum ㉒

401 F St con 4th St, NW. **Plano** 4 D3.
272-2448. Judiciary Square, Gallery Place-Chinatown. jun-ago: 10.00-17.00 lu-sá; 12.00-17.00 do; sep-may: 10.00-16.00 lu-sá; 12.00-16.00 do. 1 ene, Día de Acción de Gracias, 25 dic.
www.nbm.org

PARECE bastante acertado que un museo dedicado al mundo de la construcción esté ubicado en el antiguo Pension Bureau Building, un edificio de diseño audaz. El general de la guerra de Secesión Montgomery C. Meigs, que había visitado el Palazzo Farnese de Miguel Ángel en Roma, decidió construir en Washington un edificio de oficinas semejante, aunque dos veces más grande y con ladrillos rojos en vez de piedra de mampostería.

El edificio, que se terminó en 1887, está coronado con un espectacular friso de terracota de 1 m de altura. El diseño atrevido de la fachada se complementa con su vistoso interior. El enorme vestíbulo de 96 m por 35 m está flanqueado por oficinas. El techo lo sostienen grandiosas columnas de ladrillos cubiertas de escayola y pintadas imitando el mármol. En el impresionante Great Hall se han celebrado bailes inaugurales presidenciales.

Aunque se hicieron gestiones para la demolición del edificio en 1926 cuando las oficinas del Pension Bureau se trasladaron a otro local, durante algún tiempo alojó organismos gubernamentales y un tribunal de justicia.

Plinto ornamental en el recinto del museo

Finalmente, el edificio se restauró y en 1987 recobró su antiguo esplendor convertido en el National Building Museum, un museo privado. Alberga la exposición permanente "Washington: Symbol and City" sobre el desarrollo arquitectónico de la ciudad e ilustra el proyecto original de Pierre L'Enfant, junto con fotografías, modelos y secciones interactivas que muestran el crecimiento y los cambios de la ciudad. Asimismo, aloja exposiciones temporales, algunas sobre temas controvertidos de diseño y arquitectura o relacionados con el negocio inmobiliario. Hay una tienda de regalos y un café en el patio y se pueden visitar gratis las zonas restringidas del edificio.

El espléndido Great Hall columnado, National Building Museum

La Casa Blanca y Foggy Bottom

LA RESIDENCIA OFICIAL del presidente de Estados Unidos, habitada por primera vez en 1800, es uno de los edificios más distinguidos de Washington. A pesar del incendio provocado por los británicos durante la guerra de 1814, la residencia se mantiene fiel al diseño original. En sus alrededores se levantan otros edificios que merecen

Second Division Memorial

visitarse como el Daughters of The American Revolution y la Corcoran Gallery. Al este de la Casa Blanca se encuentra Foggy Bottom, una zona construida sobre terrenos pantanosos donde destacan el Kennedy Center, el Departamento de Estado y el famoso Watergate Complex, centro del escándalo Watergate en los años seenta.

LUGARES DE INTERÉS

Galerías
Corcoran Gallery of Art **7**
Renwick Gallery **5**

Plazas
Lafayette Square **3**
Washington Circle **17**

Edificios históricos
Daughters of the American Revolution **9**
George Washington University **15**

Hotel Hay-Adams **4**
Octágono **8**
Old Executive Office Building **6**
Watergate Complex **18**

Edificios gubernamentales
Departamento de Estado **14**
Departamento de Interior **11**
Federal Reserve Building **12**
La Casa Blanca pp. 102-105 **1**
National Academy of Sciences **13**

Organización de Estados Americanos **10**
Treasury Building **2**

Centro de artes escénicas
Kennedy Center pp. 112-113 **15**

Iglesia
St. Mary's Episcopal Church **16**

0 metros   500

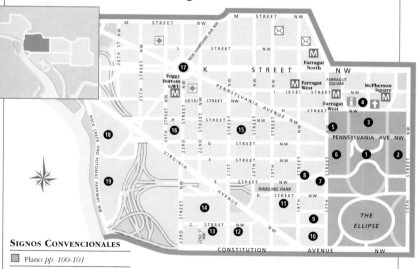

SIGNOS CONVENCIONALES

▢	Plano *pp. 100-101*
M	Estación de metro
i	Información turística
✚	Urgencias
⊠	Oficina de correos
✝	Iglesia

CÓMO LLEGAR

Las estaciones de metro más cercanas a la Casa Blanca y Foggy Bottom son Metro Center, McPherson Square y Foggy Bottom-GWU station. Las líneas 32, 34 y 36 de autobús, trayecto este-oeste, llevan hasta la mayoría de los principales lugares de interés.

◁ **First Division Monument, enfrente del Old Exkcutive Office Building**

La Casa Blanca y alrededores en 3 dimensiones

LOS ALREDEDORES de la Casa Blanca están poblados de edificios grandiosos que han sido escenario de la historia política de la nación. Su vista desde la Ellipse es impresionante. Merece la pena reservar un día para visitar la zona y algunos de sus edificios, como el Treasury Building con la estatua de Alexander Hamilton, primer secretario de Estado, y el Old Executive Office Building. Las sedes de las Daughters of American Revolution y de la Organización de Estados Americanos muestran el orgullo que siente el país hacia su pasado.

Old Executi
Office Buildi
Aunque su finalización en 1888 se recibió con entusiasmo, es hermoso edificio ha alberga departamentos del gobierno

Renwick Gallery
La inscripción grabada sobre la entrada del museo dice: "Dedicado al Arte". La misma fachada es todo un homenaje a las artes decorativas del siglo XIX ❺

Octágono
En su día residencia de James Madison, el edificio ha tenido varios usos en su historia, entre ellos hospital y escuela ❽

★ Corcoran Gallery of Art
Entre los artistas representados en esta magnífica galería de arte se encuentran Rembrandt, Monet, Picasso y De Kooning ❼

0 metros 100

DAR Building
Este hermoso edificio neoclásico es uno de los tres que fundó la organización histórica Daughters of the American Revolution ❾

OAS Building
La estatua de Isabel la Católica se alza ante esta mansión de estilo colonial de 1910, sede de la Organización de Estados Americanos (OAS) ❿

Hotel Hay-Adams

Construido a partir de dos casas unidas, este lujoso hotel ha sido escenario de una gran actividad política desde su apertura en los años veinte **4**

GEORGE-TOWN

LA CASA BLANCA Y FOGGY BOTTOM

Río Potomac

EL MALL

PLANO DE SITUACIÓN
Ver Callejero plano 3

H STREET

MADISON PLACE

AVENUE

PENNSYLVANIA

A. HAMILTON PLACE

E STREET

EXECUTIVE AVENUE

THE ELLIPSE

15TH STREET

Lafayette Square

La estatua de Andrew Jackson, séptimo presidente, obra de Clark Mills, ocupa el centro de esta plaza, que recibe su nombre del marqués de Lafayette, héroe de la guerra de la Independencia **3**

★ Treasury Building

La construcción del edificio neoclásico más impresionante de la ciudad duró más de 60 años **2**

★ La Casa Blanca

La Casa Blanca, residencia oficial del presidente desde el año 1800, es el lugar más visitado de Washington **1**

RECOMENDAMOS

★ **Corcoran Gallery of Art**

★ **Treasury Building**

★ **La Casa Blanca**

La Casa Blanca ❶

En 1791 GEORGE WASHINGTON decidió construir en estos terrenos la futura residencia del presidente. El arquitecto de origen irlandés James Hoban fue el elegido para diseñar el edificio, conocido como Executive House. El presidente John Adams y su mujer se instalaron en 1800 aunque todavía no estaba terminado. Tras el incendio provocado por los británicos en 1814 y su posterior reconstrucción parcial, el presidente James Monroe volvió a ocuparlo en 1817. En 1901 el presidente Theodore Roosevelt le cambió el nombre rebautizándolo como Casa Blanca y ordenó la construcción del ala oeste. El edificio se completó en 1942 con la creación del ala este por orden de Franklin D. Roosevelt.

La Casa Blanca
La fachada de la Casa Blanca, residencia oficial de los presidentes de Estados Unidos desde hace 200 años, es una imagen conocida en todo el mundo.

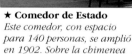

★ Comedor de Estado
Este comedor, con espacio para 140 personas, se amplió en 1902. Sobre la chimenea cuelga un retrato del presidente Abraham Lincoln, obra de George P. A. Healy.

La terraza oeste
conduce al ala oeste y al Despacho Oval, el despacho oficial del presidente.

La piedra de la fachada se ha pintado en múltiples ocasiones para mantenerla blanca.

★ Habitación Roja
Esta habitación, una de las cuatro salas de recepción, está decorada en estilo Imperio (1810-1830). Las telas se confeccionaron en EE UU con diseños franceses.

RECOMENDAMOS

★ **Dormitorio Lincoln**

★ **Habitación Roja**

★ **Comedor de Estado**

★ **Habitación Vermeil**

★ Dormitorio Lincoln

El antiguo gabinete de Lincoln fue convertido en dormitorio por el presidente Truman. Hoy se utiliza como habitación de invitados.

INFORMACIÓN ESENCIAL

1600 Pennsylvania Ave, NW. ☐ 10.00-12.00 ma-sá. Informa- ción en el Centro de Visitantes. ● Festivos y actos oficiales. 📷 obli- gatorio. W www.whitehouse.com **Centro de visitantes de la Casa Blanca** 1450 Pennsylvania Ave, NW. 📞 208 1631. M Federal Triangle. ☐ 7.30-16.00 todos los días. ● 1 ene, Día de Acción de Gracias, 25 dic. Para conseguir entradas con antelación ver Centro de Visitantes de la Casa Blanca (pp. 104-105). 🚻 ♿ W www.nps.gov/whho

La terraza este conduce al ala este.

La sala Este se reserva para reuniones concurridas como bailes y conciertos.

Sala del Tratado

La habitación Verde fue un cuarto de invitados antes de que Thomas Jefferson la destinara a comedor.

Habitación Azul

★ Habitación Vermeil

Esta sala alberga seis retratos de primeras damas, entre otros el de Eleanor Roosevelt, obra de Douglas Chandor.

Recepción Diplomática
Esta habitación está re- servada para la recep- ción de amigos y embaja- dores. Está decorada en estilo del período federal (1790-1820).

ARQUITECTOS DE LA CASA BLANCA

Después de elegir los terrenos donde se ubicaría la residencia de los presidentes, George Was- hington convocó un concurso para escoger el arquitecto que la diseñara. El elegido fue James Hoban, de origen irlandés. El edificio, tal como fue construido originariamente y con sus suce- sivos cambios, está basado en el proyecto que realizó Hoban en 1792. En 1902, el presidente Teddy Roosevelt encargó a la firma neoyor- quina de arquitectos McKim, Mead and White que comprobara el estado del edificio y reali- zara las reformas necesarias. Jackie Kennedy dirigió otra importante remodelación de la Casa Blanca en los años 60.

James Hoban, arquitecto de la Casa Blanca

Explorando la Casa Blanca

Las zonas abiertas al público de la residencia del presidente son visitadas por más de un millón y medio de personas al año. Las habitaciones están bellamente decoradas en distintos estilos antiguos y con valiosos muebles de época, porcelana china y plata. De sus paredes cuelgan algunos de los cuadros más preciados del país, entre ellos numerosos retratos de antiguos presidentes y sus esposas.

BIBLIOTECA

En principio se utilizó como lavandería; más tarde, en 1902, el presidente Theodore Roosevelt la convirtió en una antecámara para caballeros, y finalmente se transformó en biblioteca en 1937. Decorada en estilo del último período federal (1800-1820), se reformó de nuevo en 1962 y en 1976. Los tonos rosa y gris pálido hacen que sea una sala perfecta para reuniones informales y para el té de la tarde.

Sobre la chimenea cuelga un retrato de George Washington, obra de Gilbert Stuart. La araña del techo, que perteneció originariamente a la familia de James Fenimore Cooper, autor de *El último mohicano*, es de principios del siglo XIX.

HABITACIÓN VERMEIL

Popularmente conocida como Gold Room (habitación Dorada), se remodeló en 1991. Debe su nombre a la colección de *vermeil*, plata dorada, que se expone en la vitrina, con servicios de té de los siglos XVIII y XIX realizados por el platero inglés del período de la Regencia, Paul Storr (1771-1836), y el platero francés de estilo Imperio, Jean-Baptist Claude Odiot (1763-1850).

Los retratos de tres primeras damas cuelgan de sus paredes: Claudia Johnson, obra de Elizabeth Shoumatoff, Jackie Kennedy en su apartamento de Nueva York pintada por Aaron Sikler y un retrato de Eleanor Roosevelt, obra de Philip Rundell. En la sala se expone también el cuadro *Mañana en el Sena* (1897) de Claude Monet.

Silla de la habitación Azul

HABITACIÓN CHINA

Reformada en 1970 como sala de recepción, recibió su nombre actual en 1917, cuando la esposa de Woodrow Wilson expuso la porcelana china de la Casa Blanca. El impresionante retrato de Calvin Coolidge, pintado en 1924 por Howard Chandler Christy, aporta el tono rojo a la decoración. Las alfombras indo-persas datan de principios del siglo XX.

HABITACIÓN AZUL

El presidente James Monroe eligió la decoración estilo Imperio francés de esta magnífica sala oval de color azul en 1817. Asimismo, son también característicos de este estilo Imperio el mobiliario de influencias clásicas y motivos como hojas de acanto y águilas imperiales. El ebanista parisino Pierre-Antoine Bellange diseñó el sofá y las siete sillas. De la pared cuelgan un retrato de Thomas Jefferson, realizado por Rembrandt Peale en 1800, y otro del presidente John Adams, pintado en 1793 por John Trumball.

HABITACIÓN ROJA

La esposa del presidente John F. Kennedy, Jackie, decoró esta sala en estilo Imperio en 1962. Parece ser que los muebles fueron comprados por el presidente James Monroe junto con los de la habitación Azul. Muchos de los muebles de madera, como la mesa redonda de taracea, los creó el ebanista Charles Honoré Lannuier en su taller de Nueva York.

Sobre la chimenea cuelga un retrato de Angelica Singleton Van Buren, cuñada del presidente Martin Van Buren, pintado por Henry Inman en 1842.

COMEDOR DE ESTADO

Con el crecimiento de la nación y de su prestigio internacional, las cenas oficiales de la Casa Blanca se hicieron más concurridas. En 1962, los arquitectos McKim, Mead and White se encargaron de ampliar el comedor de Estado. La escayola y las paredes de madera recrean el estilo neoclásico de las casas inglesas del siglo XVIII. El presidente Monroe adquirió las piezas que decoran la mesa en 1817.

Decoración en rojo y crema de la habitación China

El comedor cambió su decoración de 1998. El tapizado de estilo inglés del XIX de 1902 de las sillas se sustituyó para armonizar con una mesa nueva.

DORMITORIO LINCOLN

DECORADO en estilo victoriano estadounidense de 1850-1870 se utiliza hoy como habitación de invitados para los familiares y amigos del presidente. La habitación, utilizada por Lincoln como oficina y gabinete, recibió su actual nombre cuando el presidente Truman la decoró con muebles de la época de Lincoln. Una cama de palisandro de 1,8 m de ancho con un cabecero de 2,5 m ocupa el centro de la habitación y un retrato del general Andrew Jackson, uno de los favoritos de Lincoln, y otro de su mujer, Mary Todd Lincoln, embellecen sus paredes.

SALA DEL TRATADO

ANDREW JOHNSON destinó esta habitación a sala del gabinete en 1865 y así continuaría durante diez mandatos presidenciales. Restaurada en 1961, alberga numerosas piezas victorianas adquiridas por el presidente Ulysses S. Grant, como la mesa y el reloj de mármol y malaquita. La araña de vidrio tallado, compuesta por 20 brazos con una esfera de cristal cada uno, se realizó en Bristol (Inglaterra) hacia 1850.

CENTRO DE VISITANTES DE LA CASA BLANCA

Las entradas para la visita a la Casa Blanca, guiada por el National Park Service, se entregan en el mismo día y son gratuitas. Se distribuyen por orden de llegada y su número varía.

En verano puede haber colas desde las 3.00 de la madrugada y a las 9.00 no quedar entradas. En los días de actos oficiales el edificio se cierra al público. Para reservar una visita los estadounidenses pueden ponerse en contacto con un congresista de su estado con una antelación de entre tres y seis meses. Los extranjeros pueden contactar con la embajada de Estados Unidos en su país. El Centro de Visitantes cuenta con una exposición sobre la historia de la Casa Blanca y una surtida tienda de regalos.

Fachada del Centro de Visitantes de la Casa Blanca

EL ALA ESTE

EL ALA ESTE se terminó en 1902. Las paredes del vestíbulo están adornadas con retratos de las primeras damas. La habitación Jardín, amplia, luminosa y llena de plantas, está decorada en estilo Regencia. El corredor de la planta baja alberga una vitrina con porcelana de entre 1800 y 1810. Sobre la puerta de la sala de recepción diplomática hay incrustado un sello presidencial antiguo.

EL ALA OESTE

LA CONSTRUCCIÓN del ala oeste, incluido el Despacho Oval, realizada por la firma de arquitectos McKim, Mead and White, costó 65.196

Interior del Despacho Oval, ubicado en el ala oeste

dólares. La antigua habitación Pez fue rebautizada por el presidente Nixon como habitación Roosevelt en honor del presidente que creó esta sección y del cual hay dos retratos en la sala.

También en el ala oeste se encuentra la sala del Gabinete, lugar de reunión del presidente con los secretarios de departamento, y el Despacho Oval, donde recibe a los jefes de estado. Numerosos presidentes han dado su toque personal al despacho; el presidente Clinton colocó como escritorio una mesa que la reina Victoria de Inglaterra regaló al presidente Rutherford B. Hayes en 1880.

The Peacemakers, **cuadro de George Healy, sala del Tratado**

El pórtico con columnas del neoclásico Treasury Building

Treasury Building ❷

15th St y Pennsylvania Ave, NW. **Plano** 3 B3. **C** 622-0896. **M** McPherson Square. **✔** sólo sá; llamar con antelación dando el nombre, fecha de nacimiento y número de pasaporte. **&** **W** www.ustreas.gov

EL PRESIDENTE Andrew Johnson eligió la ubicación de este imponente edificio neoclásico griego de cuatro plantas, sede del Departamento del Tesoro. El arquitecto Robert Mills, responsable también del Washington Monument (ver p. 74), fue el encargado

Campana de la Libertad, Treasury Building

del diseño de este edificio de piedra arenisca y granito. En la entrada sur se alza la estatua de Alexander Hamilton, el primer secretario del Tesoro.

Un guía oficial muestra a los visitantes las salas históricas restauradas, incluyendo la cámara a prueba de ladrones de 1864 y la habitación de Andrew Johnson, donde éste tuvo temporalmente su despacho tras el asesinato de Lincoln en 1865.

Entre los años 1863 y 1880 en el sótano del edificio se imprimió la moneda de Estados Unidos y durante la guerra de Secesión sirvió de almacén de comida y armas. Actualmente es la sede del Departamento del Tesoro, el ministerio de hacienda del Gobierno federal.

Lafayette Square ❸

Plano 2 F3 y 3 B3. **M** Farragut West, McPherson Square.

DETRÁS de la Casa Blanca se encuentra Lafayette Square, llamada así por el marqués de Lafayette (1757-1834), héroe de la guerra de Independencia (ver p. 17). Su proximidad a la Casa Blanca la convierte en escenario de numerosas manifestaciones pacíficas. Está rodeada de mansiones del siglo XIX y de la histórica iglesia de St. John ("iglesia de los presidentes"), construida en 1816 por Benjamin Latrobe.

El centro de la plaza lo ocupa una enorme estatua ecuestre de bronce del presidente Andrew

Casas de estilo federal del siglo XIX en la tranquila Lafayatte Square

Jackson (1767-1845) realizada por el artista autodidacta neoyorquino Clark Mills, que necesitó dos años y 12.000 dólares para crearla. Se trata de la primera estatua ecuestre de esas dimensiones del país. Su inauguración en 1953 fue un gran acontecimiento.

Las cuatro esquinas de la plaza están ocupadas por estatuas de hombres que lucharon por la libertad de la nación. En la esquina sureste se alza la del compatriota francés Lafayette, en bronce. En el lado suroeste se encuentra la estatua del también francés Jean-Baptiste Donatien de Vimeur, conde de Rochambeau (1725-1807), obsequio de Francia al pueblo estadounidense, en cuyo nombre lo aceptó Theodore Roosevelt en 1902. Una estatua del general polaco Thaddeus Kosciuszko (1746-1817), que luchó con los colonos en la guerra de Independencia, ocupa el lado noreste. La esquina noroeste está dedicada al barón von Steuben (1730-1794), un oficial alemán que ayudó a George Washington en la batalla de Valley Forge.

Hotel Hay-Adams ❹

1 Lafayette Square, NW. **Plano** 2 F3 y 3 B3. **C** 638-6600, 1-800-424-5054. **M** Farragut North, Farragut West. **W** www.hayadams.com

ESTE HOTEL es un emblemático edificio neorrenacentista situado junto a la Casa Blanca. Su elegante interior está embellecido con antigüedades europeas y orientales.

El edificio original, obra de Henry Hobson Richardson en 1885, estaba compuesto por dos casas contiguas, una del estadista y escritor John Hay y otra del diplomático e historiador Henry Adams. Convertido en hotel en 1927 por el promotor Harry Wardman, es uno de los mejores de Washington (ver p. 163), ideal como base para visitar los principales lugares de interés. En su restaurante Lafayette se sirve el té de la tarde.

Renwick Gallery ❺

Pennsylvania Ave con 17th St, NW.
Plano 2 F3 y 3 A3. 357-2700.
Farragut West. 10.00-17.30
todos los días. 25 dic. previa
cita. www.nmaa-
ryder.si.edu/collections

E STE EDIFICIO de ladrillo rojo,
diseñado y construido por
James Renwick en 1859, forma
parte del National Museum of
American Art (ver pp. 92-95).
Originalmente albergó la
colección de William Wilson
Corcoran antes de trasladarla a
la Corcoran Gallery of Art en
1897.

La Smithsonian Institution
compró el edificio en 1958. Se
reformó y se abrió en 1972
como Renwick Gallery. Está
dedicada principalmente a la
artesanía estadounidense del
siglo XX, con trabajos en
metal, arcilla y cristal. Destaca
la obra *Stories from the Bible*
(1984-1985), realizada por
Evelyn Ackerman en esmalte
tabicado.

Old Executive Office Building ❻

17th St con Pennsylvania Ave, NW.
Plano 2 F4 y 3 A3. 395-5895.
Farragut West. sá previa cita.
www.whitehouse.gov

S ITUADO al oeste de la Casa
Blanca, el edificio ha sido
rebautizado recientemente
como Dwight D. Eisenhower
Executive Office Building. En
su día fue sede de los departamentos de Guerra, Armada y
Estado. Construido entre 1871

Renwick Gallery, suntuoso y bello edificio de estilo Imperio

y 1888 por Alfred B. Mullet en
estilo Imperio e inspirado en
la Renwick Gallery, recibió en
su día muchas críticas.

El edificio ha sido escenario
de acontecimientos
históricos como la
reunión del secretario
de Estado Cordell
Hull y los japoneses
tras el bombardeo de
Pearl Harbor en 1941
o la recogida de
fondos del coronel
Oliver North para la
Contra nicaragüense
en los años ochenta
durante el mandato
de Ronald Reagan.

En la actualidad es
la sede de varios
organismos gubernamentales,
entre ellos la Oficina de la
Casa Blanca, la Oficina del
vicepresidente, el Consejo de
Seguridad Nacional y la
Oficina de Administración y
Presupuesto. La visita incluye
salas bellamente restauradas
con escaleras curvas y
rotondas de vidrieras.

Estatua de león, Corcoran Gallery

Corcoran Gallery of Art ❼

500 17th St, NW. **Plano** 2 F4 y 3 A3.
639-1700. Farragut West,
Farragut North. 10.00-17.00 lu,
mi-do. ma, 1 ene, 25 dic.
www.corcoran.edu

E STE MUSEO DE ARTE,
inaugurado en 1874, es
uno de los mejores de Estados Unidos. Cuando la sede
original (la actual Renwick
Gallery) se quedó pequeña,

su colección se trasladó a este
majestuoso edificio diseñado
por Ernest Flagg en 1897. El
museo es propiedad de una
fundación privada creada por
William Wilson Corcoran, un
banquero amante del arte
estadounidense. En
1925 el senador
William A. Clark
añadió la mayoría
de las obras
europeas.

En la Corcoran
Gallery están
representados los
mejores artistas
europeos y
estadounidenses.
Alberga obras de
Tiziano, del siglo
XVI, de Rembrandt, del XVII,
y de los impresionistas
franceses Monet y Renoir, del
XIX. La Corcoran Gallery of
Art cuenta también con la
más importante muestra de
obras de Jean-Baptiste
Camille Corot que existe
fuera de Francia.

La excelente colección de
arte moderno y
afroamericano está
compuesta de esculturas,
pinturas y fotografías.
Entre los pintores del siglo
XX destacan Picasso, Singer
Sargent y De Kooning.

Dentro del edificio se
encuentra la única escuela
de arte acreditada de
Washington. En su bello
atrio se celebran los
domingos almuerzos con
música *gospel* en directo. La
tienda del museo ofrece una
excelente selección de libros
y postales.

Majestuosa fachada del Old Executive Office Building

Octágono ❽

1799 New York Ave, NW. **Plano** 2 F4
y 3 A3. 📞 638-3221. Ⓜ *Farragut
West.* ⏰ *10.00-16.00 ma-do.*
⬤ *1 ene, 4 jul, 25 dic.*
📷 📹 ♿ *(sólo primera planta).*
ⓦ www.amerarchfoundation.com

A CTUALMENTE hexagonal,
este edificio de ladrillo
rojo de tres plantas de estilo
georgiano tardío fue
diseñado por William
Thornton (1759-1828), primer
arquitecto del Capitolio. Lo
terminó en 1801 un
acaudalado terrateniente de
Richmond (Virginia) amigo de
George Washington, el
coronel John Tayloe III.

El presidente James Madi-
son y su mujer Dolley vivieron en este lugar de 1814 a
1815, tras el incendio de la
Casa Blanca provocado por
los británicos en la guerra de
1814 *(ver p. 17)*. El Tratado
de Gante, que puso fin a la
guerra, lo firmó Madison
en la segunda planta de este
edificio el 17 de febrero de
1815.

A principios del siglo XIX el
edificio fue adquirido por el
American Institute of
Architects, actualmente
ubicado en un edificio situado
detrás del Octágono. La
American Architectural
Foundation, creada en 1970,
fundó un museo de
arquitectura. El Octágono fue
reformado en 1996,
respetando el diseño anterior
de 1815, con bellísimos
elementos arquitectónicos
como la entrada circular.

Pórtico sur del DAR Memorial Continental Hall

Daughters of the American Revolution ❾

1776 D St, NW. **Plano** 2 F4 y 3 A3.
📞 347-1581. Ⓜ *Farragut West.*
⏰ *8.30-16.00 lu-ju; 13.00-17.00 do.*
⬤ *2 semanas en abril, festivos.* 📷
*10.00-14.30 lu-vi (reservar con
antelación).* ♿ 🚻 ⓦ www.dar.org

C READA en 1890 como
organización no lucrativa,
Daughters of the American
Revolution (DAR) nació para
preservar la historia de la
guerra de Independencia y
promover la educación y el
patriotismo. Sólo pueden
pertenecer a DAR las mujeres
que demuestren tener lazos
sanguíneos con algún
hombre o mujer que luchara
en esa guerra. La
organización cuenta con
180.000 miembros en 3.000
oficinas regionales repartidas
por todo el país.

El museo de la
organización está en el
Memorial Constitution Hall,
diseñado por Edward Pearce
Casey y terminado en 1910.
Las 13 columnas del pórtico

sur simbolizan los 13
primeros estados de la
Unión. La entrada se efectúa
por la galería, donde se
expone una muestra ecléctica
de objetos, desde colchas a
cristalería y porcelana.

Las 33 salas de época que
componen State Rooms
albergan más de 50.000
objetos, desde plata a
porcelana, cerámica,
gres y muebles. Cada
sala luce el estilo de un
estado de EE UU durante los
siglos XVIII y XIX. La
colección de juguetes del
siglo XIX del ático hace las
delicias de los niños.
El museo posee una
enorme biblioteca
genealógica con unas
125.000 publicaciones.

**La entrada principal circular del
magnífico Octágono**

**Lema de DAR: "Preservación,
Patriotismo y Educación"**

Fuente del patio del edificio de la OAS

Organización de Estados Americanos ⑩

17th St y Constitution Ave, NW.
Plano 2 F4 y 3 A4. 458-3000.
9.00-17.30 lu-vi. sá-do, festivos. **Art Museum of the Americas** 201 18th St NW.
10.00-17.00 ma-do. Farragut West. www.oas.org

L A ORGANIZACIÓN de Estados Americanos (OAS) es la alianza de naciones más antigua destinada a reforzar la paz y la seguridad del continente y a preservar la democracia. Se creó en la I Conferencia Internacional de Estados Unidos celebrada entre octubre de 1889 y abril de 1890. La Carta de la OAS se

firmó en Bogotá (Colombia) en 1948 entre Estados Unidos y 20 repúblicas latinoamericanas. En la actualidad está compuesta por 35 miembros. El edificio, de 1912, alberga la Columbus Memorial Library y el **Art Museum of the Americas,** dedicado a los artistas latinoamericanos y caribeños más importantes del siglo XX.

Departamento de Interior ⑪

1849 C St, entre 18th St y 19th St, NW.
Plano 2 F4 y 3 A3. 208-4743.
Farragut West. 8.30-16-30 lu-vi. festivos. llamar con antelación. Para entrar se necesita una fotografía de carné.
www.doi.gov/museum

E L DEPARTAMENTO de Interior se encuentra en un enorme edificio de piedra con una amplia zona central y seis alas a los lados. Construido en 1935 con un diseño del arquitecto Waddy Butler

Wood, ocupa más de 6,5 hectáreas y tiene 3 km de pasillos.
En su origen, el Departamento de Interior englobaba Agricultura, Trabajo, Educación y Energía, pero se amplió para tener jurisdicción sobre todas las tierras del gobierno federal. Si realiza la visita guiada oficial podrá contemplar 36 murales pintados por nativoamericanos en los años treinta, entre ellos uno de la cantante Marian Anderson cuando actuó en el Lincoln Memorial en 1939 (ver pp. 78-79).
El pequeño **Department of the Interior Museum,** en la primera planta, se abrió en 1938. Ilustra la historia del departamento y expone dioramas de la naturaleza e importantes acontecimientos históricos, así como obras de topógrafos del siglo XIX y artesanía nativoamericana. En la tienda de regalos se puede adquirir artesanía.

Fachada sur del grandioso Departamento de Interior

Retrato a lápiz del coronel John Tayloe III, obra de Saint Memin

LA FAMILIA TAYLOE

John Tayloe III (1771-1828), coronel en la guerra de 1812, fue el responsable de la construcción del singular Octágono.
Vivía con su mujer Ann, hija del gobernador de Maryland Benjamin Ogle, en Mount Airy, una plantación de tabaco de Richmond, Virginia. Los Tayloe decidieron construir una segunda residencia para los inclementes meses de invierno. George Washington, amigo íntimo de Tayloe y su padre, supervisaba en aquel momento la construcción del Capitolio y estaba deseoso de que llegaran a la ciudad nuevos residentes. El presidente alentó a Tayloe y a su familia para que eligieran un terreno en Washington en vez de en la popular Filadelfia. La familia siguió el consejo y eligió un terreno triangular. La inmensa fortuna de Tayloe le permitió encargar la construcción de la casa, que costaría 35.000 dólares, a William Thornton, el primer arquitecto del Capitolio.

Federal Reserve Building ⑫

C St entre 20th St y 21th St. **Plano** 2 E4 y 3 A4. 📞 452-3686, para exposiciones de arte. Ⓜ Foggy Bottom. ○ 11.00-14.00 lu-vi. ● festivos. 🗓 14.30 ju (información en el 452-3149). ♿
🌐 www.federalreserve.gov

Conocido popularmente como "Fed", este edificio es la sede del Sistema de Reserva Federal, el banco central de EE UU. Cuenta con doce bancos en doce distritos del país que controlan y guardan la reserva de los bancos asociados de su zona. Los billetes no se imprimen en este lugar, sino en el Bureau of Engraving and Printing (ver p. 75).

Inaugurado en 1937, este edificio de mármol de cuatro plantas fue diseñado por el arquitecto Paul P. Cret, responsable también de la sede de la OAS (ver p. 109) y de la Folger Shakespeare Library (ver p. 46).

Águila de mármol sobre la entrada del "Fed"

Se puede visitar la Sala de Juntas y ver una proyección sobre la historia del edificio y la institución. De vez en cuando se celebran exposiciones de arte.

National Academy of Sciences ⑬

2101 Constitution Ave, NW. **Plano** 2 E4. 📞 334-2000. Ⓜ Foggy Bottom. ○ 8.30-17.00 lu-vi. ● festivos. ♿
🌐 www.nas.edu

La National Academy of Sciences es una organización no lucrativa creada en 1863 que dirige

Escultura de Albert Einstein, exterior de la National Academy of Sciences

La reluciente fachada de mármol blanco del Federal Reserve Building

más de 200 estudios al año sobre salud, ciencia y tecnología y divulga noticias sobre descubrimientos científicos.

Más de 120 galardonados con el premio Nobel han sido o son miembros de la Academia. Uno de los más célebres es Albert Einstein, que se hizo miembro en 1942.

El edificio, de mármol blanco de tres pisos, fue diseñado por Bertram Grosvenor Goodhue y se terminó en 1924. En su interior hay una bóveda dorada adornada con retratos de filósofos griegos y paneles de diversos científicos. En el auditorio, con capacidad para 700 personas, se celebran durante todo el año conciertos de cámara gratuitos y ocasionales exposiciones científicas. En los pisos superiores se encuentran las oficinas del National Research Council, de la National Academy of Sciences y de la National Academy of Engineering.

Delante de la Academia y al abrigo de los árboles se halla la entrañable estatua en bronce de Albert Einstein, obra de Robert Berks de 1979, que esculpió también el busto del presidente John F. Kennedy

que se puede ver en el Grand Foyer del Kennedy Center (ver pp. 112-113). La enorme estatua de Einstein mide 6 m de altura y pesa 3.175 kg.

Departamento de Estado ⑭

23rd St y C St, NW. **Plano** 2 E4 y 3 A3. 📞 647-3241. Ⓜ Foggy Bottom-GWU. 🎫 Obligatorio 9.30, 10.30, 14.45 lu-vi; es necesario mostrar carné con foto; para reservas llamar con 4-6 semanas de antelación. ● festivos. ♿ 🌐 www.state.gov

En 1781 se creó el primer departamento del gobierno de Estados Unidos, el Departamento de Estado, responsable de la política exterior.

Este edificio de ocho plantas, con una extensión de 232.250 m², ocupa toda una manzana. En él se encuentran todas las oficinas del Departamento de Estado y del cuerpo diplomático del país. Cada año acoge a 80.000 invitados y 60.000 visitantes. Las salas de recepción diplomática, lujosamente reformadas a finales de los años sesenta, albergan antigüedades valoradas en 90 millones de dólares.

George Washington University ⑮

2121 I (Eye) St, NW. **Plano** 2 E3. 📞 994-1000. Ⓜ Foggy Bottom-GWU. **Auditorios Lisner y Betts** 📞 994-6800. 🌐 www.gwu.edu

Fundada en 1821, George Washington University, o GW como muchos la conocen, toma su nombre del primer presidente de Estados Unidos.

La universidad más grande de la ciudad ocupa unas 18 hectáreas de una de las zonas más caras de Washington. Está compuesta por ocho escuelas que ofrecen estudios de graduado y posgrado. Las carreras más prestigiosas son Relaciones Internacionales, Administración de Empresas y Ciencias Políticas.

Debido a su emplazamiento han pasado por GW alumnos tan famosos como Colin Powell, jefe del Estado Mayor Conjunto, y el fiscal Kenneth Starr, conocido por su actuación en la acusación contra el presidente Clinton, además de Linda Johnson, Margaret Truman, D. Jeffrey Carter y otros hijos de presidentes.

En los auditorios del campus, Lisner y Betts, se programan obras de teatro, danza y conciertos.

St. Mary's Episcopal Church, construida para esclavos liberados

St. Mary's Episcopal Church ⑯

730 23rd St, NW. **Plano** 2 E3.
◼ 333-3985. Ⓜ Foggy Bottom-GWU. ○ 9.30-16.00 lu-vi. ✝ 8.00, 11.00 do. ⚑ llamar al menos un día antes. ♿

L A PRIMERA IGLESIA construida especialmente para esclavos liberados, St. Mary's Episcopal Church, abrió sus puertas el 20 de enero de 1887.

Esta iglesia neogótica de ladrillo rojo fue diseñada por James Renwick, arquitecto de Renwick Gallery *(ver p. 107)*, Smithsonian Castle *(ver p. 68)*

Característica silueta de Watergate Complex, escenario del escándalo Watergate

y St. Patrick's Cathedral de Nueva York. La iglesia pasó a formar parte del patrimonio histórico de la ciudad en 1972.

Washington Circle ⑰

Plano 2 E3. Ⓜ Foggy Bottom-GWU.

W ASHINGTON CIRCLE es una de las rotondas y plazas contempladas en el proyecto de Pierre L'Enfant para la ciudad *(ver p. 17)*. Se encuentra en el extremo norte de Foggy Bottom, en el punto donde Pennsylvania Avenue y New Hampshire Avenue se unen con K Street y 23rd St. La rotonda luce una imponente estatua de bronce de George Washington a caballo, diseñada por Clark Mills y descubierta en 1860. La estatua mira hacia el este en dirección a la Casa Blanca y el Capitolio.

Watergate Complex ⑱

Virginia Ave entre Rock Creek Parkway y New Hampshire Ave, NW. **Plano** 2 D3. Ⓜ Foggy Bottom-GWU. ♿

S ITUADO JUNTO al Kennedy Center *(ver pp. 112-113)*, a orillas del río Potomac, el impresionante Watergate Complex, de diseño italiano, se terminó en 1971. Sus cuatro edificios circulares estaban destinados a tiendas, oficinas y sedes diplomáticas.

En verano de 1972 el edificio fue el centro de la atención mundial. Unos ladrones relacionados con el presidente Nixon forzaron las oficinas del Comité del Partido Demócrata, provocando el famoso escándalo Watergate que obligaría al presidente a dimitir.

EL ESCÁNDALO WATERGATE

El 17 de junio de 1972, en plena campaña presidencial, cinco hombres fueron arrestados acusados de espiar en los locales del Partido Demócrata, situados en el Watergate Complex. A estos hombres, contratados por miembros del comité de reelección del republicano Nixon, se les culpó de robo y de intervenir los teléfonos, pero en principio este asunto no se relacionó con la Casa Blanca. Sin embargo, las investigaciones realizadas por los periodistas del *Washington Post,* Woodward y Bernstein, descubrieron la implicación del presidente, que tenía en su poder unas cintas incriminatorias. El Congreso comenzó un procedimiento de acusación, pero se interrumpió con la dimisión de Nixon, al que sustituyó Gerald Ford.

Mensaje del presidente Nixon a la nación

Kennedy Center ⓳

EN 1958, EL PRESIDENTE DWIGHT D. EISENHOWER decretó una ley destinada a recaudar fondos para la construcción de un centro cultural nacional donde actuaran las mejores orquestas y compañías de ópera y teatro del mundo. El presidente John F. Kennedy, ferviente defensor de las artes, lideró más tarde la campaña. Su asesinato en 1963 impidió que viera terminado el centro, llamado Kennedy Center en su honor. Diseñado por el arquitecto Edward Durrell Stone, fue inaugurado el 8 de septiembre de 1971. Es un enorme complejo con tres gigantescos teatros, Opera House, Eisenhower Theater y Concert Hall, y con varias salas para espectáculos más pequeños.

Escultura africana

Estatua de Don Quijote
Realizada por Aurelio Teno en bronce y piedra, la estatua fue un obsequio de España.

Terraza del tejado este

Eisenhower Theater
Es uno de los tres teatros principales. El vestíbulo alberga un busto de bronce de Eisenhower realizado por Felix de Weldon.

Millennium Stage
En realidad se trata de conciertos gratuitos que se celebran en el Grand Foyer todas las tardes a las 18.00.

Hall of States
En este lugar ondean las banderas de los 50 estados. La escultura que hay en la escalera, obra de Jacques Douchez, fue un obsequio de Brasil.

RECOMENDAMOS

★ **Busto de JFK**

★ **Grand Foyer**

★ **Opera House**

LA CASA BLANCA Y FOGGY BOTTOM

En el Hall of Nations ondean las banderas de todos los países con los que Estados Unidos tiene relaciones diplomáticas.

INFORMACIÓN ESENCIAL

New Hampshire Ave y Rock Creek Parkway, NW. **Plano** 2 D4. 467-4600 o (800) 444-1324.
Foggy Bottom. 80. 10.00-21.00 todos los días (taquilla); 10.00-21.00 lu-sá; 12.00-21.00 do y festivos. 10.00-17.00 lu-vi; 10.00-13.00 sá-do (llamar al 416-8341). www.kennedy-center.org

★ Opera House
Este teatro tiene capacidad para 2.318 personas. Su enorme araña de cristal Lobmeyr fue un obsequio de Austria.

Concert Hall es el mayor auditorio, con 2.500 localidades. Es la sede de la National Symphony Orchestra.

★ Busto de JFK
Este busto de bronce se encuentra en el Grand Foyer. El escultor Robert Berks comenzó esta obra maestra la noche en que Kennedy fue asesinado.

★ Grand Foyer
Por esta enorme sala, que se extiende a lo largo de todo el centro, se accede a Opera House, Concert Hall y Eisenhower Theater.

Balcón JFK
Este balcón de 192 m de largo da al río Potomac y ofrece unas espléndidas vistas de éste. En las paredes hay grabadas palabras de John F. Kennedy.

GEORGETOWN

GEORGETOWN existió antes que Washington. En este lugar hubo un asentamiento indio y en 1703 se concedieron unas tierras a Ninian Beall, que llamó a la zona Rock of Dumbarton. A mediados del siglo XVIII aumentó la población con la llegada de inmigrantes escoceses y en 1751 la ciudad fue rebautizada como George. Se convirtió rápidamente en un poderoso puerto de harina y tabaco. En 1789 nació Georgetown. En 1828 se construyó el Chesapeake and Ohio Canal

John Carroll, fundador de la Universidad

y las calles se llenaron de casas. La llegada del ferrocarril mermó la economía de Georgetown y a mediados del XIX era una ciudad en decadencia. Sin embargo, en la década de los cincuenta sus calles adoquinadas y sus bonitas casas atrajeron a parejas jóvenes y pudientes y Wisconsin Avenue y M Street se llenaron de restaurantes y tiendas. Hoy, Georgetown tiene un aire distinguido y tranquilo que lo diferencia del resto de la ciudad y es un barrio muy agradable para pasear.

LUGARES DE INTERÉS

Edificios históricos
Dumbarton Oaks **⑬**
Georgetown University **⑨**
Old Stone House **⑤**
Tudor Place **⑩**
Washington Post Office **⑦**

Calles, canales y puertos
Chesapeake and Ohio Canal **④**
M Street **⑥**
N Street **⑧**
Washington Harbor **①**
Wisconsin Avenue **②**

Iglesias y cementerios
Grace Church **③**
Mt. Zion Church **⑪**
Oak Hill Cemetery **⑫**

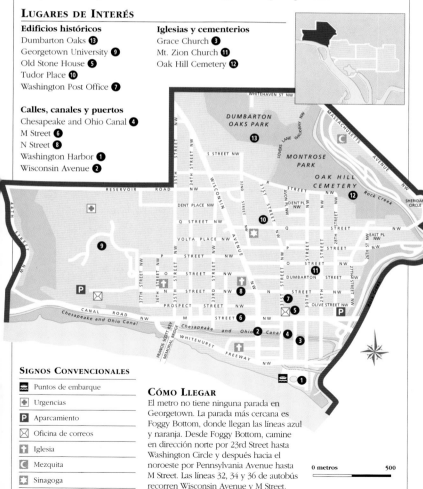

SIGNOS CONVENCIONALES

🚢	Puntos de embarque
✚	Urgencias
🅿	Aparcamiento
✉	Oficina de correos
✝	Iglesia
C	Mezquita
✡	Sinagoga

CÓMO LLEGAR
El metro no tiene ninguna parada en Georgetown. La parada más cercana es Foggy Bottom, donde llegan las líneas azul y naranja. Desde Foggy Bottom, camine en dirección norte por 23rd Street hasta Washington Circle y después hacia el noroeste por Pennsylvania Avenue hasta M Street. Las líneas 32, 34 y 36 de autobús recorren Wisconsin Avenue y M Street.

0 metros   500

◁ **Típica casa colorista de Georgetown**

Fuente en Washington Harbor

Washington Harbor ❶

3000-3020 K Street, NW. **Plano** 2 D3.
📞 944-4140.

Eᴺ ᴡᴀsʜɪɴɢᴛᴏɴ, ciudad bastante conservadora arquitectónicamente, el complejo residencial y comercial construido por el arquitecto Arthur Cotton Moore en Washington Harbor junto el río Potomac resulta muy audaz.

Edificada en una zona que en su día estuvo ocupada por fábricas y almacenes, la obra de Moore es una estructura que abraza la orilla y rodea una plaza peatonal semicircular. El arquitecto se inspiró en los más diversos estilos y utilizó torretas, columnas e incluso arbotantes. El puerto cuenta con un agradable paseo entablado, una enorme fuente y estilizadas farolas y columnatas.

Bajo tierra existen unas compuertas que se elevan para proteger el edificio de las inundaciones. Las plantas superiores son apartamentos, las inferiores oficinas, restaurantes y tiendas. Desde el río parten barcos turísticos que hacen el viaje de ida y vuelta hasta el Mall.

Wisconsin Avenue ❷

Wisconsin Ave. **Plano** 1 C2.
Ⓜ Tenleytown, Friendship Heights.

Wɪsᴄᴏɴsɪɴ ᴀᴠᴇɴᴜᴇ es una de las dos calles principales de negocios de Georgetown y posee gran variedad de tiendas y restaurantes. Es también una de las pocas calles anteriores al diseño en damero de L'Enfant (ver p. 65). Llamada en su día High Street y 32nd Street, comienza a orillas del río Potomac, atraviesa Georgetown al norte hacia las afueras y continúa como Rockville Pike.

Chesapeake and Ohio Canal ❹

Cᴜᴀɴᴅᴏ ᴇʟ canal se construyó en 1828 era un sistema de transporte ingenioso y revolucionario formado por esclusas, acueductos y túneles de 296 km que recorrían Georgetown hasta Cumberland, Maryland. Con la llegada del ferrocarril en el siglo XIX, el canal perdió su utilidad. Sólo los esfuerzos del juez del Tribunal Supremo William Douglas consiguieron que fuera declarado parque nacional en 1971. En la actualidad muchos visitantes se acercan para disfrutar de sus instalaciones y contemplar su fascinante sistema de transporte.

Georgetown
Unos 2 km de la ribera del canal están flanqueados por bonitas casas de Georgetown de estilo federal.

Francis Scott Key Memorial Bridge toma su nombre del compositor del himno nacional estadounidense, *The Star-Spangled Banner.*

Viajes por el canal
Uno de los atractivos del canal son los paseos en clíperes tirados por mulas y guiados por guardabosques del parque con trajes de época.

En la unión de Wisconsin Avenue y M Street se alza la emblemática cúpula dorada del Riggs National Bank.

Durante la guerra franco–británica George Washington marchó con sus tropas por la avenida, rumbo a Pittsburgh, para enfrentarse a los británicos.

Cúpula dorada del Riggs National Bank

Grace Church ❸

1041 Wisconsin Avenue, NW. **Plano** 1 C3. ☏ *333-7100.* ⭘ *llamar con antelación a la oficina (abierta 9.00-12.00 lu-vi).* ♿ ⓦ *www.gracedc.org*

GRACE CHURCH se construyó en 1866 para atender las necesidades religiosas de los barqueros del Chesapeake and Ohio Canal. Esta construcción neogótica de original fachada se alza en una tranquila zona arbolada al sur del canal y M Street. El edificio, que posee la cualidad de las obras imperecederas, apenas ha sufrido cambios a lo largo de los años. En cambio, la comunidad religiosa se ha adaptado positivamente a los nuevos tiempos. Su congregación multiétnica es la más numerosa de Washington y

Señal de Grace Church

proporciona comida y alojamiento a los *sin techo*. La iglesia patrocina la Georgetown Theater Company, que representa teatro clásico y de vanguardia. Celebra regularmente conciertos de música de cámara, órgano y piano, además del festival anual dedicado a Bach.

Un jueves al mes ofrece una velada poética en la que poetas y escritores locales leen sus trabajos.

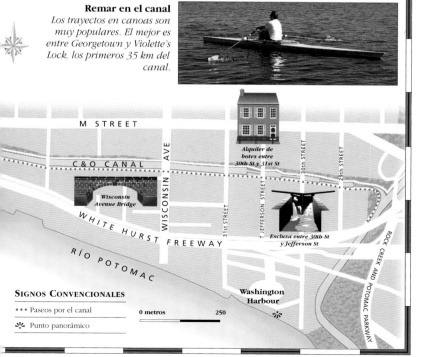

Remar en el canal
Los trayectos en canoas son muy populares. El mejor es entre Georgetown y Violette's Lock, los primeros 35 km del canal.

M STREET

C&O CANAL

WISCONSIN AVE

31st STREET

T JEFFERSON STREET

30th STREET

29th STREET

Wisconsin Avenue Bridge

WHITE HURST FREEWAY

RÍO POTOMAC

Alquiler de botes entre 30th St y 31st St

Esclusa entre 30th St y Jefferson St

ROCK CREEK AND POTOMAC PARKWAY

Washington Harbour

SIGNOS CONVENCIONALES

••• Paseos por el canal

☼ Punto panorámico

0 metros   250

Old Stone House ❺

3051 M St, NW. **Plano** 2 D2. 📞 426-6851. ⏰ 10.00-16.00 mi-do. 🚌 30, 32, 34, 36, 38. ♿ limitado. 🌐 www.nps.gov/rocr/oldstonehouse

OLD STONE HOUSE es el único edificio anterior a la guerra de Independencia. Construido en 1765 por el ebanista Christopher Layman, esta diminuta casa de dos pisos posee un amplio jardín para aislarse del bullicio de M Street.

La leyenda cuenta que en ella tenía el despacho George Washington cuando trabajaba como agrimensor y también que fue donde éste y Pierre L'Enfant hicieron sus proyectos para la ciudad. Sin embargo,

ninguna afirmación es verdadera; parece más bien que Layman utilizó el edificio como residencia personal y tienda de muebles.

Distintos artesanos han habitado la casa; en la década de los cincuenta incluso se utilizó como oficina de una empresa de venta de coches usados. En 1960 el National Park Service restauró la casa respetando su aspecto original. Los guardas cuentan la historia de Georgetown. Técnicamente, Old Stone House es la casa más antigua del distrito de Columbia, aunque The Lindens, hoy en Kalorama, se construyó en Massachusetts en 1750 y trasladada más tarde a Washington.

La pintoresca Old Stone House

M Street ❻

M Street, NW. **Plano** 1 C2. 🚌 30, 32, 34, 36, 38.

EN M STREET, una de las dos principales calles comerciales de Georgetown, se encuentran algunos de los lugares históricos de la ciudad. En el extremo noreste de 30th Street y M Street, donde hoy hay un banco, se situaba la Union Tavern. Esta taberna, de 1796, acogió a personajes famosos como los presidentes Washington y John Adams, el hermano menor de Napoleón, Jerónimo Bonaparte, el escritor Washington Irving y Francis Scott Key, compositor del famoso *Star Spangled Banner*. Durante la guerra de Secesión la taberna se convirtió temporalmente en hospital; Louisa May Alcott, autora de *Mujercitas*, cuidó a los heridos. En los años treinta la taberna fue demolida y su lugar lo ocupó una gasolinera. William Thornton, arquitecto del Capitolio y de Tudor Place *(ver p. 120)* vivió en el nº 3219 de M Street.

En el extremo sur de la calle se encuentra Market House, ubicación del mercado de Georgetown desde 1751. En 1796 se construyó un mercado de madera que sería reempla-

N Street ❽

1215 31st St, NW. **Plano** 1 C2. 🚌 30, 32, 34, 36, 38.

N STREET ES un ejemplo de la arquitectura del período federal del siglo XVIII, un estilo apoyado por los dirigentes de la nueva nación por ser más refinado que el de las casas georgianas más antiguas.

En la esquina de 30th St con N Street se alza la Laird-Dunlop House, propiedad de Benjamin Bradlee, antiguo director del

Washington Post.

La Riggs-Riley House, el nº 3038, es una hermosa casa del período federal que ha pertenecido en los últimos años a Averill y Pamela Harriman. Los números del 3041 al 3045 forman la Wheatley Row. Estas casas se construyeron sobre una planta baja para conseguir el máximo de luz de sus amplias ventanas y el máximo de intimidad.

Sólo las dos casas de los extremos (números 3327-3339) se sitúan en su emplazamiento original.

Wheatley Row, como es conocido este conjunto de tres casas de estilo victoriano, data de 1859.

zado por el actual de ladrillo en 1865. En los años treinta el mercado se convirtió en almacén de suministros y en los noventa la cadena de comida Dean and Deluca abrió una tienda en él.

Actualmente M Street alberga tiendas y restaurantes de moda. Los jóvenes compran música alternativa en Smash y ropa alternativa en Urban Outfitters. También aloja tiendas de cadenas nacionales como Barnes and Noble, Pottery Barn y Starbucks.

El restaurante Clyde's, en el número 3236, es toda una institución de Georgetown, famoso por su *happy hour*. Bill Danoff, de la Starland Vocal Band, escribió sobre Clyde's en su canción *Afternoon Delight*. Su disco de oro cuelga en el bar.

La elegante fachada de la oficina de correos de Georgetown

Preciosas casas de la bulliciosa M Street

Washington Post Office ❼

1215 31st St, NW. **Plano** 2 D2. 🚇
30, 32, 34, 36, 38.

Eᴸ ᴬᴺᵀᴵᴳᵁᴼ ᴱᴰᴵꟻᴵᶜᴵᴼ de la aduana de 1857 es muy interesante tanto histórica como arquitectónicamente. La construcción de la aduana fue una aventura económica del gobierno federal, cuya inversión en un edificio tan caro demuestra la importancia del puerto de Georgetown durante muchos años. El arquitecto Ammi B.

Young, responsable del diseño del Capitolio del estado de Vermont en 1832 y de la Boston Custom House en 1837, fue llamado a Washington en 1852. Aunque Young construyó otros edificios de estilo italiano en la capital, éste es su mejor trabajo. Cuando desaparecieron las grandes fortunas de Georgetown este edificio de granito se convirtió en la actual oficina de correos.

La reforma de 1997 logró unas oficinas más eficientes y accesibles conservando íntegro el diseño funcional y sencillo de Young.

Thomas Beall House *(nº 3017) fue construida en 1794 por una de las familias más influyentes de Georgetown. En esta casa vivieron el secretario de Guerra durante la I Guerra Mundial y Jackie Kennedy un año, después de la muerte de JFK.*

Los números 3025-3027 muestran la influencia francesa de la época en los tejados de sus buhardillas.

Laird-Dunlop House *(nº 3014) fue construida por John Laird, propietario de numerosos almacenes de tabaco. Tomó como modelo las casas de su Edimburgo natal. Posteriormente perteneció a Robert Lincoln, hijo del presidente Lincoln.*

Singular tejado plano

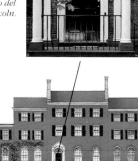

Georgetown University 9

37th St y O St, NW. **Plano** 1 B2.
📞 687-5055. 🕐 *varia, depende del horario de la universidad.* ✔ *información en el 687-3600.* ♿
🌐 www.georgetown.edu

GEORGETOWN UNIVERSITY fue la primera universidad católica del país. Fundada por John Carroll en 1789, es de la orden jesuita y actualmente acoge a alumnos de distintas creencias de más de cien países de todo el mundo.

El edificio más antiguo del campus es Old North Building, de 1872, pero el más emblemático es Healy Building, un diseño alemán coronado por una bonita espiral. El antiguo alumno más famoso de la universidad es el presidente Clinton.

El neogótico Healy Building, Georgetown University

Tudor Place 10

1644 31st St, NW. **Plano** 1 C2.
📞 965-0400. 🕐 *10.00-16.00 ma-sá.* ⬤ *1 ene, 4 jul, Día de Acción de Gracias, 25 dic.* 📷 ✔ *sólo previa cita.*
🌐 www.tudorplace.org

LA CASA SOLARIEGA y los amplios jardines de esta finca de Georgetown, obra de William Thornton, trasladan al visitante al esplendor de otros tiempos.

La primera dama Martha Washington regaló 8.000 dólares a su nieta Martha Custis Peter y su marido. Con este dinero, el matrimonio compró un terreno de unas 3 hectáreas y encargó a Thornton, el arquitecto del

Perro de piedra del jardín de Tudor Place

Capitolio *(ver pp. 48-49)* y el Octágono *(ver p. 108),* el diseño de la casa. Distintas generaciones de los Peter han vivido en la casa entre 1805 y 1984. No se sabe bien por qué esta estructura georgiana de estuco de dos plantas con un porche estilo templo se llama Tudor. Quizá el nombre quería mostrar las simpatías de la familia por los ingleses de la época.

El mobiliario, la plata, la cerámica y los retratos ilustran la historia social y cultural del país; algunas piezas expuestas proceden de Mount Vernon *(ver pp. 148-149).*

Mt. Zion Church 11

1334 29th St, NW. **Plano** 2 D2.
📞 234-0148. 📷 ♿

PARECE SER que esta iglesia acogió a la primera congregación negra del distrito de Columbia. Está situada en 27th Street con P Street y fue una

Altar de Mt. Zion Church

"estación" en la ruta clandestina de los esclavos negros, que se refugiaban en ella en su camino hacia el norte en busca de la libertad. El edificio de ladrillo rojo actual se terminó en 1884, después del incendio de la primera iglesia.

Mt. Zion Cemetery, el cementerio para negros más antiguo de Washington, se encuentra cerca, en el nº 2500 de Q Street.

Oak Hill Cemetery 12

3001 R St, NW. **Plano** 2 D1.
📞 337-2835. 🕐 *10.00-16.00 lu-vi.* ⬤ *sá y do, festivos.*

WILLIAM WILSON Corcoran *(ver p. 107)* fundó el Oak Hill Cemetery en 1849. En la actualidad alberga unas 17.000 tumbas en un terreno de casi cinco hectáreas plantado de enormes robles.

Los miembros de las familias más influyentes de Washington reposan en Oak Hill, y a través de sus nombres, Magruder, Poe, Thomas, Beall y Marbury, se puede trazar la historia de la ciudad.

En la entrada se alza una casa de guarda de estilo italiano que aún se utiliza. Al noreste se encuentra el monumento a la familia Spencer, obra de Louis Comfort Tiffany, cuya firma aparece en el ángel del bajorrelieve de granito.

Destaca la capilla gótica construida por

EL NACIMIENTO DE LAS NACIONES UNIDAS

La conferencia celebrada en Dumbarton Oaks en 1944 sentó las bases para la fundación de las Naciones Unidas. El presidente Franklin Roosevelt y el primer ministro británico Winston Churchill querían crear un "gobierno mundial" para preservar la paz al final de la II Guerra Mundial. Roosevelt propuso que se celebrara una conferencia en Washington, pero por entonces el Departamento de Estado no contaba con espacio para acomodar a todos los delegados. Robert Woods Bliss ofreció la sala de música de su antigua casa, Dumbarton Oaks, para la reunión.

Los estatutos de la Organización se establecieron en la conferencia de Dumbarton Oaks y se perfeccionaron en la conferencia de San Francisco un año después, cuando se ratificó la Carta de las Naciones Unidas. La sede permanente de las Naciones Unidas se construyó en Nueva York en el East River después de que John D. Rockefeller donara 8,5 millones de dólares para su construcción.

Miembros de la conferencia en la sala de música de Dumbarton Oaks

James Renwick. Cerca de ésta se sitúa la tumba de John Howard Payne, compositor de *Home, Sweet Home,* muerto en 1852. El busto que corona la tumba lucía barba, pero al encargado del cementerio le dijeron equivocadamente que Payne nunca tuvo barba y pidió a un cantero que "afeitara la estatua".

Dumbarton Oaks ⑬

1703 32nd St, NW. **Plano** 2 D2.
📞 *339-6401.* ⭕ **Casa** *14.00-17.00 ma-do.* **Jardines** *14.00-17.00 todos los días.* ⬤ *festivos.* 🖼️ 🎫 ♿ *sólo la casa.* Ⓦ *www.doaks.org*

En 1703, Ninian Beall, un colono escocés, recibió unas 325 hectáreas de tierra en esta zona. Posteriormente, la tierra fue vendida y en 1801 el senador William Dorsey de Maryland adquirió 9 hectáreas y construyó una casa de ladrillo rojo de estilo federal. Años después, unos problemas económicos le obligaron a venderla y en el siglo siguiente la finca pasó por diferentes manos.

Cuando los herederos de la industria farmacéutica Robert y Mildred Woods Bliss compraron la ruinosa finca en 1920 estaba totalmente abandonada. Modificaron y ampliaron la casa con ayuda de la prestigiosa firma de arquitectos McKim, Mead and

White *(ver p. 103)* para adaptarla a las necesidades de una familia del siglo XX; y comenzaron los trabajos en el jardín, que encargaron a su amiga Beatrix Jones Farrand, una de las pocas paisajistas de la época. Farrand diseñó una serie de terrazas con jardines formales, cerca de la casa, y asilvestrados, más lejos de ésta.

En 1940, cuando los Bliss se mudaron a

Fuente en Dumbarton Oaks

California, donaron la finca a Harvard University, que ubicó en ella una biblioteca, una institución de investigación y un museo. Muchas de las 1.400 piezas de arte bizantino de éste fueron también donación de los Bliss. Entre

ellas destacan monedas grecorromanas, bajorrelieves de finales del Imperio Romano y principios del Bizantino, telas egipcias y cristal romano. En 1962, Robert Wood Bliss donó su colección de arte precolombino. Para albergarla, el arquitecto Philip Johnson diseñó una nueva ala con ocho cúpulas alrededor de un jardín circular. Aunque su estilo difiere mucho de la casa original, concuerda perfectamente con la colección, en la que destacan las máscaras, las impresionantes joyas de oro precolombinas y los frescos y esculturas aztecas.

Piscina en la finca de Dumbarton Oaks

LAS AFUERAS

UPONT CIRCLE, barrio poblado de museos, galerías y restaurantes, se encuentra al norte de la Casa Blanca. Para aquellos interesados en la arquitectura o para pasear, los barrios de Embassy Row, Kalorama, Adams-Morgan y Cleveland Park son un paraíso. Al otro lado del río

Señal del zoo

Potomac, se sitúa Arlington (Virginia), uno de los primeros suburbios del distrito de Columbia. El Cementerio Nacional de Arlington se creó en 1864 en honor de los que murieron por la Unión. Franklin D. Roosevelt construyó 80 años más tarde el Pentágono, el edificio más emblemático.

LUGARES DE INTERÉS

Museos y galerías
Anacostia Museum **㉕**
Mary McLeod Bethune
　Council House
　National Historic Site **⑯**
National Geographic Society **⑧**
Newseum **⑤**
Phillips Collection **⑩**
Textile Museum **⑪**

Barrios históricos, calles y edificios
Adams-Morgan **⑮**
Dupont Circle **⑨**
Embassy Row **⑬**
Frederick Douglass House **㉔**
Heurich Mansion **⑦**
Kalorama **⑭**
Lincoln Theatre **⑰**

National Cathedral
*　pp. 136-137* **⑲**
Pentágono **②**
Southwest Waterfront **③**
Woodrow Wilson House **⑫**

Monumentos
Basilica of the National Shrine
　of the Immaculate
　Conception **㉒**
Iwo Jima Statue **④**

Parques y jardines
Cleveland Park **⑳**
National Zoological Park
*　pp. 132-133* **⑱**
Rock Creek Park **㉑**
Roosevelt Island **⑥**
US National Arboretum **㉓**

Cementerio
Cementerio Nacional de
*　Arlington pp. 124-125* **①**

SIGNOS CONVENCIONALES

■	Centro de Washington
☐	Distrito de Columbia
☐	El Gran Washington
✈	Aeropuerto nacional
—	Línea del metro
══	Autopista
═	Carretera principal
=	Carretera secundaria

0 kilómetros　　2.5

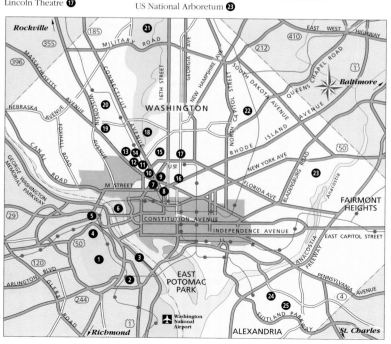

◁ **Pagoda china de la colección asiática del National Arboretum**

Cementerio Nacional de Arlington ➊

EL GENERAL CONFEDERADO Robert E. Lee (1807-1870) vivió en Arlington House durante 30 años. Cuando en 1861 dejó su casa para dirigir el ejército de Virginia, la Unión confiscó la finca para destinarla a cementerio militar. Al final de la guerra de Secesión en 1865, 16.000 hombres fueron enterrados en el recién inaugurado Cementerio Nacional de Arlington. A éstos se unirían unos 230.000 veteranos de guerras posteriores, desde la guerra de la Independencia a la guerra del Golfo. Las tumbas están señaladas con sencillas lápidas. El centro del cementerio es la Tumba de los Desconocidos, que honra a los soldados muertos en combate y cuyos cuerpos no fueron rescatados.

Soldado de guardia

Confederate Memorial
*Este monumento de bronce y gra-
nito, erigido en 1914, honra a lo
soldados confederados que muri-
ron en la guerra de Secesión.*

Sea of Graves
*Más de 245.000 militares y sus
familias están enterrados en las 485
hectáreas del cementerio de Arlington.*

**★ Tumba de los
Desconocidos**
*Alberga cuatro tumbas, de
la I y II Guerra Mundial,
Vietnam y Corea. Cada
una contenía el cuerpo no
identificado de un
soldado hasta que la
prueba del ADN
permitió reconocer al
soldado de Vietnam,
que fue enterrado en
su pueblo natal.*

0 metros   200

RECOMENDAMOS

★ **Arlington House**

★ **Tumba de John F.
Kennedy**

★ **Tumba de los
Desconocidos**

Memorial Amphitheater
*Anfiteatro de mármol, escenario de los servicios religiosos
del Memorial Day (ver p. 34) durante los cuales los
dirigentes de la nación honran a los que murieron por el
país. En él se celebran numerosos funerales de Estado.*

★ **Arlington House**
La antigua casa neogeorgiana de Robert E. Lee es hoy un monumento al general y su familia. Se puede visitar en el horario del cementerio.

INFORMACIÓN ESENCIAL

Arlington, VA. [(703) 697-9486. M *Arlington National Cemetery.* ○ *oct-mar: 8.00-17.00 todos los días; abr-sep: 8.30-19.00 todos los días.* ● *25 dic.* ✈ *La visita en vehículo turístico sale del Centro de Visitantes cada 15 minutos, 8.30-18.00 todos los días (llamar al 554-5100).* ⅏ ▯

Iwo Jima Memorial (p. 126)

Centro de Visitantes

Entrada principal

Seabees Memorial
Monumento dedicado a la unidad de la Armada de Estados Unidos, especializada en trabajos de construcción.

★ **Tumba de John F. Kennedy**
La llama encendida por su esposa, Jackie, el día de su funeral, en diciembre de 1963, arde incesantemente. Jackie descansa junto a su marido.

TUMBAS Y MONUMENTOS

Arlington House ⑤
Confederate Memorial ⑦
Challenger Shuttle Memorial ⑨
Lockerbie Memorial ⑥
Memorial Amphitheater ⑩
Rough Riders Memorial ⑧
Seabees Memorial ①
Tumba de John F. Kennedy ②
Tumba de los Desconocidos ⑪
Tumba de Pierre L'Enfant ④
Tumba de Robert F. Kennedy ⑪

Tumba de Pierre L'Enfant
El arquitecto responsable de la urbanización de Washington tiene una tumba acorde con su importancia (ver p. 65).

La formidable fachada de hormigón del Pentágono vista desde el río Potomac

Pentágono ❷

1000 Defense Pentagon, Hwy 1-395, Arlington, VA. **C** *(703) 695-1776.* **M** *Pentagon.* ○ *9.00-15.00 lu-vi.* ● *sá y do, festivos.* **C** *cada hora desde 9.00.* **&** **W** www.defenselink.mil

E L PRESIDENTE FRANKLIN Roosevelt decidió a principios de los años cuarenta unir los 17 edificios del Departamento de Guerra (antes Departamento de Defensa) en uno solo. Diseñado por ingenieros militares, el Pentágono se construyó con arena y grava dragados del río Potomac. El edificio, terminado el 15 de enero de 1943, costó 83 millones de dólares. El mayor edificio de oficinas del mundo es casi una ciudad dentro de la ciudad. Sin embargo, a pesar de las enormes dimensiones, su práctica y original forma pentagonal permite trasladarse en sólo siete minutos de cualquier punto a otro del edificio.

El Pentágono es la sede del Departamento de Defensa, forma parte del Gabinete y consta a su vez de tres departamentos –Ejército, Armada y Fuerza Aérea– y 14 organismos más. Es responsabilidad del Departamento de Defensa velar por la seguridad del país. Los altos cargos del departamento son el secretario de Defensa y el jefe del Estado Mayor Conjunto. Las visitas son guiadas por personal militar uniformado.

Puesto de pescado en el mercado del puerto

Southwest Waterfront ❸

M *Waterfront.* **Fish Market** ○ *7.30-20.00 todos los días.*

E N LOS AÑOS sesenta los urbanistas probaron nuevas teorías arquitectónicas en la orilla suroeste del río Potomac. Se derrumbaron barrios antiguos y se construyeron altos bloques de apartamentos. Se abrieron restaurantes por toda la orilla y Arena Stage, una conocida compañía regional de teatro, construyó un teatro experimental. La zona se revitalizó y se convirtió en un sitio tranquilo para comer y pasear.

Uno de los lugares más animados es el mercado de pescado junto a Maine Avenue, un vestigio del antiguo carácter de la zona donde acude a comprar gente de todas partes de Washington. Se puede comprar langosta, cangrejos, ostras y todo tipo de pescado fresco a los pesca- dores que venden su mercancía junto al río. Hay buenos restaurantes a lo largo de la orilla que están especializados en pescado y marisco fresco.

Iwo Jima Memorial ❹

Meade St, entre el Cementerio Nacional de Arlington y Arlington Boulevard. **Plano** 1 B5. **M** *Rosslyn.* **&**

L A HORRIBLE batalla de Iwo Jima, una diminuta isla del Pacífico, durante la II Guerra Mundial fue captada por el fotógrafo Joe Rosenthal. La fotografía de cinco infantes de marina y un soldado de la Armada enarbolando la bandera de EE UU le valió a Rosenthal el premio Pulitzer y se convirtió en un símbolo de la guerra para los estadounidenses.

La imagen fue modelada en bronce por el escultor DeWel- don y pagada con donativos de particulares. Los tres soldados supervivientes posaron como modelos, los otros tres mu- rieron en otros combates en la isla. El monumen- to se inauguró el 10 de

Emotivo monumento a los soldados muertos en la batalla de Iwo Jima

noviembre de 1954, coincidiendo con el 179 aniversario de la creación de la Infantería de Marina.

Está aprobada la construcción de un nuevo monumento a las Fuerzas Aéreas entre Iwo Jima Memorial y Netherlands Carillon. Pese a las promesas del National Park Service, muchos infantes de marina, que temen que el nuevo monumento eclipse al Iwo Jima Memorial, se oponen a su construcción.

Entrada al innovador e interactivo Newseum, Arlington

Newseum ❺

1101 Wilson Blvd, Arlington, VA.
Plano 1 B4. 📞 *(1-888) 639-7386.*
Ⓜ *Rosslyn.* ⏰ *10.00-17.00 mi-do.*
⬤ *1 ene, Día de Acción de Gracias,
25 dic.* ♿ Ⓦ www.newseum.org

Eᴸ ɴᴇᴡsᴇᴜᴍ es uno de los últimos museos abiertos en Washington. Inaugurado en 1997, ilustra los entresijos del mundo de la prensa. Mediante recursos multimedia interactivos, memorabilia y artefactos varios se recrean las historias de los medios de comunicación y se explica cómo ser un periodista de éxito. Los niños pueden disfrutar haciendo de presentadores en un estudio simulado de televisión y comprar el vídeo para verlo después en casa.

El Newseum organiza seminarios con periodistas y reporteros, entre ellos la periodista de la Casa Blanca Helen Thomas, el antiguo magnate de las noticias Walter Cronkite y

Bernard Shaw, de la CNN. En 1990 el astronauta y senador John Glenn dio una conferencia de prensa para estudiantes del Newseum desde el *Space Shuttle Discovery.*

Junto al museo se abrió en 1996 Freedom Park para celebrar la lucha del mundo por la libertad. Alberga una exposición sobre el muro de Berlín que ilustra su caída en noviembre de 1989 y está expuesto el trozo de muro más grande que existe fuera de Alemania.

Roosevelt Island ❻

GW Memorial Pkwy, McLean, VA.
Plano 1 C4. 📞 *(703) 289-2530.*
Ⓜ *Rosslyn.* ⏰ *7.00-atardecer todos
los días.* 🎫 *sólo previa cita.*
Ⓦ www.nps.gov/gwmp

Lᴀs 35,5 hectáreas de tierras pantanosas y los 4 kilómetros de senderos naturales de Roosevelt Island son un paraíso para los naturalistas habitado por gavilanes de cola roja, búhos, marmotas de Canadá, patos y numerosas especies de árboles y plantas. La isla alberga un monumento de 5 m de altura en bronce y cuatro lápidas de granito en honor de Theodore Roosevelt (1858-1919). En las lápidas hay grabadas citas del presidente.

Se puede acceder a la isla en coche, por George Washington Memorial Parkway, o en canoa, que puede alquilarse en Thompson's Boathouse *(ver p.189),* cerca del Watergate Complex.

Muebles tallados del Heurich's Beer Hall

Heurich Mansion ❼

Historical Society of Washington, DC,
1307 New Hampshire Ave, NW.
📞 *785-2068.* Ⓜ *Dupont Circle.*
⏰ *10.00-16.00 lu-sá.* ⬤ *do y
festivos.* 📷 🎫 ♿ 🏠
Ⓦ www.hswdc.org

Eᴸ ᴄᴇʀᴠᴇᴄᴇʀᴏ Heurich construyó una casa bávara para su familia al sur de Dupont Circle en 1892. Esta mansión neorrománica con torretas es hoy la sede de la Historical Society of Washington DC, que ofrece visitas guiadas en el edificio.

Heurich Mansion está perfectamente conservada y da una imagen aproximada de cómo viviría una familia de clase media a finales del siglo XIX. Destacan especialmente la sala de desayunos bávara auténtica, situada en el sótano, y el jardín victoriano de detrás de la casa. La Historical Society ha añadido una excelente biblioteca con información sobre la gente y los acontecimientos del pasado del distrito de Columbia.

Estatua del presidente Roosevelt y lápidas de granito en Roosevelt Island

Globo terráqueo gigante, Explorers Hall, National Geographic Society

National Geographic Society **8**

1145 17th St con M St, NW.
Plano 2 F2 y 3 B2. 857-7588.
Farragut North. 9.00-17.00 lu-sá;
10.00-17.00 do y festivos. 25 dic.
w www.nationalgeographic.com

En 1888 LA NATIONAL Geographic Society comenzó a financiar viajes de exploración y a publicar un informe anual, precursor de su famosa revista.

En 1964 la organización se trasladó a su sede actual, diseñada por Edward Durrell Stone, arquitecto del Kennedy Center. Los pisos superiores son las oficinas donde se elaboran las revistas y otros proyectos educativos.

En el primer piso se encuentra Explorers Hall, un completísimo museo que ilustra las exploraciones de la institución por tierra, mar y aire. Entre sus principales atractivos está el tornado simulado que puede tocarse, hologramas tan reales que los visitantes intentan alcanzarlos y cogerlos y la Earth Station One, un anfiteatro que simula un vuelo orbital. En los potentes microscopios se pueden contemplar minerales y plantas.

El enorme globo terráqueo de 3 m de altura de Explorers Hall se ha convertido en el símbolo de la organización. Otra exposición interactiva, Geographica, permite experimentar la exploración marina, la fuerza de un tornado y el mundo de los dinosaurios. La librería es un verdadero tesoro para temas relacionados con la geografía: atlas, vídeos, libros y mapas.

Dupont Circle **9**

Plano 2 F2 y 3 A1. Dupont Circle.

Esta zona situada al norte de la Casa Blanca es una rotonda donde confluyen las avenidas de Massachusetts, Connecticut y New Hampshire y 19th Street. En el corazón de esta isla en mitad del tráfico se encuentra la Francis Dupont Memorial Fountain, que toma el nombre de un almirante deshonrado durante la guerra de Secesión. Para restaurar su honor, su familia construyó una estatua de bronce que más tarde se

Jugando al ajedrez en Dupont Circle

trasladó a Wilmington, Delaware. La fuente de mármol actual, de 1921, posee cuatro estatuas que representan el mar, el viento, las estrellas y las artes de la navegación marítima y que sostienen un estanque de mármol.

En el parque que rodea la fuente se pueden ver jugadores de ajedrez ensimismados en su partida, ciclistas que descansan junto a la fuente, turistas haciendo una parada y excursionistas comiendo al aire libre.

A principios del siglo XX la zona de Dupont Circle era un lugar de grandes mansiones. Decayó hasta los años setenta, cuando los vecinos de Washington empezaron a comprar las casas deterioradas. Hoy es un barrio con galerías de arte, bares, restaurantes y librerías. Los viejos edificios victorianos han sido divididos en apartamentos, restaurados como casas familiares o convertidos en pequeños edificios de oficinas.

Dupont Circle es asimismo el centro de la comunidad gay de Washington. Los bares y clubes de P Street, entre Dupont Circle y Rock Creek Park, son los lugares de reunión más populares de homosexuales. En el este de P Street, pasada 14th Street, el ambiente empeora. No se interne en esta parte de la ciudad, sobre todo después del atardecer. En cambio, al sur del Circle abundan los restaurantes y tiendas para una clientela más pudiente.

La hermosa fuente situada en el corazón de Dupont Circle

Fiesta en el barco (1881), obra maestra de Auguste Renoir

Phillips Collection ❿

1600 21st St con Q St, NW. **Plano** 2 E2 y 3 A1. 📞 387-2151. Ⓜ *Dupont Circle.* 🕐 10.00-17.00 ma-sá (10.00-21.00 ju), 12.00-19.00 do. ● *lu, 1 ene, 4 jul, Día de Acción de Gracias.* 📷 🎫 *14.00 mi y sá.* ♿ W www.phillipscollection.org

L A PHILLIPS Collection es una de las mejores colecciones de arte impresionista del mundo y el primer museo de Estados Unidos del arte de los siglos XIX y XX. Duncan y Marjorie Phillips, fundadores de la colección, vivían en el edificio más antiguo de los dos contiguos al museo. Tras la muerte de su padre en 1918, Duncan Phillips decidió ubicar en dos salas de la mansión la Phillips Memorial Gallery.

La pareja se dedicó a viajar y aumentar su ya extensa colección. Durante los años veinte adquirieron algunas de las pinturas más importantes del arte moderno europeo, como *Fiesta en el barco* (1881) de Renoir, por la que pagaron 125.000 dólares (uno de los precios más altos pagados hasta entonces). La colección creció hasta reunir más de 2.000 piezas en los 50 años siguientes.

En 1930 los Phillips se mudaron a una nueva casa en Foxhall Road, en el noroeste de Washington, y convirtieron el resto de su antigua residencia neogeorgiana de 1897 en

museo privado. La Phillips Gallery se abrió de nuevo en 1960 con el nombre de Phillips Collection.

La elegante casa neogeorgiana de los Phillips es un marco más íntimo y personal que los grandes museos de la Smithsonian.

El museo es famoso por sus maravillosos cuadros impresionistas y posimpresionistas, como *Bailarinas en la barra* de Degas, *Autorretrato* de Cézanne y *Entrada a los Jardines Públicos de Arles* de Van Gogh. Alberga asimismo una de las colecciones más extensas del francés Pierre Bonnard, con obras como *La ventana abierta* (1921).

Otros cuadros excelentes del museo son *Las lágrimas de San Pedro* (1600) de El Greco, *La habitación azul* (1901) de Picasso, *Composición nº III* (1921-1925) de Mondrian y *Ochre on Red on Red* (1954) de Mark Rothko.

Además de la colección permanente, el museo ofrece exposiciones itinerantes que comienzan en la Phillips Collection

para viajar después a otros museos del país. Normalmente se organizan en torno a un artista (como Georgia O'Keeffe) o un período o tema concreto (como la exposición *Bodegones del siglo XX*).

La Phillips Collection organiza actos especiales para los amantes del arte moderno. Los jueves por la tarde (excepto en agosto y septiembre) ofrece las "tardes artísticas", con charlas sobre el museo, música de jazz en directo y refrescos en un clima ideal para que la gente pueda hablar de arte en un ambiente distendido. Los domingos por la tarde de septiembre a mayo se celebran conciertos en la sala de música, que son gratuitos con la entrada de ese día al museo. Empezaron a celebrarse en 1941 y abarcan desde recitales de piano y cuartetos de cuerda a actuaciones de veteranos cantantes de fama mundial, como la soprano Jessye Norman.

El coleccionista Phillips (1886-1966)

La tienda del museo vende objetos relacionados con las exposiciones permanentes y temporales. Se pueden adquirir libros, carteles, grabados, cerámica, cristal y otras piezas de artistas contemporáneos. También vende sedas pintadas a mano y artículos con motivos de los principales cuadros de la colección.

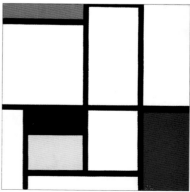

Composición nº III (1921-1925) de Piet Mondrian

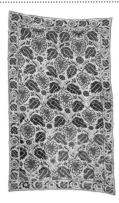

**Bordado turco de seda del siglo
XVIII, Textile Museum**

Textile Museum ⓫

2320 S St, NW. **Plano** 2 E1.
📞 667-0441. Ⓜ *Dupont Circle.*
🕐 10.00-17.00 lu-sá, 13.00-17.00 do.
⬤ 24 dic, festivos. 🎫 *se admiten
donaciones.* 📷 *llamar con 2 semanas
de antelación; visitas preliminares sep-
may: 14.00 mi, sá y do.* **Biblioteca**
🕐 10.00-14.00 mi-vi, 10.00-16.00 sá.
♿ *llamar con antelación.*
🖥 www.textilemuseum.org

G EORGE HEWITT Myers, fundador del Textile Museum,
comenzó su colección de
alfombras orientales cuando
aún estaba en la universidad.
En 1925 abrió un museo en su
casa para exponer 275 alfombras y 60 telas. Hasta su
muerte en 1957 fue un museo privado,
abierto sólo previa cita.

En la actualidad el museo
está repartido entre la casa de
Myers, obra de John Russell
Pope, arquitecto del Jefferson
Memorial *(ver p. 75),* y un
edificio contiguo cons-
truido por Waddy B.
Wood, arquitecto de la
casa de Woodrow
Wilson.

El museo alberga unas
16.000 piezas proceden-
tes de todo el mundo,
entre las que se encuen-
tran telas de Perú, India,
Indonesia y
Centroamérica. Cuenta
con una base de datos
de sus fondos y una
biblioteca con más de
15.000 volúmenes sobre
el tema de los tejidos.
Para usar la base de
datos es necesario pedir
una cita.

Woodrow Wilson House ⓬

2340 S St, NW. **Plano** 2 E1.
📞 387- 4062. Ⓜ *Dupont Circle.*
🕐 10.00-14.00 ma-do.
⬤ *lu, festivos.* 🎫 📷 ♿

L A ANTIGUA CASA DE Woodrow
Wilson (1856-1924),
presidente entre 1913 y 1921,
es el único museo presidencial
del distrito de Columbia. Está
situada en el bonito barrio de
Kalorama.

Wilson dirigió el país
durante la I Guerra Mundial y
defendió la creación de la Liga
de Naciones, precursora de las
Naciones Unidas. A pesar de
estar exhausto tras la guerra,
Wilson recorrió Estados
Unidos para defender la
creación de la Liga.

En 1919 un ataque al
corazón lo dejó
inválido para el resto
de sus días. Muchos
creen que fue su segunda
esposa, Edith Galt, quien
asumió las tareas
presidenciales (ella
guiaba su mano en la
firma de documentos).
Postrado en su cama,
Wilson vio cómo su
sueño, la Liga de
Naciones, se frustró en el
Senado. En 1920
recibió el premio
Nobel de la Paz, una
pequeña
compensación por el
fracaso de la Liga.

Wilson y su mujer se
mudaron a esta casa, obra de
Waddy B. Wood, al finalizar su
segundo mandato en 1921.

**Estatua de
Churchill, Embajada
británica**

Tras la muerte de Edith Galt
Wilson en 1961 la casa fue
donada a la nación. Desde
entonces se ha mantenido tal
y como era durante la vida del
presidente, con objetos de la
época, y es un ejemplo de
casa de la clase media alta de
los años veinte. En la
actualidad pertenece a la
National Trust for Historic
Preservation.

Embassy Row ⓭

Massachusetts Avenue. **Plano** 2 E1.
Ⓜ *Dupont Circle.*

E MBASSY ROW se extiende a lo
largo de Massachusetts Avenue desde Scott Circle a Obser-
vatory Circle. Surgió durante la
Gran Depresión cuando las
familias adineradas de Washington se vieron obligadas
a vender sus mansiones a
diplomáticos para
albergar sus embajadas.
A las mansiones
originales se añadieron
otras, muchas con el
estilo típico de cada
país, lo que hace de
Embassy Row una zona
arquitectónica muy
interesante.

En el nº 2315 de Massa-
chusetts Avenue se
alza la Embajada de
Pakistán, una
mansión de 1908
con un tejado de
cuatro lados muy inclinados y
un muro circular que rodea la
esquina.

Más abajo, en el nº 2349, se
encuentra la Embajada de la

Habitación profusamente decorada de la neogeorgiana Woodrow Wilson House

República del Camerún, una de las muestras *beaux arts* más logradas del siglo XX. Esta casa-castillo noruega se encargó en 1905 para Christian Hauge, el primer embajador noruego en Estados Unidos, y posteriormente pasó a pertenecer a Camerún.

Frente a la Embajada de Irlanda está la estatua de bronce de Robert Emmet (1778-1803), un revolucionario irlandés que fue ahorcado. La estatua, encargada por estadounidenses de origen irlandés, conmemora la independencia de su país.

La India Supply Mission ocupa el nº 2536. Dos elefantes simbolizan la cultura y mitología indias. Al norte, en el nº 2551, se encuentra el Centro Islámico, centro de todos los musulmanes del país.

La Embajada británica, diseñada por sir Edwin Lutyens en 1928, es el nº 3100. Sus jardines ingleses fueron plantados por la esposa estadounidense del entonces embajador británico, sir Ronald Lindsay. En el exterior se alza una estatua de sir Winston Churchill, obra de William M. McVey.

Fachada de la Embajada de Croacia, Massachusetts Avenue

Kalorama ⑭

Plano 2 D1 y 2 E1. Ⓜ *Woodley Park o Dupont Circle.*

EL BARRIO de Kalorama, en el norte de Dupont Circle, es una zona de lujosas casas particulares y elegantes edificios de apartamentos. Este suburbio próximo al centro, cuyo nombre significa "vista bella", en griego ha estado habitado desde su creación a principios del siglo XX por ciudadanos acaudalados y nuevos ricos. En él han vivido

Apartamentos del nº 2311 de Connecticut Avenue, Kalorama

cinco presidentes, Herbert Hoover, Franklin D. Roosevelt, Warren Harding, William Taft y Woodrow Wilson, el único que volvió a residir en Kalorama tras su mandato.

Algunos de los edificios más impresionantes y vistosos de Washington se encuentran en Connecticut Avenue, al sur de Taft Bridge, que cruza Rock Creek Park. Entre los más interesantes están los apartamentos neogeorgianos Dresden, en el nº 2126, el edificio Highlands, en el nº 1914, estilo *beaux arts*, y los apartamentos Woodward, en el nº 2311 de Connecticut Avenue, de estilo español colonial. También merece la pena la Embajada de Francia, estilo Tudor, en el nº 2221 de Kalorama Road.

Desde Kalorama Circle, en el extremo norte de 24th Street, se contemplan las mejores vistas del cercano Rock Creek Park *(ver p. 135)*.

Adams-Morgan ⑮

Al norte de Dupont Circle, este de Rock Creek Park y sur de Mt. Pleasant. **Plano** 2 E1 y 2 F1. Ⓜ *Dupont Circle o Woodley Park.*

ADAMS-MORGAN es el único barrio multirracial de la ciudad. Su nombre procede de los años cincuenta cuando el Tribunal Supremo prohibió la segregación social en los colegios de Washington y obligó a los dos colegios de la zona, Adams (para blancos) y Morgan (para negros), que se fusionaran. El barrio es una zona llena de vida con cafés,

librerías, clubes y galerías donde conviven inmigrantes africanos, hispanos y caribeños junto a estadounidenses blancos, homosexuales y heterosexuales. Sus animadas calles y sus bonitas y relativamente baratas casas de principios del siglo XX atraen a mucha gente.

Es una zona con un impresionante ambiente musical, donde se puede escuchar salsa, *rap*, *reggae* y música autóctona de Washington en sus numerosos clubes y bares. El carácter cosmopolita de Adams-Morgan se refleja también en su gran variedad de restaurantes *(ver p. 178)*. En 18th Street y en Columbia Road se pueden degustar platos de lugares tan diversos como Nueva Orleans, Etiopía, Italia, Caribe, México o Líbano.

Aunque la zona está adquiriendo un aspecto más moderno, sus raíces hispanas de los años cincuenta son todavía evidentes, especialmente durante el Hispanic-Latino Festival, que se celebra en julio desde el Mall hasta Adams-Morgan *(ver p. 35)*.

Hay que recordar que esta zona puede ser peligrosa después del atardecer. Vaya con cuidado si lo visita de noche. El metro no llega hasta el barrio y puede resultar difícil encontrar aparcamiento, sobre todo los fines de semana.

Colorido mural en la pared de un aparcamiento en Adams-Morgan

National Zoological Park ⑱

EL NATIONAL ZOO fue creado en 1887 por el Departament of Living Animals en el Mall y se trasladó en 1889 a su emplazamiento actual. El parque fue diseñado por Frederick Law Olmstead, el paisajista responsable del Central Park neoyorquino. Al pasar a pertenecer a la Smithsonian Institution en 1964, la filosofía del zoo cambió radicalmente y se convirtió en un *bioparque*, donde se intenta reproducir al máximo el hábitat de los animales. El zoológico realiza programas de reproducción, de los cuales uno de los de mayor éxito es el del tigre de Sumatra.

Martín pescador micronesio

El centro de conservación del guepardo muestra el programa desarrollado para salvar a esta especie de la extinción. El zoológico realiza actividades para la conservación y reinserción de especies protegidas y en peligro de extinción.

➚ **Rock Creek Park** *(ver p. 135)*

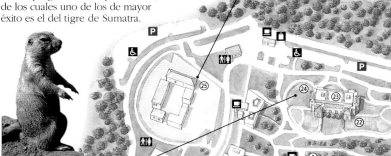

★ Pradera
Se pueden contemplar plantas y animales de este hábitat, como bisontes y perros de la pradera.

Entrada principal

Demostración de vuelo
Esta construcción permite mostrar al público el vuelo de algunas aves de presa del zoológico.

DISTRIBUCIÓN POR ZONAS

Amazonia ⑩	Invertebrados ⑰
Aves ④	Leones y tigres ⑫
Aviario y demostración de vuelo ⑤	Lobos rojos ⑦
Bongos (antílopes) ②	Monkey Island ⑭
Camellos ㉑	Osos ⑬
Castores y nutrias ⑥	Osos de anteojos ⑨
Cueva de los murciélagos ⑪	Pequeños mamíferos ⑳
Elefantes y jirafas ㉓	Pradera ㉔
Focas y leones marinos ⑧	Reptiles ⑯
Gibones ⑲	Gatos salvajes africanos ⑮
Great Ape House ⑱	Tapires ①
Guepardos y cebras ㉕	Tierras húmedas y águilas ③
Hipopótamos y rinocerontes ㉒	

Águila calva
Se llama así por su cabeza blanca, que le hace parecer calva en relación con su cuerpo oscuro. Es un águila autóctona de Norteamérica.

0 metros — 100

Tamarines león dorado
Estos mamíferos en peligro de extinción están protegidos por un programa internacional para su reproducción y conservación.

★ Great Ape House
Se pueden contemplar gorilas de llanura que pesan unos 180 kg. Entre sus ocupantes hay también orangutanes arborícolas.

★ Dragones de Komodo
Estos extraños lagartos pueden llegar a medir 3 m de largo y pesar 90 kg. Son los primeros ejemplares nacidos en cautividad fuera de Indonesia.

Lobo rojo
Emparentado con el lobo gris, esta especie autóctona de Estados Unidos está en peligro de extinción. Quedan sólo unos 300 ejemplares, 220 en cautividad.

Amazonia
En esta recreación del hábitat de la Amazonia se pueden contemplar numerosas especies, desde ranas venenosas hasta gigantescos siluros.

RECOMENDAMOS

★ Great Ape House

★ Dragones de Komodo

★ Pradera

Mary McLeod Bethune Council House National Historic Site ⓰

1318 Vermont Ave, NW. **Plano** 3 B1.
🄲 673-2402. Ⓜ McPherson Square.
🕐 10.00-16.00 lu-sá. ⬤ do, festivos.
✎ más visitas interactivas para niños.
🔲 www.nps.gov/mamc

Mary mcleod Bethune, edu-cadora y activista de los derechos civiles y de las muje-res, nació en 1875 de dos anti-guos esclavos. De niña trabajó en los campos de algodón de Carolina del Sur hasta que fue admitida en una escuela misio-nera de su barrio. Más tarde asistiría a otra escuela misio-nera en Carolina del Norte.

En 1904 Bethune fundó su propio colegio para negras pobres en Florida, la Daytona Educational and Industrial School for Negro Girls, donde formó a muje-res para ser profesoras en escuelas para negros. Sigue funcio-nando con el nombre de Bethune-Cookman College y cuenta con 2.300 estudiantes.

En 1935 fue galardonada por la National Association for the Advancement of Colored People. El presidente Franklin D. Roosevelt la nombró consejera de asuntos raciales y posteriormente se convirtió en directora de la Division of Negro Affairs en la National Youth Administration. Como miembro del Gabinete de Roosevelt se convirtió en la mujer negra con el puesto más importante jamás alcanzado en el gobierno estadounidense.

Bethune creó más tarde el National Council of Negro Women, vehículo de expresión de las preocupaciones de las mujeres negras. Esta institución llegó a tener 10.000 miembros y la casa de Vermont Avenue que habían comprado ella y el Council fue su sede. La propia Bethune vivió en ella entre 1943 y 1949 antes de ir a Florida. Muchos personajes ilustres visitaron la casa, como Eleanor Roosevelt, y se convirtió en un punto de reunión para los participantes en la marcha sobre Washington de 1963 (*ver p. 91*). La organización se trasladó en 1966 tras producirse un incendio.

En noviembre de 1979, 24 años después de la muerte de Bethune, esta primera sede del Council se abrió al público como museo. Los muebles, fotografías, manuscritos y objetos de Bethune ilustran el papel fundamental que desempeñó en la historia de las mujeres negras. En 1982 la casa fue declarada Patrimonio Histórico Nacional y la compró el National Park Service.

La estatua de Bethune erigida en Lincoln Park en 1974 fue la primera estatua de una mujer negra en Washington.

Impresionante interior del restaurado Lincoln Theatre

Mary McLeod Bethune

Entrada a la Mary McLeod Bethune Council House

Lincoln Theatre ⓱

1215 U St, NW. **Plano** 2 F1.
🄲 328-6000. Ⓜ U Street-Cardozo.
🕐 10.00-18.00 lu-vi; 12.00-17.00 sá.
⬤ jul y festivos. ✎ ♿

Este teatro, construido en 1921, fue en su día el centro de la vida cultural de la comunidad negra de Washington. Igual que el Apollo Theater de Nueva York, el Lincoln llevaba a estrellas como el cantante de jazz de Washington Duke Ellington y su orquesta, Ella Fitzgerald o Billie Holiday.

Hacia 1960 la zona del teatro empezó a decaer; los disturbios de 1968 convirtieron U Street en una calle de edificios abandonados y quemados e hicieron que el público del teatro disminuyera drásticamente. El Lincoln cerró en los años setenta. Más tarde, en los ochenta, se empezó a recaudar dinero para una reforma que costaría 9 millones de dólares y que incluso limpió y reparó hasta sus vistosos adornos de escayola. En 1994 el teatro volvió a abrirse.

En la actualidad es un centro de artes escénicas y uno de los focos del resurgimiento de U Street. En su magnífico auditorio se celebran conciertos, obras de teatro y acontecimientos como el DC Film Festival (*ver p. 186*).

National Zoological Park ⓲

Ver pp. 132–133.

National Cathedral ⑲

Ver pp. 136–137.

Cleveland Park ⑳

Ⓜ *Cleveland Park.*

CLEVELAND PARK es un bonito barrio residencial que parece una postal de un pueblecito estadounidense. En su origen fue un lugar veraniego para los que huían de las partes menos bucólicas de la ciudad. En 1885, el presidente Grover Cleveland (1885-1889) compró una casa de piedra a su novia como residencia de verano.

Sus casas de verano victorianas están muy solicitadas por aquellos que buscan vivir cerca del centro pero en un ambiente de pequeña ciudad. El barrio cuenta con buenas tiendas y restaurantes, además del grandioso cine *art déco* Uptown, abierto en 1936.

Rock Creek Park ㉑

Ⓜ *Cleveland Park.* **Rock Creek Park Nature Center** 5200 Glover Rd, NW. **Plano** 2 D1–D3. 📞 426-6829. Ⓜ *Friendship Heights.* 🕐 *9.00-17.00 mi-do.* ● *festivos.* 🎫 *sólo previa cita.* 🌐 www.nps.gov/rocr

ESTE PARQUE, llamado Rock Creek Park por su arroyo *(creek),* divide la ciudad en dos. Tiene una extensión de

Pierce Mill, molino de piedra del siglo XIX, Rock Creek Park

BARRIO SHAW

Este barrio toma su nombre del coronel unionista de raza blanca Robert Gould Shaw, jefe de un regimiento compuesto en su totalidad por negros de Massachusetts. Shaw apoyó la lucha de sus hombres por conseguir los mismos derechos que los soldados blancos. Hasta los años sesenta U Street fue el centro de las instituciones y negocios dominados por los negros. Sus prósperos teatros, como el Howard y el Lincoln, contrataban a grandes artistas y la Howard University era el centro intelectual de los estudiantes negros. Los disturbios de 1968 que siguieron al asesinato de Luther King trajeron la ruina al barrio, que parecía que no se recuperaría. Sin embargo, la restauración del Lincoln Theater, el resurgimiento del distrito comercial de U Street y la afluencia de compradores de casas antiguas reformadas han contribuido a su recuperación. En la parte de U Street más cercana a la parada de metro U Street-Cardoza se han abierto muchos bares y clubes modernos.

Mural de Duke Ellington en el barrio Shaw

unas 730 hectáreas, desde la frontera de Maryland al sur del río Potomac. Ocupa el 5% de la ciudad y es el doble que Central Park, Nueva York. A diferencia del concurrido parque neoyorquino, Rock Creek Park es más asilvestrado. Aunque ya no deambulan por él los alces, bisontes y osos que lo poblaron en su día, todavía abundan mapaches, zorros y ciervos.

El parque se creó en 1880 y actualmente depende del National Park Service. Ofrece espacio para pasear y merendar, caballerizas, senderos para caballos, pistas de tenis y un campo de golf de 18 hoyos. Los domingos, una parte de Beach Drive, una de las carreteras principales que atraviesan el parque, se cierra al tráfico para que paseen ciclistas y patinadores. El arroyo también es muy bonito,

con remolinos y cascadas, pero se aconseja no bañarse pues el agua está contaminada.

Rock Creek Park Nature Center es un buen punto de partida para explorar el parque. Tiene un pequeño planetario y un sendero natural de 1,6 km de fácil recorrido para los niños.

Pierce Mill, cerca de Tilden Street, era un molino de piedra que todavía funcionaba cuando el National Park Service lo restauró en 1936. En 1993 el molino se cerró al público ya que se consideró poco seguro. Está proyectada una segunda restauración pero se necesitan fondos para realizarla. El Carter Barron Amphitheater, cerca de 16th Street y Colorado Avenue, ofrece representaciones de obras de Shakespeare y conciertos de jazz gratuitos en verano.

National Cathedral ⓲

En 1850 UNA NIÑA murió dejando 50 dólares y una nota que decía: "Para una iglesia libre en Alban's hill". Su deseo fue el origen de esta catedral. En 1990, financiada con donativos particulares, finalizó la construcción de la Church of Saint Peter and Saint Paul (su nombre oficial), la sexta catedral más grande del mundo. Sus chapiteles de 76 m de altura, construidos con piedra de Indiana, dominan la silueta noroeste de la ciudad. Los arquitectos, entre otros Henry Vaughan, George Bodley, Philip Frohman y Henry Little, se inspiraron en el gótico del siglo XIV, evidente en sus arcos de punta, bóvedas nervadas y rosetones. Los grabados, esculturas y bordados del interior describen la historia de la nación. Aunque perteneciente a la Archidiócesis Episcopal Protestante y miembro de la Iglesia de Inglaterra, la catedral acoge todas las confesiones.

Exterior
Las torres de la catedral, obra maestra de la arquitectura neogótica, se recortan en el horizonte.

★ La Creación
Sobre la puerta oeste se encuentra el relieve La Creación, *de Frederick Hart, que representa la creación del hombre a partir del caos.*

Pilgrim Observation Gallery

Ventana George Washington

Entrada principal
El enorme arco gótico, con uno de los más bellos rosetones de la catedral, tiene su réplica en los arcos más pequeños que rodean el tímpano y las puertas centrales. Delante de estas puertas hay verjas de bronce.

Ventana del espacio
Esta ventana conmemora el vuelo del Apolo XI. Alberga un trocito de roca lunar traído del primer alunizaje en 1969.

Los chapiteles de la catedral están decorados con motivos florales y sus entrantes profusamente esculpidos.

Altar mayor
El altar mayor alberga 110 figuras incrustadas alrededor de una estatua central de Jesucristo. El altar está hecho de piedra de canteras de Jerusalén.

INFORMACIÓN ESENCIAL

Massachusetts Ave y Wisconsin Ave, NW. 📞 537-6200. 📞 537-6616. 🚌 32, 34, 36. 🕐 10.00-16-30 lu-sá, 7.30-19.30 do. 🎫 para reservas de grupos llamar al 537-6207. ♿ sólo nivel inferior. 🕐 🕐 16.30 todos los días (vísperas corales), 12.00 lu-sá, 11.00 do. **Taller medieval para niños** 10.00-14.00 sá (jul: 13.00-16.00 lu-vi). 📷 📞 537-2934. 🌐 www.cathedral.org/cathedral

Capilla de los niños
Una estatua del Niño Jesús se alza en esta capilla hecha a escala de un niño de seis años. También hay motivos de cachorros y animales míticos.

★ Rosetón sur
El tema de este espléndido rosetón, obra de Rowan LeCompte, es "La Iglesia Triunfante".

Nave
La impresionante nave mide 160 m desde la puerta oeste hasta el altar mayor.

RECOMENDAMOS

★ Rosetón sur

★ *La Creación*

Basilica of the National Shrine of the Immaculate Conception ㉒

Harewood Rd, NE, entre Michigan Ave y Taylor St. 📞 *526-8300.* Ⓜ *Brookly-Catholic University.* 🕐 *1 abr-31 oct: 7.00-19.00 todos los días; 1 nov-31 mar: 7.00-18.00 todos los días.* 🎫 ♿ Ⓦ www.nationalshrine.com

Eᔕᴛᴀ ᴇɴᴏʀᴍᴇ iglesia católica, dedicada a la Virgen María, tiene planta de cruz latina y más de 200 vidrieras. Su construcción terminó en 1959 y puede albergar a más de 6.000 personas.

A principios del siglo XX, el obispo Thomas Shahan, rector de la Catholic University of America, propuso la construcción de un santuario nacional en Washington. Consiguió el apoyo del Papa en 1913 y un año más tarde comenzaron las obras del templo. La Great Upper Church se consagró el 20 de noviembre de 1959. El santuario luce torres clásicas y minaretes con una mezcla de estilos románico y bizantino.

La iglesia alberga estatuas de Abraham Lincoln y George Washington y la única tumba presidencial del distrito de Columbia, la de Woodrow Wilson. Desde la Pilgrim Observation Gallery se contempla una impresionante vista.

Entrada al pabellón chino del US National Arboretum

US National Arboretum ㉓

3501 New York Ave, NE. 📞 *245-2726.* Ⓜ *Stadium Armory.* 🕐 *8.00-17.00 todos los días.* 🚫 *25 dic.* 🎫 *sólo previa cita.* ♿ *limitado.* Ⓦ www.ars-grin.gov/ars/Beltsville/na

Eɴ ᴜɴ ʀɪɴᴄóɴ apartado del noreste de Washington se encuentra el US National Arboretum, 180 hectáreas destinadas a la investigación, educación y conservación de árboles, arbustos, flores y otras plantas. En un risco del Arboretum, diseñado por el paisajista inglés Russell Page, se alzan unas magníficas columnas que formaban parte

Bonsái del Arboretum

de la entrada este del Capitolio. La gran variedad de especies del Arboretum hace que su aspecto cambie a lo largo del año y resulte espectacular incluso en invierno. En enero y febrero florecen las coníferas, el acebo, el chimonantus y el jazmín de invierno. Los narcisos y otros bulbos tempranos empiezan a brotar en marzo y para finales de mes los sauces y las flores silvestres comienzan a florecer. En abril y mayo es el tiempo de las numerosas variedades de azafrán, magnolias, forsitias, cerezos y rododendros. Las azaleas están especialmente espectaculares en mayo. En el verano florecen las plantas que resisten bien el calor como los liliums, nenúfares y rosales. En el otoño, el sanguino, el piracanto y el viburno dan sus frutos.

El Jardín Japonés, formado por el National Bonsai and Penjing Museum, alberga una enorme colección de bonsáis japoneses, chinos y americanos de entre 20 y 380 años de antigüedad.

Casi una hectárea está destinada a las hierbas aromáticas: siete jardines donde se agrupan según su uso y su importancia histórica. En la entrada hay un jardín laberinto de estilo europeo del siglo XVI con unas 200 variedades de rosas antiguas.

Las peonías, liliums y lirios de la Perennial Collection florecen entre el final de la primavera y el verano. El National Grove of State Trees alberga árboles procedentes de todos los estados del país y del distrito de Columbia; a su lado hay un merendero.

El Washington Youth Garden se construyó para los niños de la ciudad. Éstos reciben una parcela donde aprenden a plantar, cuidar y recolectar verduras.

El tranvía que recorre los jardines es ideal para ver todo el Arboretum sin acabar exhausto, pero sólo funciona los fines de semana.

Vista del altar desde el fondo de la basílica

FREDERICK DOUGLASS (1817–1895)

Frederick Douglass, nacido como esclavo hacia 1818, fue uno de los principales dirigentes del abolicionismo, movimiento que luchó para erradicar la esclavitud en Estados Unidos. Douglass aprendió a leer y escribir con sus amos blancos. Unos amigos británicos miembros del movimiento antiesclavista lo compraron a sus amos y lo convirtieron en un hombre libre. Con 20 años huyó a Inglaterra. La mayor parte de su carrera la desarrolló en Nueva York como portavoz del movimiento abolicionista. Brillante orador, fue enviado por la American Anti-Slavery Society para una gira de conferencias. La publicación de su autobiografía en 1845 aumentó su popularidad. En 1847 se convirtió en director del periódico antiesclavista *The North Star* (La Estrella Polar), llamado como la constelación que guiaba a los esclavos que huían en busca de su libertad. Durante la guerra de Secesión *(ver p. 19)* Douglass fue consejero del presidente Lincoln y luchó por las enmiendas constitucionales que garantizaron la igualdad de derechos para los libertos.

Frederick Douglass

Frederick Douglass House ㉔

1411 W St, SE. ☎ 425-5961.
Ⓜ *Anacostia.* ◷ *9.00-17.00 todos los días.* ● *1 ene, Día de Acción de Gracias, 25 dic.* 📷 💳 ♿ *llamar con antelación.*
🆆 *www.nps.gov/frdo/freddoug.htm*

EL DIRIGENTE abolicionista Frederick Douglass sólo vivió en Washington hacia el final de su ilustre carrera. Tras la guerra de Secesión se trasladó primero a una casa en la Colina del Capitolio y más tarde a Anacostia. En 1877 compró Cedar Hill, casa en la que vivió con su familia hasta su muerte en 1895.

En 1903 su viuda abrió la casa al público y en 1962 fue donada al National Park Service, que se encarga de su mantenimiento. La mayoría del mobiliario perteneció a la familia

La Leonera, en el jardín de Frederick Douglass House

Douglass, con regalos del presidente Lincoln y del escritor Harriet Beecher Stowe, autor de *La Cabaña del Tío Tom* (1852). En el jardín hay una casita de piedra que Douglass llamaba La Leonera. Desde las escaleras principales se observa una magnífica vista del centro de Washington, al otro lado del río Anacostia.

Anacostia Museum ㉕

1901 Fort Place, SE. ☎ 357-2700.
Ⓜ *Anacostia.* ◷ *10.00-17.00 lu-vi.* ● *25 dic.* 📷 *sólo previa cita.* ♿
🆆 *www.si.edu*

ESTE MUSEO de la Smithsonian Institution *(ver p. 68)* ilustra la vida de la comunidad negra en el distrito de Columbia y en las zonas del sur de donde procedían numerosos negros de Washington.

Durante mucho tiempo la comunidad negra vio cómo le negaban necesidades básicas: alojamiento, transporte, atención médica y trabajo. El museo promueve exposiciones sobre estos temas. Dos de sus más importantes iniciativas son *Black Mosaic*, un estudio sobre la rica cultura afrocaribeña de Washington y *Speak to My Heart: African American Communities of Faith and Contemporary Life.*

Aunque el museo cuenta con vídeos, fotografías y diversos objetos expuestos, funciona más como centro de estudio que como museo. Traza la historia oral de los negros que emigraron al distrito de Columbia desde el sur rural. La reciente exposición sobre el dirigente negro Malcolm X se organizó junto con los musulmanes afroamericanos. La finalidad del museo es hacer que la comunidad negra se interese por conocer su propia historia.

Fachada de Cedar Hill, la casa de Frederick Douglass

EXCURSIONES DESDE WASHINGTON

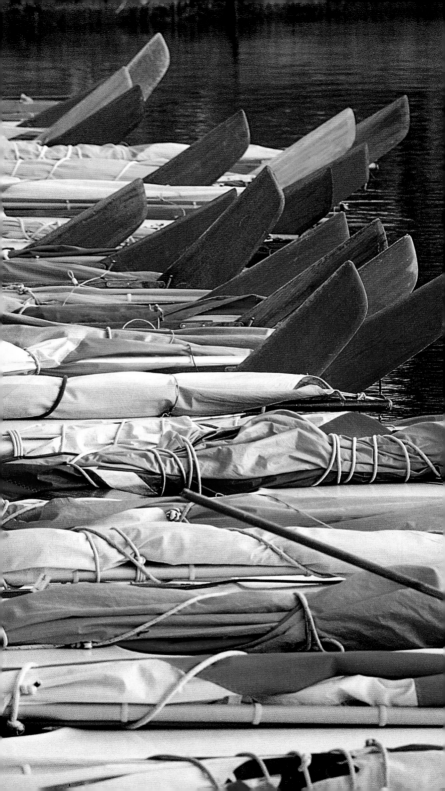

EXCURSIONES DESDE WASHINGTON

A MEDIA JORNADA *de Washington se extienden unas tierras con tanta historia y tan bellos parajes naturales que hasta el turista más insaciable quedará satisfecho. Los aficionados a la historia no deben perderse Alexandria y Williamsburg ni los amantes de la naturaleza la bahía de Chesapeake y las islas Chincoteague y Assateague. Virginia, Maryland, parte de Virginia Occidental y Pensilvania han sido el centro durante 400 años de la turbulenta historia estadounidense.*

Fundado en 1623, Jamestown fue el primer asentamiento permanente inglés en América. En el siglo XVIII Williamsburg se convirtió en capital de Virginia y fue la primera colonia que se independizó de Inglaterra. En la actualidad, es un museo vivo del período colonial.

Cañón obús de la guerra de Secesión

La influencia cultural europea es evidente en la arquitectura de la región. Los dos presidentes responsables del carácter de la nueva república vivieron en Virginia: George Washington en Mount Vernon y Thomas Jefferson en Monticello. Sus casas muestran a personas imaginativas e ingeniosas que vivieron confortablemente en sus extensas propiedades trabajadas por esclavos.

Las ciudades y pueblos de la zona cuentan con bonitos barrios de interés histórico que contrastan agradablemente con las modernas franjas comerciales de sus alrededores. Annapolis es un agradable puerto naval de la época colonial. El encanto de Baltimore reside en la coexistencia de barrios obreros con otros que conservan el encanto del Viejo Mundo, mientras que en Richmond conviven la elegancia victoriana y los lujos de la vida moderna.

Los campos de batalla de la guerra de Secesión se extendieron hasta Gettysburg; los monumentos, museos y cementerios, e incluso el propio contorno de la zona, recuerdan aquella terrible guerra.

Los 170 kilómetros de Skyline Drive, que atraviesan Shenandoah National Park, al oeste del distrito de Columbia, permiten acceder a las hermosas montañas Blue Ridge a pie, en bicicleta o en coche. En la bahía de Chesapeake, al este de la ciudad, se dan cita marineros, pescadores y amantes del marisco, que pueden darse un festín con la especialidad local, el cangrejo azul.

Campos de labranza delante de los graneros, Mount Vernon

◁ **Pintorescas barcas ancladas en el puerto deportivo de Dangerfield Island**

Excursiones desde Washington

A POCOS MINUTOS del bullicioso centro de Washington se extiende un impresionante y variado paisaje de montañas, llanuras y pueblos de interés histórico. Al oeste se encuentran las montañas Blue Ridge de Virginia, en el Shenandoah National Park. Al sur, Piedmont, una zona de suaves colinas onduladas donde crecen los viñedos de la floreciente industria vinícola de Virginia. Hacia el este, la bahía de Chesapeake casi divide Maryland en dos y recorre el sur de la costa de Virginia. La gran ciudad portuaria de Baltimore, con su agradable paseo marítimo, tiendas, museos y el impresionante National Aquarium, se encuentra al norte.

Philadelphia Brigade Monument, Gettysburg

Reproducción de un fuerte en Jamestown

LUGARES DE INTERÉS

Chambersburg

MARYLAND

ANTIETAM

HARPERS FERRY

MIDDLEBURG

VIRGINIA OCCIDENTAL

⓬ SKYLINE DRIVE

SHENANDOAH NATIONAL PARK

VIRGINIA

MONTES APALACHES

⓭ CHARLOTTESVILLE

La espectacular montaña Bearfence, Shenandoah National Park

Harrisburg *York*

6 GETTYSBURG

PENSILVANIA

Filadelfia

MANCHESTER

(140)

(15)

EDERICK

(795)

(83)

(95)

●ABERDEEN

5 BALTIMORE

●COLUMBIA

(270)

●GAITHERSBURG

REAT FALLS
PARK

ANNAPOLIS

10 ●WASHINGTON, DC

(50) (301)

(301)

Bahía de Delaware

0 kilómetros   30

1 ALEXANDRIA

2 MOUNT VERNON

3
GUNSTON
HALL

(50)

(13)

(301)

(235)

CAMBRIDGE

●SALISBURY

OCÉANO
ATLÁNTICO

GOLDEN BEACH

FREDERICKSBURG

Río Potomac

17 CHINCOTEAGUE
Y ASSATEAGUE

(17)

(301)

Río Rappahannock

16
BAHÍA DE
CHESAPEAKE

(13)

SIGNOS CONVENCIONALES

RICHMOND

(64)

Río York

(5)

(295)

Río James

18 WILLIAMSBURG

19
YORKTOWN Y
JAMESTOWN

ERSBURG

HAMPTON

(664)

CHESAPEAKE

Franklin

(58)

	Autopista interestatal
	Autopista estatal
	Carretera secundaria
	Ruta panorámica
	Río
---	Frontera interestatal
	Punto panorámico

ÓMO LLEGAR

zona cuenta con cuatro autopistas interestatales:
I-95 recorre el este de Virginia de norte a sur;
I-81 atraviesa de norte a sur Virginia Occidental;
I-66 va hacia el oeste desde Washington y la I-270
cia Frederick. De Union Station salen trenes a casi
das las ciudades principales, Baltimore,
exandria, Richmond, Williamsburg y Harpers
rry, donde llega también el MARC *(ver pp. 202-
03)*. Virginia Railway Express tiene servicios desde
nion Station a Alexandria y Fredericksburg. Los
tobuses Greyhound viajan también a casi todas las
idades.

Barcos anclados en la bahía de Chesapeake

Alexandria ❶

Detalle de Apothecary Shop

ALEXANDRIA evoca los tiempos de su incorporación a las colonias británicas en 1749. Hoy sigue siendo una bulliciosa ciudad portuaria con numerosos monumentos y tiendas, donde se puede comprar desde percheros antiguos para sombreros a *banana splits*. En la zona de Market Square abundan los restaurantes, prospera el arte y hay ambiente día y noche.

Explorando Alexandria

Las calles arboladas de Alexandria, con sus elegantes edificios históricos, son ideales para pasear. Igualmente atractivo es un viaje en barco por el río Potomac o un almuerzo en un patio con vistas a la orilla. El cercano Founder's Park es un lugar perfecto para tomar el sol en el césped junto al río.

Fachada de la elegante Carlyle House

🏛 Carlyle House

121 N Fairfax St. ☎ *(703) 549-2997.* ⏰ *10.00-16.30 ma-sá; 12.00-17.00 do.* ● *lu.* 🏛 ☕ ♿

Esta elegante mansión georgiana fue construida por el próspero comerciante escocés John Carlyle en 1752.

La casa se desmoronó en el siglo XIX, pero tras ser adquirida en 1970 por la Northern Virginia Regional Park Authority fue bellamente restaurada. En la visita guiada se cuentan detalles curiosos sobre cómo era el día a día de la vida cotidiana en el siglo XVIII.

La habitación conocida como *arquitecture room* se ha reformado sólo parcialmente para mostrar la arquitectura original de la casa. El jardín trasero ha sido replantado con especies del siglo XVIII.

🏛 Stabler-Leadbeater Apothecary Shop

105–107 S Fairfax St. ☎ *(703) 836-3713.* ⏰ *10.00-16.00 lu-sá; 13.00-17.00 do.* 🏛 ☕

Esta botica, un negocio familiar fundado en 1792, funcionó durante 141 años. Cuando se cerró en 1933, el contenido de su interior se conservó intacto y años después la botica se convirtió en museo. Sus cajones de caoba contienen pociones con etiquetas y sus estantes están llenos de botes con remedios naturales. Entre los 8.000 artículos conservados se cuentan enormes morteros y una colección de biberones de cristal. George Washington fue un cliente de esta farmacia y Robert E. Lee compró la pintura para su casa de Arlington.

🏛 Gadsby's Tavern Museum

134 N Royal St. ☎ *(703) 838-4242.* ⏰ *abr-sep: 11.00-17.00 ma-sá, 13.00-17.00 do; oct-mar: 11.00-16.00 ma-sá, 13.00-16.00 do.* 🏛 ☕

La taberna, que data de 1770, y el hotel contiguo, construido por John Gadsby en 1792, eran como el Ritz actual. La restauración del conjunto ha sabido conservar el ambiente de época.

Merece la pena visitar el comedor con sus mesas de bufé y de juego, los dormitorios, donde los viajeros alquilaban no la habitación sino un sitio en una cama, y el comedor privado para los pudientes o las escasas mujeres que viajaban. La sala de baile donde George y Martha Washington celebraron el último cumpleaños del presidente, en 1799, se alquila para banquetes y recepciones.

Interior de la Old Presbyterian Meeting House

🏛 Old Presbyterian Meeting House

321 S Fairfax St. ☎ *(703) 549-6670.* ⏰ *8.30-16.30 lu-vi.* 🏛 ♿

En esta iglesia de 1772 se celebraron los servicios religiosos por el alma de George Washington. En su camposanto están enterrados John Craig, amigo íntimo de Washington que le acompañó en su lecho de muerte, el comerciante John Carlyle y el reverendo Muir, que ofició el funeral del presidente.

🏛 Boyhood Home of Robert E. Lee

607 Oronoco St. ☎ *(703) 548-8454.* ⏰ *10.00-16.00 lu-sá, 13.00-16.00 do (15 dic-31 ene sólo previa cita).* ● *Semana Santa, Día de Acción de Gracias.* 🏛 ☕

El general Lee vivió en esta casa de 1795 de estilo federal desde los 11 años hasta que se trasladó a la Academia Militar de West Point. En su salón se casaron Mary Lee Fitzhugh y el nieto de Martha Washington, George Washington Parke Custis. La casa está elegantemente amueblada con antigüedades y se celebran bodas.

Dormitorio de Robert E. Lee

🏛 Lee-Fendall House Museum

614 Oronoco St. 📞 (703) 548-1789. 🕐 10.00-16.00 ma-sá, 13.00-16.00 do. ⬤ mi mañanas. 🎨 📷

Philip Fendall construyó esta casa en 1785, antes de casarse con la hermana del héroe de la guerra de Independencia Harry Lee, *Caballo ligero*. Sus descendientes vivieron en la casa hasta 1903. Restaurada en su estilo victoriano, guarda objetos desde el siglo XVIII hasta los años 30. Destacan las muñecas y casas de muñecas del siglo XIX.

Lee-Fendall House Museum

🏛 Torpedo Factory Art Center

105 N. Union St. 📞 (703) 838-4565. 🕐 10.00-17.00 todos los días. ♿ 🌐 www.torpedofactory.org

En 1974, una sociedad formada por el Ayuntamiento y un grupo de artistas locales convirtió este edificio de tres plantas, una antigua fábrica de torpedos de la II Guerra Mundial, en un centro artístico. En la actualidad es una galería-estudio donde más de 150 artistas realizan y exponen sus trabajos. Se pueden ver trabajar a ceramistas en el torno, bordadores, grabadores y joyeros.

⛪ Christ Church

Cameron St y N Washington St. 📞 (703) 549-1450. 🕐 9.00-16.00 lu-sá, 14.00-16.30 do. ♿

Este edificio georgiano de 1773 es la iglesia más antigua de la ciudad aún en servicio. Todavía se conserva el banco con la placa de George Washington y el de Robert E. Lee.

En el otro lado de esta iglesia episcopaliana hay una inscripción que dice: "William E. Cazenove. Bancos libres

INFORMACIÓN ESENCIAL

Alexandria. 🏠 119.000. 🚉 Union Station, 110 Callahan St. Ⓜ King Street. 🚌 AT2 o AT5. ℹ Centro de Visitantes de Ramsay House, 221 King St (838-4200.) 🌐 www.FunSide.com

para extranjeros". Los nombres de las lápidas del siglo XVIII del camposanto se han borrado con el paso de los años.

🍎 Farmers Market

Market Square, King y Fairfax Sts. 📞 (703) 838-4770. 5.00-10.00 sá.

El mercado data de 1749, año de la incorporación de la ciudad a las colonias británicas. George Washington, administrador del mercado, solía enviar los productos de su granja de Mount Vernon (ver pp. 148-149) para ser vendidos en el mercado. Es muy agradable su fuente central. Se pueden comprar frutas y verduras frescas, conservas, flores naturales, hierbas aromáticas, pasteles, carne y artesanía.

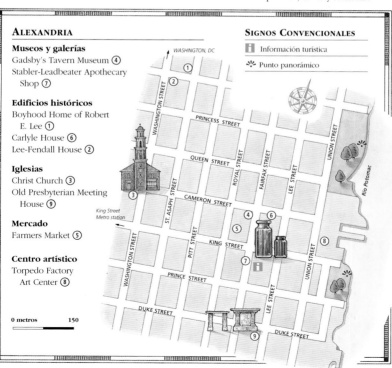

ALEXANDRIA

Museos y galerías
Gadsby's Tavern Museum ④
Stabler-Leadbeater Apothecary Shop ⑦

Edificios históricos
Boyhood Home of Robert E. Lee ①
Carlyle House ⑥
Lee-Fendall House ②

Iglesias
Christ Church ③
Old Presbyterian Meeting House ⑨

Mercado
Farmers Market ⑤

Centro artístico
Torpedo Factory Art Center ⑧

SIGNOS CONVENCIONALES
ℹ Información turística
🔆 Punto panorámico

0 metros   150

WASHINGTON, DC
WASHINGTON STREET
PRINCESS STREET
QUEEN STREET
CAMERON STREET
ROYAL STREET
FAIRFAX STREET
LEE STREET
UNION STREET
Río Potomac
King Street Metro station
ST. ASAPH STREET
KING STREET
PITT STREET
PRINCE STREET
DUKE STREET

Mount Vernon ❷

Camafeo de Washington

EN LA FINCA RURAL de Mount Vernon, junto al río Potomac, vivió George Washington 45 años. La sencilla granja construida por su padre, Augustine, fue profundamente reformada por el hijo, que añadió elementos arquitectónicos como la cúpula y las columnatas curvadas. La casa está amueblada como en los años del mandato presidencial de Washington (1789-1797) y las 200 hectáreas de la finca, 3.200 hectáreas en su tiempo, conservan de aquella época los jardines de flores y verduras, el prado para las ovejas y las cabañas de los esclavos de la plantación.

Cocina
La cocina, algo apartada del resto de la casa, ha sido totalmente restaurada.

★ **Mansion Tour**
El recorrido incluye el estudio y el amplio comedor, e incluso el dormitorio de Washington con su lecho de muerte.

El museo alberga pertenencias de George y Martha Washington, así como el famoso busto de Washington esculpido por Houdon.

Casa del capataz

Cabañas de los esclavos
Washington liberó a todos sus esclavos en su testamento. Cerca de la tumba del presidente se les erigió en 1983 un monumento en su honor.

★ **Jardín superior**
Parece ser que las plantas de este jardín de flores multicolores crecían ya en tiempos de Washington. En el pequeño auditorio se puede ver el vídeo Washington is no more.

Muelle

Desde el centro de Washington salen barcos de ida y vuelta hasta este muelle. Los cruceros por el río Potomac también paran en este lugar.

INFORMACIÓN ESENCIAL

Extremo sur del George Washington Memorial Parkway, Fairfax County, VA. ☎ *(703) 780-2000.* Ⓜ *Línea amarilla a Huntington Station.* 🚌 *Autobús 101 desde Fairfax a Mount Vernon: llamar al (703) 339-7200. Autobús turístico y cruceros.* ◯ *mar-oct: 8.00-17.00 todos los días; nov-feb: 9.00-16.00 todos los días.*

Ⓦ www.mountvernon.org

Pioneer Farm

Cochera de carruajes

Caballerizas

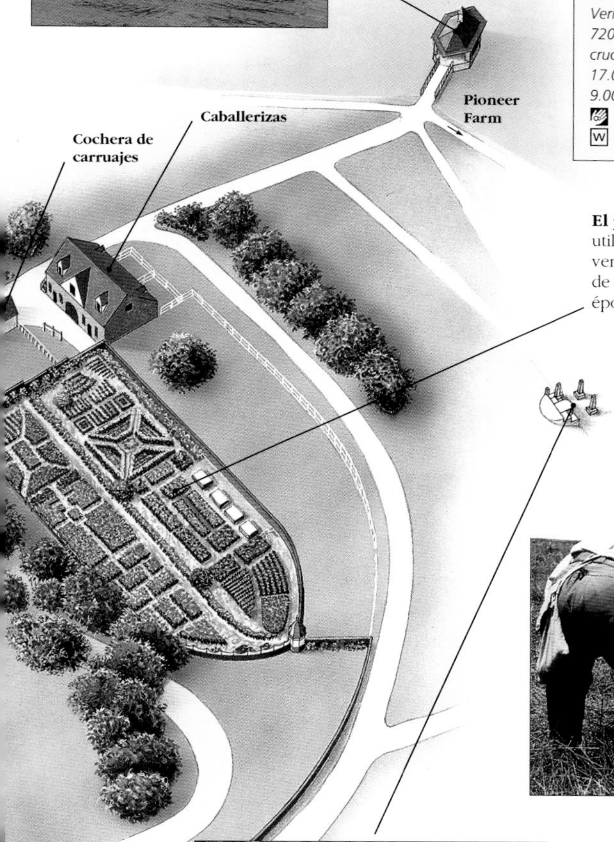

El jardín inferior se utilizaba para cultivar verduras y bayas. Los arbustos de boj que lo rodean son de la época de Washington.

★ **Pioneer Farm**

Esta exposición muestra técnicas agrícolas introducidas por George Washington. Alberga también una réplica de su singular granero, construido con el mismo tipo de herramientas que el original.

La pista de bolos fue añadida a la finca por George Washington.

Tumba de Washington

Washington dejó escrito en su testamento que construyeran una tumba de ladrillo para su familia en Mount Vernon. Murió en 1799, pero la tumba no se terminó hasta 1831.

RECOMENDAMOS

★ **Mansion Tour**

★ **Pioneer Farm**

★ **Jardín superior**

Gunston Hall ❸

10709 Gunston Road, Mason Neck, Fairfax County, VA. ☎ *(800) 811-6966; (703) 550-9220.* ◐ *9.30-17.00 todos los días.* ● *1 ene, Día de Acción de Gracias, 25 dic.* ⬛ ☑ ♿
Ⓦ *www.GunstonHall.org*

Esta casa georgiana de 1755 situada a 32 km de Washington perteneció a George Mason, autor de la Declaración de Derechos de Virginia en 1776. La casa está exquisitamente restaurada y conserva su aspecto original.

Destacan especialmente sus paredes en azul de Prusia, la elegante entrada con bellas tallas de madera, la chimenea de su comedor de invitados y los bellos jardines de boj.

Desde 1983 Gunston Hall está pasando por otro laborioso proceso de restauración.

Annapolis ❹

Anne Arundel County, MD. 🏠 *33,300.*
ℹ *Oficina de Visitantes de Annapolis y Anne Arundel, 26 West St (410) 280-0445.* Ⓦ *www.visit-annapolis.org*

Annapolis, capital de Maryland, es la joya de la bahía de Chesapeake. Sus 27 kilómetros de costa y la US Naval Academy hacen de ella una ciudad eminentemente marítima.

La calle principal pasa por el bicentenario Maryland Inn, tiendas y restaurantes hasta llegar al City Dock, un puerto lleno de barcos. Desde éste hay un paseo a la **US Naval Academy,** fundada hace 150 años. En el centro de visitantes se expone la cápsula espacial *Freedom 7,* que transportó a Alan Shepard, el primer astronauta estadounidense que viajó al espacio. Merece la pena el US Naval Academy Museum, en Preble Hall, sobre todo por sus maquetas de barcos. La

Los hermosos y cuidados jardines de William Paca House, Annapolis

Vidriera Tiffany de la Naval Academy, Annapolis

Maryland State House es el capitolio estatal más antiguo que funciona como tal. En su antigua Cámara del Senado se reunían los delegados de las colonias que formaban el Congreso Continental en el breve período en que Annapolis fue capital de Estados Unidos (1783-1784).

En Annapolis abundan los edificios coloniales, la mayoría todavía en uso. La **William Paca House,** hogar del gobernador Paca, uno de los firmantes de la Declaración de Independencia, es una elegante casa georgiana con un hermoso jardín, ambos bellamente restaurados. También ha sido restaurada la **Hammond Harwood House,** obra maestra georgiana, que toma su nombre de dos influyentes familias de la zona. King George Street y Prince George Street son bellas muestras de las antiguas calles residenciales.

Hay una variada oferta de excursiones, a pie, en autobús o en barco. Resulta especialmente agradable contemplar la ciudad desde el agua, en un barco turístico, en una goleta o incluso en *kayak.*

🏛 **US Naval Academy**
Esquina de King George, al este de Randall St. ☎ *(410) 293-2108.* ◐ *9.00-17.00 lu-sá, 11.00-17.00 do.* ♿
⛪ **Maryland State House**
State Circle. ☎ *(410) 974-3400.* ◐ *9.00-17.00 lu-vi; 10.00-16.00 sá y do.* ● *25 dic.* ☑
⛪ **William Paca House**
186 Prince George St. ☎ *(410) 263-5553.* ◐ *mar-dic: 10.00-16.00 lu-sá, 12.00-16.00 do; ene-feb: sólo vi y do.*
⛪ **Hammond Harwood House**
19 Maryland Ave. ☎ *(410) 269-1714.* ◐ *10.00-16.00 lu-sá, 12.00-16.00 do (ene-feb: sólo vi-do).* ⬛

Baltimore ❺

Chesapeake Bay, MD. 🏠 *675,500.*
ℹ *Inner Harbor West Wall (410) 837-4636 o (800) 282-6632.* 🚆 ⬛
Ⓦ *www.baltimore.org*

En esta agradable ciudad llena de restaurantes, antigüedades, barcos, monumentos y arte hay mucho que ver y hacer. Se puede empezar por el Inner Harbor, convertido hoy en un complejo de tiendas y restaurantes. El principal atractivo es el **National Aquarium,** con peces, mamíferos, una piscina con focas y un espectáculo con delfines. En la misma zona se encuentra el interactivo **Maryland Science Center.** El planetario y el teatro

Gente paseando por el agradable Inner Harbor de Baltimore

IMAX® ofrecen imágenes impresionantes de la tierra y el espacio.

El **American Visionary Art Museum** alberga obras extraordinarias de artistas autodidactas realizadas con los más variados materiales, desde cerillas a perlas falsas.

En la parte alta de la ciudad se encuentra el célebre museo de arte moderno **Baltimore Museum of Art,** con obras de Matisse, Picasso, Degas y Van Gogh y una amplia muestra de Warhol. Sus jardines de esculturas albergan trabajos de Rodin y Calder.

La colección del **Walters Art Gallery,** en Mount Vernon Square, abarca 5.000 años. Exhibe obras de Faberge, Rubens y Monet y el bello cuadro *Safo y Alceo* (1881) de Alma-Tadema.

Merece la pena visitar el barrio de Little Italy, no sólo por sus tradicionales restaurantes italianos, sino también por los partidos de *bocce ball* que se juegan en Pratt o Stiles Street en las tardes templadas.

National Aquarium
Lado norte de Inner Harbor. (410) 576-3800. 10.00-17.00 lu-ju, sá y do, 10.00-20.00 vi. www.aqua.org

Maryland Science Center
601 Light St. (410) 685-5225. 10.00-17.00 lu-vi, 10.00-18.00 sá-do.

American Visionary Art Museum
800 Key Highway con Inner Harbor. (410) 244-1900. 10.00-18.00 ma-do. lu, Día de Acción de Gracias, 25 dic.

Baltimore Museum of Art
N Charles St y 31st St. (410) 396-7100. 11.00-17.00 mi-vi, 11.00-18.00 sá-do. lu y ma.

Walters Art Gallery
600 N Charles St. (410) 547-9000. 10.00-16.00 ma, mi y vi, 10.00-20.00 ju, 11.00-17.00 sá y do. excepto 11.00-13.00 sá.

Gettysburg National Military Park ❻

97 Taneytown Rd, Gettysburg, Adams County, PA. (717) 334-1124. **Parque** 6.00-22.00 todos los días. **Centro de Visitantes** 8.00-17.00 todos los días (18.00 en verano). 1 ene, Día de Acción de Gracias, 25 dic. www.nps.gov/gett

En este parque de 2.500 hectáreas, en el sur de la ciudad de Gettysburg (Pensilvania), se libró del 1 al 3 de julio de 1863 la batalla de Gettysburg, en la guerra de Secesión. En esta batalla, la más sangrienta de Estados Unidos, murieron 51.000 soldados. El recorrido de dos o tres horas comienza en el centro de visitantes.

Llamativo diseño del National Aquarium, Baltimore

DISCURSO DE GETTYSBURG

El principal orador en la inauguración del National Cemetery de Gettysburg el 19 de noviembre de 1863 fue Edward Everett. Al presidente Lincoln se le pidió que "hiciera algún comentario". En su discurso de 272 palabras y dos minutos de duración homenajeó a los soldados muertos, volvió a exponer sus objetivos de la guerra de Secesión y recordó el significado de la democracia: "el gobierno del pueblo, por el pueblo y para el pueblo". El discurso no se oyó bien y Lincoln lo consideró un fracaso. Sin embargo, una vez publicado, infundió nuevas fuerzas al Norte para preservar la Unión. Todos los colegiales de EE UU conocen el discurso.

Abraham Lincoln

Frente a éste se encuentra el National Cemetery, donde Abraham Lincoln dio su famoso discurso de Gettysburg. Otros lugares de interés son Eternal Light Peace Memorial, Pennsylvania Memorial y Confederate Avenue.

Frederick ❼

Frederick County, MD. 46,300. 19 E Church St (301) 663-8687. 9.00-17.00 todos los días. www.visitfrederick.org

El centro histórico de Frederick, del siglo XVIII y restaurado en la década de 1970, es hoy una zona muy turística.

Esta agradable ciudad es un centro importante del comercio de antigüedades y en ella viven cientos de anticuarios. Sus tiendas, galerías y restaurantes ocupan edificios de los siglos XVIII y XIX. Merece la pena visitar el Community Bridge, un bello trampantojo en el parque de la ciudad.

Antietam National Battlefield ⑧

Carretera 65, 16 km al sur de Hagerstown, Washington County, MD. **(** *(301) 432-5124.* ◯ *jun-ago: 8.30-18.00 todos los días; sep-may: 8.30-17.00.* ● *Día de Acción de Gracias, 25 dic, 1 ene.* 🖼 🔊 ⬥ W www.nps.gov/anti

Eℕ ESTE LUGAR se libró el 17 de septiembre de 1862 una de las peores batallas de la guerra de Secesión, con 23.000 muertos y sin ningún claro vencedor.

Desde una torre se contempla el campo de batalla. El río Antietam transcurre tranquilo bajo el Burnside Bridge. La derrota del general Lee en Antietam impulsó al presidente Lincoln a liberar a los esclavos en la Proclamación de Emancipación. La película del Centro de Visitantes sobre la batalla es excelente.

John Brown's Fort en Harpers Ferry National Historic Park

Harpers Ferry ⑨

Carretera 340, Harpers Ferry, Jefferson County, WV. **(** *(304) 535-6298.* ◯ *8.00-17.00 todos los días.* ● *25 dic.* 🖼 🖍 *primavera-otoño.* W www.nps.gov/hafe

Hᴀʀᴘᴇʀꜱ FERRY National Historic Park se encuentra en la confluencia de los ríos Shenan-

doah y Potomac, en las montañas Blue Ridge. La ciudad tomó su nombre de Robert Harper, un constructor de Filadelfia que estableció un transbordador que cruzaba el Potomac en 1761. Las vistas desde Maryland Heights hacia Shenandoah Street, cerca del abolicionista John Brown's Fort, son impresionantes. El malogrado ataque de 1859 al arsenal federal de Brown, creado por George Washington, fue uno de los desencadenantes de la guerra de Secesión.

La importancia histórica determinó su designación como parque nacional en 1944. Ha sido restaurado por el National Park Service.

Great Falls Park ⑩

Georgetown Pike, Great Falls, Fairfax County, VA. **(** *(703) 285-2966.* ◯ *todos los días.* ● *25 dic.* 🖼 🖍 ⬥ W www.nps.gov/gwmp/grfa

Lᴀ ᴘʀɪᴍᴇʀᴀ ᴠɪꜱᴛᴀ de las cataratas, es impresionante. Las aguas del Potomac discurren entre rocas escarpadas para caer a más de 23 m en el punto en que se divide el paisaje ondulado de Piedmont (Virginia) de la llanura costera. Sólo los expertos *kayakistas* pueden descender por el río, cuyo caudal crece con el agua de lluvia arrastrada por la corriente.

Un total de 24 km de senderos atraviesa el parque, algunos de ellos antiguas rutas comerciales, como el primer canal de EE UU, el Patowmack, del siglo XIX. Hay excursiones guiadas por rutas naturales e históricas.

Justo al otro lado del río, en Maryland, se encuentra el C&O Canal National Historical Park, que es gratuito para los visitantes de Great Falls Park.

Red Fox Inn, Middleburg

Middleburg ⑪

Carretera 50, Loudoun County, VA. 🏠 *600.* **ℹ** *Centro de visitantes 12 N Madison St. (540) 687-8888.* ◯ *11.00-15.00 lu-vi, 11.00-16.00 sábado.* W www.middleburgonline.com

Lᴏꜱ ᴄᴀʙᴀʟʟᴏꜱ y los zorros son los reyes de esta parte de Virginia que tanto recuerda a Inglaterra. Middleburg se fundó en 1728 alrededor de la taberna de piedra de Joseph Chinn, el actual Red Fox Inn, en Ashby's Gap Road. El coronel John S. Mosby y el general Jeb Stuart planearon en este lugar la estrategia confederada en la guerra de Secesión.

Sus hermosos campos son famosos por sus granjas de caballos de pura sangre y sus fincas, y alguna abre en mayo durante el Hunt Country Stable Tour.

Foxcroft Road, al norte, bordea algunas bellas granjas de caballos. La misma carretera lleva hacia el sur a **Meredyth Vineyards.** En la bonita Plains Road, en el oeste, se encuentran **Piedmont Vineyards,** y una milla al este de Middleburg, **Swedenburg Winery.** Las tres fincas ofrecen visitas guiadas y catas.

🍇 **Meredyth Vineyards**
Carretera 628. **(** *(540) 687-6277.* ◯ *todos los días.* ● *Día de Acción de Gracias, 25 dic, 1 ene.* 🖼 ⬥

🍇 **Piedmont Vineyards**
Cerca de la carretera 626. **(** *(540) 687-5538.* ◯ *todos los días.* ● *Día de Acción de Gracias, 25 dic, 1 ene.*

🍇 **Swedenburg Winery**
Cerca de la carretera 50. **(** *(540) 687-5219.* ◯ *todos los días.* ● *Día de Acción de Gracias, 25 dic, 1 ene.*

Skyline Drive ⓬

SKYLINE DRIVE transcurre a lo largo de las montañas Blue Ridge, en el Shenandoah National Park. Estos antiguos campos de labor se convirtieron en parque nacional en 1926. Se pueden avistar ciervos, pavos salvajes y linces en estas tierras, abundantes en flores silvestres, azaleas y laurel. Sus numerosos senderos y sus 75 puntos panorámicos ofrecen vistas impresionantes.

Entrada norte

Cañón Whiteoak ②
Este cañón pasa por seis cataratas en su recorrido.

Vista de las cumbres ①
La vista de la montaña Old Rag, con sus afloramientos de granito, es espectacular.

Montaña Bearfence ⑤
A pesar de que hay una subida importante, a veces por terrenos rocosos, el recorrido no es demasiado duro y la recompensa es una vista impresionante de todo el paisaje.

Grandes prados ③
Los prados próximos al Centro de Visitantes se conservan como en siglos pasados. Estos claros debieron producirse por incendios causados por los rayos o los indios. Es fácil ver ciervos.

Signos Convencionales

- - - Rutas a pie
Punto panorámico
Carretera

0 kilómetros 10

Camp Hoover ④
Al final de Mill Prong Trail se alza esta finca de 65 hectáreas, que fue la casa de fin de semana del presidente Hoover hasta 1933, año en que la donó al parque.

Algunos Consejos

Punto de partida: *norte, Front Royal, centro, Thornton Gap, sur, Rockfish Gap.*
Duración: *168 km, entre tres y ocho horas, depende de las paradas que se realicen.*
Cuándo ir: *el paisaje multicolor otoñal atrae a numerosos visitantes. Las flores silvestres florecen entre primavera y verano.*
Cuánto cuesta: *10 dólares por coche (válido para 7 días).*

Montaña Lewis ⑥
Esta espectacular imagen del valle de Shenandoah en primavera, cuando su exuberante paisaje se llena de bellas flores silvestres, está tomada desde la montaña Lewis.

Charlottesville ⑬

Virginia. 🏠 40.700. 🚇 🚌 **ℹ**
Centro de Convenciones y de Visitantes de Charlottesville-Albemarle, Centro de Visitantes de Monticello, carretera 20 sur (804) 977-1783).
W www.charlottesvilletourism.org

CHARLOTTESVILLE es la ciudad natal de Thomas Jefferson. Los principales lugares de interés son la University of Virginia, fundada y diseñada por Jefferson, y su casa, **Monticello.**

Jefferson fue un hombre polifacético, autor de la Declaración de Independencia, presidente, agricultor, arquitecto, inventor y viticultor. Las obras de la casa más célebre del país comenzaron en 1769 cuando Jefferson tenía 25 años y no acabarían hasta 40 años después. Su vestíbulo es mucho más grande que un museo y la biblioteca alberga más de 6.700 libros.

La finca incluye un huerto de 93 m² donde Jefferson cultivó y experimentó con cientos de variedades.

El obelisco sobre la tumba de Jefferson lo honra como "Padre de la Universidad de Virginia". Durante todo el año se organizan visitas a los edificios neoclásicos de la universidad y sus terrenos.

Charlottesville está rodeada de viñedos y bodegas. Michie Tavern, parte del Virginia Wine Museum, ha recuperado su aspecto original del siglo XVIII y sirve un bufé con comida típica sureña.

Montpelier, una finca de 610 hectáreas a 40 km al norte de Charlottesville, fue la casa del presidente James Madison.

🏛 Monticello
Carretera 53, 5 km al sureste de Charlottesville. **📞** (804) 984-9822.
🕐 *todos los días.* 🍽 🎟

Fredericksburg ⑭

Virginia. 🏠 22.600. 🚇 🚌
ℹ *Centro de Visitantes de Fredericksburg, 706 Caroline St. (800) 678-4748.* **W** www.fredericksburgva.com

LO MÁS INTERESANTE de Fredericksburg es su centro histórico y los cuatro campos de batalla de la guerra de Secesión, como The Wilderness y

El elegante comedor de Kenmore House

Chancellorsville. Rising Sun Tavern y Hugh Mercer Apothecary Shop, en el centro, ilustran la historia de una ciudad que nació como un puerto de 20 hectáreas junto al río Rappahannock. También destacan las hermosas salas de **Kenmore Plantation and Gardens.**

El Centro de Visitantes facilita mapas y organiza paseos en carruaje y en carro. Los campos de batalla recuerdan la larga lucha de la Unión por conquistar Richmond.

🏛 Kenmore Plantation and Gardens
1201 Washington Ave, Fredericksburg.
📞 (504) 373-3381. 🕐 *todos los días.*
W www.kenmore.org

MONTICELLO, CHARLOTTESVILLE
Thomas Jefferson construyó entre 1769 y 1809 esta magnífica mansión en las frondosas colinas de las montañas Blue Ridge.

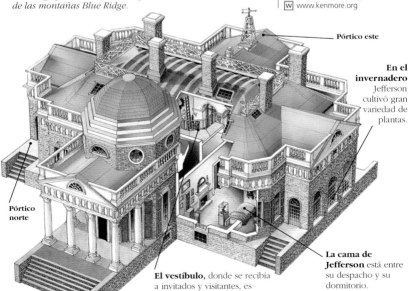

Pórtico este

En el invernadero
Jefferson cultivó gran variedad de plantas.

Pórtico norte

La cama de Jefferson está entre su despacho y su dormitorio.

El vestíbulo, donde se recibía a invitados y visitantes, es también un museo.

Richmond ⑮

Virginia. 🏛 198.300. 🚂 🚌
ℹ️ *Centro de Convenciones y de Visitantes de Metropolitan Richmond, 550 E Marshall St. (804) 782-2777.*
🌐 *www.richmondva.org*

LA ANTIGUA capital de la Confederación (*ver p. 19*) recuerda el sur de épocas pasadas. Las estatuas de bronce de los generales de la guerra de Secesión jalonan Monument Avenue. Las casas victorianas de piedra rojiza reflejan la prosperidad de esta zona en la posguerra.

The Museum of the Confederacy alberga objetos de la guerra de Secesión, como la chaqueta y la espada de Robert E. Lee. El edificio contiguo, la restaurada White House of the Confederacy, es un verdadero tesoro de la época victoriana. También merece la pena el fascinante y popular **Science Museum of Virginia.**

El neoclásico Capitolio, con la estatua de George Washington realizada por Houdon, fue diseñado por Jefferson. En el bellísimo Hollywood Cemetery descansan los presidentes John Tyler y James Monroe junto a 18.000 soldados confederados bajo una pirámide comunal. Desde Palmer Chapel of The James River and Belle Isle la vista es magnífica.

Estatua de Robert E. Lee en Richmond

🏛 **Museum of the Confederacy**
1201 E Clay St. 📞 *(804) 649-1861.*
🕐 *todos los días.* 📷
🏛 **Science Museum of Virginia**
2500 W Broad St. 📞 *(804) 367-6552.*

Bahía de Chesapeake ⑯

🌐 *www.wwlandmarks.com*

EN LA BAHÍA DE CHESAPEAKE, conocida como "la tierra del buen vivir", conviven ciudades históricas, pueblos marineros, *beds and breakfasts*, marisquerías, playas, paisajes naturales y tierras de cultivo. Cambridge y Easton conservan su historia colonial. El Chesapeake Bay Maritime Museum, en la ciudad de St Michael's, ilustra el pasado y el presente de la vida en la bahía. Los pescadores descargan en Crisfield, de donde parten cruceros a Smith Island. Parece que se ha detenido el tiempo, sobre todo en el dialecto isabelino local.

Chincoteague y Assateague ⑰

Chincoteague, Accomack County, VA.
🏛 *4.000. Assateague, Accomack County, VA y MD (deshabitado).*
ℹ️ *Centro de Visitantes de Chincoteague, 6733 Maddox Blvd. (757) 336-6161.*
🌐 *www.chincoteaguechamber.com*

ESTAS ISLAS GEMELAS son una zona de gran belleza natural. Chincoteague es un pueblo de la península de Delmarva (Delaware, Maryland y Virginia). Assateague es una zona virgen con una playa oceánica y senderos que atraviesan bosques y pantanos. Es famosa por sus ponis salvajes, que descienden de animales criados en la isla por granjeros del siglo XVII. En los bosques y pantanos salados viven más de 300 especies de aves; en otoño llegan los halcones peregrinos y los ánsares y en octubre el paisaje de caléndulas erizo y varas de oro se llena de mariposas. Se puede acampar y su playa es ideal para la natación y la pesca. Para más información consulte en el **Centro de Visitantes Toms Cove** y en el **Centro de Chincoteague Refuge.**

ℹ️ **Centro de Visitantes Toms Cove**
📞 *(757) 336-6577.*
ℹ️ **Centro de Visitantes Chincoteague Refuge**
📞 *(757) 336-6122.*

Yorktown y Jamestown ⑲

York County, VA, y James City County, VA. ℹ️ *Oficina Pública de Información de York County (757) 890-3300.*

EN 1607 se fundó Jamestown, el primer asentamiento inglés de América. Esta localidad abarca unas 610 hectáreas de bosques y tierras pantanosas con senderos. Su pasado se muestra en las ruinas del asentamiento inglés y en un museo. Existe una reproducción de James Fort y otra de tamaño natural de los barcos que trajeron a los primeros colonos. En el pueblo indio se puede conocer la cultura india tradicional.

Yorktown fue escenario de la batalla decisiva de la guerra de Independencia en 1781. Las visitas a los campos de batalla y la exposición del **Colonial National Historical Park** ilustran el sitio de Yorktown.

🏛 **Jamestown Settlement**
📞 *(757) 253-4838.* 🕐 *todos los días.* ⬤ *25 dic y 1 ene.* 📷
🍀 **Colonial National Historical Park**
📞 *(757) 898-3400 o (757) 229-1733.* 🕐 *todos los días.* ⬤ *25 dic.*
📷 ♿ 🌐 *www.nps.gov/colo*

Reproducción del colonial James Fort en el asentamiento de Jamestown

Williamsburg ⑱

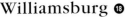

Pareja colonial

COMO CAPITAL DE VIRGINIA de 1699 a 1780, Williamsburg fue el centro de esta leal colonia británica. A partir de 1780 la ciudad decayó. Sin embargo, en 1926, John D. Rockefeller emprendió una ambiciosa restauración. En la actualidad, en medio de Williamsburg, se ha recreado una ciudad del siglo XVIII. Gente vestida con trajes coloniales escenifica la vida de los habitantes en aquel siglo: herreros, plateros, ebanistas y panaderos muestran su oficio mientras por la calle pasan carrozas tiradas a caballo.

Palacio de Justicia
Construido en 1770-1771, fue la sede de los tribunales del condado durante más de 150 años.

★ **Palacio del Gobernador**
Este palacio construido en 1720 por el gobernador Alexander Spotswood ha recobrado su esplendor de los años anteriores a la guerra de Independencia.

0 metros   200

Cultivos
Agricultores vestidos a la antigua usanza trabajan la tierra con los mismos aperos y técnicas que los primeros colonos.

★ **Molino de viento de Robertson**
Se muestran artículos de cestería, barriles y objetos realizados por artesanos locales. El carro fue un medio tradicional para el transporte de materiales.

Imprenta
Es una tienda que ofrece alimentos tradicionales del siglo XVIII, como vino, jamón de Virginia y cacahuetes.

INFORMACIÓN ESENCIAL

Virginia. 🚌 Esquina de Lafayette St y N Boundary St. ℹ️ *Centro de Convenciones y Oficina de Visitantes de Williamsburg (757) 253-0192/ (800) 368-6511.* ♿
W www.colonialwilliamsburg.org
W www.history.org

Sombrerería
En esta sombrerería, propiedad de Margaret Hunter, se vendían artículos muy variados: ropa de importación de mujer y de niño, joyas y juguetes.

Raleigh Tavern
Fue en su día un importante centro de reuniones sociales, políticas y comerciales. La taberna original se incendió en 1859, pero su restauración mantiene el ambiente original.

NICHOLSON STREET

BOTETOURT ST

DUKE OF GLOUCESTER STREET

★ Capitolio
Es una reconstrucción de 1945 del edificio de 1705. El gobierno ocupa el ala oeste y los tribunales el ala este.

SIGNOS CONVENCIONALES

— — — Itinerario sugerido

NECESIDADES DEL VIAJERO

ALOJAMIENTO

SI SU IDEA es pasar la mayor parte del día visitando Washington le bastarán un techo y una cama para su cuerpo cansado. Pero si también quiere relajarse, preferirá un hotel con todo tipo de instalaciones: gimnasio, restaurante de lujo y servicio de habitaciones. La oferta hotelera de Washington es muy variada. Por lo general, los hoteles más cercanos a Downtown y al Mall son más caros, mientras que en los

Portero de hotel

suburbios tienen precios más asequibles. Por su condición de importante destino turístico y centro de negocios, los precios de los hoteles de Washington son los más caros después de los de Nueva York. Sin embargo, se pueden encontrar ofertas, sobre todo en temporada baja y fines de semana. Éstas suelen aparecer en la sección de viajes del domingo de *The New York Times* y *Washington Post*.

Vestíbulo del elegante Hotel Hilton

RESERVAS

MUCHOS HOTELES tienen números de teléfono gratuitos o una página *web* para reservas. Las reservas para los *bed and breakfasts* se pueden hacer a través de una agencia o directamente por teléfono. Muchos hoteles alquilan habitaciones que no están reservadas a precios rebajados, igual que hacen las compañías aéreas con sus billetes. Empresas como **Capitol Reservations, Washington DC Accommodations** y **Hotel Discounts** están especializadas en habitaciones de precios reducidos.

CATEGORÍAS Y SERVICIOS

LOS HOTELES DE CINCO ESTRELLAS ofrecen todo lo que usted pueda desear. Pero todas estas instalaciones –gimnasio, servicio de habitaciones las 24 horas, baños con *jacuzzi*, tiques de aparcamiento– suben mucho el precio. En el otro extremo de la gama, un hotel de una estrella suele

disponer de habitaciones con televisor y teléfono y quizá baño compartido. La oferta hotelera de la ciudad abarca todos los precios.

PRECIOS REDUCIDOS

WASHINGTON tiene "temporadas" diferentes al resto de ciudades. En abril, cuando florecen los cerezos, en la zona del dique de marea (Tidal Basin) es imposible encontrar habitación a un precio razonable. En junio la ciudad se llena de estudiantes en viajes de fin de curso. En verano, a pesar de las altísimas temperaturas, es el turno de las familias. El Día del Trabajo, en septiembre, y el 4 de julio atraen a muchísimos turistas.

Sin embargo, se pueden encontrar precios interesantes en invierno, de noviembre a marzo. De lunes a viernes Washington es una ciudad de congresos, por ello los mejores precios son los de los fines de semana, bastante más bajos que en verano y entre semana.

EXTRAS

EN WASHINGTON los hoteles cobran una tasa del 14,5% sobre el precio de la habitación. No debe olvidar que la mayoría de los hoteles cobra además una cantidad extra por utilizar su aparcamiento. Si quiere evitar esta tasa busque un hotel con aparcamiento gratuito. Si deja el coche en uno privado le cobrarán entre 7 y 15 dólares.

CADENAS HOTELERAS Y HOTELES BOUTIQUE

HILTON, **Best Western, Marriott** o **Howard Johnson** ofrecen el nivel de servicio y limpieza característico de estas cadenas. Una alternativa a estos hoteles son los populares e interesantes hoteles boutique, establecimientos pequeños y originales con un toque personal. El Hotel George, en el antiguo Downtown, se ha reformado con estilo moderno y elegante. En él se encuentra el Bis, uno de los restaurantes más conocidos de la ciudad. El Henley Park, decorado como una casa británica, sirve el té de la tarde. El Morrison Clark Inn, en Massachusetts Avenue, es una

El hotel boutique George

mansión restaurada llena de antigüedades victorianas. El Phoenix Park Hotel, en la Colina del Capitolio, tiene personal y decoración irlandeses. Su *pub* es frecuentado por irlandeses y políticos estadounidenses de origen irlandés.

VIAJES DE NEGOCIOS

CADA VEZ son más los hoteles que ofrecen modernos servicios para personas en viajes de negocios. Muchos cuentan con *modem* y fax en las habitaciones y servicios de secretariado que facilita un personal multilingüe. **Meeting Solutions,** una sección de Washington DC Accommodations, se encarga de reservas en hoteles para convenciones de negocios.

Entrada del Hay-Adams Hotel

'BED AND BREAKFASTS'

AUNQUE en Estados Unidos estos establecimientos no están tan extendidos ni son tan populares como en Europa, los estadounidenses y los extranjeros están empezando a buscar una alternativa más barata y menos impersonal que los hoteles. Existen dos organizaciones que se encargan de buscar la habitación perfecta en un *bed and breakfast*, un apartamento, un hotel pequeño o incluso en una casa particular. **Bed-and-Breakfast Accommodations Ltd.** posee 85 establecimientos y **Bed-and-Breakfast League/ Sweet Dreams & Toast** tiene

alojamiento en el centro de Washington y en Arlington (Virginia). Las dos organizaciones cobran unos 10 dólares por reserva.

ALOJAMIENTO ECONÓMICO

EL ESTABLECIMIENTO más barato de Washington para los jóvenes es el Youth Hostel (albergue juvenil), situado en una zona céntrica que está rehabilitándose. Se debe tener cuidado si se regresa después del anochecer. El alojamiento es en literas en una habitación común. El precio es de unos 25 dólares por noche.

Los cámpings son otra alternativa barata. No hay ninguno en la ciudad pero sí en los suburbios. El más cercano reconocido por el Kampgrounds of America está en Millersville (Maryland), a 27 km de Washington.

VIAJEROS DISCAPACITADOS

A DIFERENCIA de casi todos los grandes hoteles modernos, muchos otros y los *bed and breakfast* carecen de acceso para silla de ruedas. Infórmese con antelación sobre escaleras, ascensores y medidas de las puertas si tiene necesidades especiales.

NIÑOS

VIAJAR CON NIÑOS puede determinar la elección del hotel. Muchos hoteles, como Embassy Suites, poseen cocina y sala con sofá-cama. Después de un paseo por el Mall, los niños pueden pedir un hotel con piscina y sala de juegos. A veces es preferible pagar una habitación más cara en la ciudad que otra más barata en los suburbios. Los precios de los suburbios resultan muy atractivos hasta que hay que regresar al hotel en las desagradables horas punta de Washington.

Son pocos los hoteles que no aceptan niños y están alejados entre sí. Son muchos más los que admiten con gusto a los clientes más jóvenes.

Porteros del Willard Hotel

Elegir un hotel

LOS HOTELES se han seleccionado entre una gran variedad de precios por sus excelentes instalaciones, ubicación y relación calidad-precio; están ordenados por zonas, desde el centro de Washington hasta las afueras. Todas las habitaciones poseen aire acondicionado y baño si no se indica lo contrario. Después del número de habitaciones aparece entre paréntesis el número de *suites*.

	TARJETAS DE CRÉDITO	JARDÍN O TERRAZA	SERVICIOS PARA NIÑOS	RESTAURANTE RECOMENDADO

COLINA DEL CAPITOLIO

BULL MOOSE BED-AND-BREAKFAST ON CAPITOL HILL $
101 5th St, NE (con A St). **Plano 4 F4.** 547-1050 o (800) 261-2768. FAX 547-1050.
www.BullMoose-B-and-B.com
Este *bed and breakfast* de principios del siglo XX conserva las molduras de roble y los dormitorios en torreones. Está dedicado al presidente Roosevelt. Algunas habitaciones tienen baño compartido. 9 (1)
AE DC MC V

CAPITOL HILL SUITES $$$
200 C St, SE (con 2nd St). **Plano 4 F5.** 543-6000 o (800) 424-9165. FAX 547-2608.
@ capitolhillsuites@erols.com
Hotel moderno pero con personalidad. Su amplio y agradable vestíbulo tiene chimenea. Se reformó en 1999 y sólo dispone de *suites*. (152)
AE D DC MC V

HOLIDAY INN ON THE HILL $$
415 New Jersey Ave, NW (entre D St y E St). **Plano 4 E3.** 638-1616 o (800) 228-5151.
FAX 638-0707. www.holiday-inn.com
Hotel muy interesante para familias: los menores de 18 años no pagan. Cuenta con una zona para niños, Discovery Zone, y ofrece un recorrido turístico por la ciudad. El personal es agradable y muy profesional. 342 (5)
AE D DC MC V

HOTEL GEORGE $$$$
15 E St, NW (entre N Capitol St y New Jersey Ave). **Plano 4 E3.**
347-4200 o (800) 576-8331. FAX 347-4213. www.hotelgeorge.com
Moderno hotel boutique con habitaciones amplias y un elegante restaurante francés en el local llamado Bis. 139 (7)
AE D DC MC V

HYATT REGENCY CAPITOL HILL $$$
400 New Jersey Ave, NW (con D St). **Plano 4 E3.** 737-1234 o (800) 233-1234.
FAX 737-5773. www.hyatt.com
La entrada al Hyatt se hace por un elegantísimo atrio lleno de flores. Los menores de 15 años no pagan. 846 (32)
AE D DC MC V

PHOENIX PARK HOTEL $$$$$
520 N Capitol St, NW (con F St). **Plano 4 E3.** 638-6900 o (800) 824-5419.
FAX 393-3236. www.phoenixparkhotel.com
Hotel íntimo con habitaciones amuebladas como las casas señoriales irlandesas del siglo XVIII. Tres *suites* tienen escaleras de caracol y otras tres poseen balcones. Veladas con artistas irlandeses en el bar. 149 (9)
AE D DC MC V

EL MALL

LOEWS L'ENFANT PLAZA PROMENADE $$$$
480 L'Enfant Plaza, SW. **Plano 3 C4.** 484-1000 o (800) 235-6397. FAX 646-4456.
www. loewshotels.com. Este hotel de cuatro estrellas toma su nombre de Pierre L'Enfant, arquitecto del proyecto inicial de la ciudad. Es uno de los más lujosos y tiene vistas espectaculares. 370 (21)
AE D DC MC V

ANTIGUO DOWNTOWN

GRAND HYATT $$$
1000 H St, NW (con 10th St). **Plano 3 C3.** 582-1234 o (800) 223-1234. FAX 637-1781.
www.hyatt.com. Este lujoso hotel, uno de los más lujosos de Washington tiene en su interior una laguna con cascadas alrededor de una isla donde un pianista toca un piano de cola. 888 (58)
AE D DC MC V

HOTEL HARRINGTON $
436 11th St, NW (con E St NW). **Plano 3 C3.** 628-8140. FAX 347-3924.
www.hotel-harrington.com. Este hotel limpio, confortable y sin muchos adornos es uno de los más antiguos. Su ubicación en el centro y los bajos precios compensan el mobiliario algo gastado. Lo frecuentan turistas y estudiantes. 250
AE DC MC V

Precios de una habitación doble por noche, con servicio e impuestos adicionales. Algunos hoteles incluyen el desayuno continental.

$ menos de 100 dólares
$$ de 100 a 150 dólares
$$$ de 150 a 200 dólares
$$$$ de 200 a 300 dólares
$$$$$ más de 300 dólares

TARJETAS DE CRÉDITO
Se aceptan las tarjetas *AE* (American Express), *D* (Discover), *DC* (Diners Club), *MC* (MasterCard Access) y *V* (Visa).

JARDÍN O TERRAZA
El hotel dispone de jardín, patio o terraza.

SERVICIOS PARA NIÑOS
Cunas y canguros disponibles. Algunos restaurantes de hoteles tienen menú de niños y sillas altas.

RESTAURANTE RECOMENDADO
Hotel con un excelente restaurante o comedor abierto al público si no se indica lo contrario.

HOTEL WASHINGTON — $$$
515 15th St, NW (con Pennsylvania Ave). **Plano** 3 B3. 638-5900 o (800) 424-9540. FAX 638-4275. w www.hotelwashington.com
Este hotel, uno de los más antiguos, ha sido declarado de interés histórico. Las habitaciones están reformadas. *344 (16)*

Tarjetas de crédito: AE D DC MC V — Jardín o terraza ● — Restaurante recomendado ▪

J.W. MARRIOTT — $$$$
1331 Pennsylvania Ave, NW (con 14th St). **Plano** 3 B3. 393-2000 o (800) 228-9290. FAX 626-6991. w www.marriotthotels.com
Habitaciones elegantes con muebles y decoración lujosos. Su vestíbulo columnado se eleva cuatro plantas. *773 (34)*

Tarjetas de crédito: AE D DC MC V — Jardín o terraza ● — Restaurante recomendado ▪

RED ROOF INN — $$
500 H St, NW (con 5th St). **Plano** 4 D3. 289-5959 o (800) 234-6423. FAX 682-9152. w www.redroof.com. Aunque no se encuentra en el mejor barrio, este hotel posee un buen café y sus habitaciones son baratas y sencillas. *197*

Tarjetas de crédito: AE D DC MC V

WASHINGTON INTERNATIONAL YOUTH HOSTEL — $
1009 K St, NW (con 10th St NW). **Plano** 3 C2. 737-2333. FAX 737-1508.
Establecimiento barato para jóvenes ahorrativos. En sus habitaciones caben hasta 12 personas. *250*

Tarjetas de crédito: MC V

WILLARD INTER-CONTINENTAL HOTEL — $$$$$
1401 Pennsylvania Ave, NW (con 14th St). **Plano** 3 B2. 628-9100 o (800) 327-0200. FAX 637-7326. w www.washingtoninterconti.com
Lujoso hotel (*ver p. 89*) con habitaciones con baños de mármol y zonas comunes con arañas de techo y suelos de mosaico. *340 (40)*

Tarjetas de crédito: AE D DC MC V — Restaurante recomendado ▪

LA CASA BLANCA Y FOGGY BOTTOM

ALLEN LEE HOTEL — $
2224 F St, NW (con 22nd St NW). **Plano** 2 E4. 331-1224 o (800) 462-0186. FAX 296-3518. w www.allenlehotel.com. Hotel antiguo y lleno de personalidad. Ideal para presupuestos ajustados. Algunas de sus habitaciones tienen baño compartido. *87*

Tarjetas de crédito: AE MC V

CAPITAL HILTON — $$$$
16th St y K St, NW. **Plano** 3 B2. 393-1000 o (800) 445-8667. FAX 639-5784. w www.hilton.com. Este hotel grande y concurrido se ha reformado recientemente. Sus habitaciones lujosas lucen muebles modernos. Personal atento y multilingüe. *544 (15)*

Tarjetas de crédito: AE D DC MC V — Jardín o terraza ● — Restaurante recomendado ▪

DOUBLETREE GUEST SUITES — $$$
801 New Hampshire Ave (con H St). **Plano** 2 D3. 785-2000 o (800) 424-2900. FAX 785-9485/2500. w www.doubletree.com
Hotel ideal para familias: habitaciones con cocina, camas empotradas y dos televisores por *suite*. El personal es agradable y eficaz. El servicio de habitaciones lo facilita el restaurante italiano contiguo. *(101)*

Tarjetas de crédito: AE D DC MC V — Jardín o terraza ●

GEORGE WASHINGTON UNIVERSITY INN — $$
824 New Hampshire Ave, NW (entre H St e I St). **Plano** 2 E3. 337-6620 o (800) 426-4455. FAX 298-7499. w www.gwuinn.com
Detrás de una verja de hierro forjado hay un patio hasta el vestíbulo de suelos de mármol. Habitaciones de estilo colonial. *95 (14)*

Tarjetas de crédito: AE DC MC V — Restaurante recomendado ▪

HAY-ADAMS HOTEL — $$$$$
800 16th St, NW (con H St). **Plano** 3 B2. 638-6600 o (800) 424-5054. FAX 638-2716. w www.hyadams.com. Hotel neorrenacentista italiano justo enfrente de la Casa Blanca. Habitaciones con antigüedades y techos ornamentales. *(143)*

Tarjetas de crédito: AE DC MC V — Restaurante recomendado ▪

HOTEL LOMBARDY — $$$
2019 I St, NW (con Penn. Ave). **Plano** 2 E3. 828-2600 o (800) 424-5486. FAX 872-0503. w www.hotellombardy.com. Hotel neoclásico con encanto construido con ladrillo rojo. Posee dos restaurantes. Personal atento y multilingüe. *127 (40)*

Tarjetas de crédito: AE DC MC V — Restaurante recomendado ▪

<table>
<tr><td>

Precios de una habitación doble por noche, con servicio e impuestos adicionales. Algunos hoteles incluyen el desayuno continental.

$ menos de 100 dólares
$$ de 100 a 150 dólares
$$$ de 150 a 200 dólares
$$$$ de 200 a 300 dólares
$$$$$ más de 300 dólares

</td><td>

TARJETAS DE CRÉDITO
Se aceptan las tarjetas *AE* (American Express), *D* (Discover), *DC* (Diners Club), *MC* (MasterCard Access) y *V* (Visa).

JARDÍN O TERRAZA
El hotel dispone de jardín, patio o terraza.

SERVICIOS PARA NIÑOS
Cunas y canguros disponibles. Algunos restaurantes de hoteles tienen menú de niños y sillas altas.

RESTAURANTE RECOMENDADO
Hotel con un excelente restaurante o comedor abierto al público si no se indica lo contrario.

</td></tr>
</table>

	TARJETAS DE CRÉDITO	JARDÍN O TERRAZA	SERVICIOS PARA NIÑOS	RESTAURANTE RECOMENDADO

LINCOLN SUITES $$
1823 L St, NW (entre 18th St y 19th St). **Plano** 3 A2. 📞 223-4320 o (800) 424-2970.
📠 223-8546. 🖳 www.lincolnhotels.com
Todas las habitaciones de este moderno hotel son apartamentos con cocina. Su agradable personal facilita el *Washington Post* todos los días y sirve galletas recién hechas y leche por la tarde. 🎽🍴📶🅿🛗 🗝 (99)

Tarjetas de crédito: AE D DC MC V. Restaurante recomendado.

ST. REGIS WASHINGTON $$$$$
923 16th St, NW (con K St). **Plano** 3 B2. 📞 638-2626 o (800) 325-3535. 🖳 www.starwood.com
Hotel de lujo con más personalidad que otros de cadenas hoteleras. Su restaurante francés es ideal para una velada romántica.
24🔌🎽🍴📶🅿🛗 🗝 197 (5)

Tarjetas de crédito: AE D DC MC V. Restaurante recomendado.

WASHINGTON MARRIOTT $$$
1221 22nd St, NW (entre M St y Ward Place). **Plano** 2 E2. 📞 872-1500
o (800) 228-9290. 📠 872-1424. 🖳 www.marriotthotels.com
El Washington Marriott ofrece las confortables instalaciones propias de una cadena hotelera en pleno centro de la ciudad. 24🔌🎽🏊📶🔌🅿🛗
🗝 418 (4)

Tarjetas de crédito: AE D DC MC V. Servicios para niños. Restaurante recomendado.

THE WASHINGTON MONARCH $$$
2401 M Street, NW (con 24th St). **Plano** 2 E2. 📞 429-2400 o (800) 228-3000.
📠 457-5010. 🖳 www.washingtonmonarch.com
Hotel moderno situado a medio camino entre la Casa Blanca y Georgetown. Algunas de sus lujosas y amplias habitaciones dan al patio central y los jardines. Servicio impecable. 24🎽🏊📶🔌🅿🛗 🗝 415 (8)

Tarjetas de crédito: AE D DC MC V. Jardín o terraza. Restaurante recomendado.

WATERGATE HOTEL $$$$
2650 Virginia Avenue, NW. **Plano** 2 D3. 📞 965-2300 o (800) 424-2736. 📠 965-1173.
🖳 www.swiss.com. A pesar de la fama de su nombre *(ver p. 111)* es un hotel muy tranquilo con vistas al río Potomac, con una decoración elegante y una iluminación cálida. Sus preciosas habitaciones tienen vestidores.
24🔌🎽🏊📶🔌🅿🛗 🗝 232 (144)

Tarjetas de crédito: AE D DC MC V. Restaurante recomendado.

THE WESTIN HOTEL $$$$
2350 M St, NW (entre 23rd St y 24th St). **Plano** 2 E2. 📞 429-0100
o (800) 848-0016. 📠 429-9759. 🖳 www.westin.com
Las habitaciones de este hotel bien amueblado ofrecen lujosos baños de mármol con grandes bañeras, minibar, cafetera y lector de compactos. Algunas tienen balcón.
🔌🎽🏊📶🔌🅿🛗 🗝 263 (8)

Tarjetas de crédito: AE D DC MC V. Servicios para niños. Restaurante recomendado.

WINDOM CITY CENTRE $$$
1143 New Hampshire Ave (entre 22nd St y M St). **Plano** 2 E3. 📞 775-0800.
📠 331-9491. 🖳 www.windom.com
La ubicación de este hotel junto a las principales distracciones y monumentos es ideal para los turistas incansables. 🔌🎽📶🔌🅿🛗 🗝 352 (15)

Tarjetas de crédito: AE D DC MC V. Restaurante recomendado.

WYNDHAM BRISTOL HOTEL $$$
2430 Pennsylvania Ave, NW (entre 24th St y 25th St). **Plano** 2 E3. 📞 955-6400
o (800) 822-4200. 📠 775-8489. 🖳 www.wyndham.com
En este confortable hotel se alojan numerosos artistas cuando actúan en el Kennedy Center. Su decoración moderna de influencia europea incluye elegantes muebles y telas en las habitaciones. 24🔌🎽🍴📶🅿🛗 🗝 239 (34)

Tarjetas de crédito: AE D DC MC V. Restaurante recomendado.

GEORGETOWN

FOUR SEASONS HOTEL $$$$$
2800 Pennsylvania Ave, NW (entre M St NW y Rock Creek y Potomac Parkway NW). **Plano** 2 D3. 📞 342-0444 o (800) 332-2443. 📠 944-2076.
🖳 www.fourseasons.com. Su fachada moderna esconde la antigua elegancia de este lujoso hotel, con excelente servicio. Sus espaciosas habitaciones poseen paredes de caoba, antigüedades y flores. 24🔌🎽🏊📶🔌🅿🛗 🗝 270 (120)

Tarjetas de crédito: AE D DC MC V. Jardín o terraza. Servicios para niños. Restaurante recomendado.

THE GEORGETOWN INN
1310 Wisconsin Ave, NW (entre N St y O St). Plano 1 C2. ☎ *333-8900*
o (800) 424-2979. FAX *625-1744.* W *www.stayinde.com*
Pequeño hotel boutique ubicado en un edificio de ladrillo rojo del siglo XVIII. Sus
amplias habitaciones de estilo colonial poseen lujosos baños. De las paredes del
restaurante cuelgan escenas del antiguo Washington. 🔳🔳🔳🔳🔳🔳 *96 (10)*

$$$ | AE D DC MC V | ● ▪

HOTEL MONTICELLO
1075 Thomas Jefferson St, NW. Plano 2 D3. ☎ *337-0900 o (800) 388-2410.* FAX *333-6526.*
Situado bajo M Street, cerca del C&O Canal, este hotel georgiano posee un
vestíbulo con antigüedades del siglo XVIII, *suites* de una o dos habitaciones con
cocina completa y dos áticos. 🔳🔳🔳 *(47)*

$$$ | AE DC MC V

THE LATHAM HOTEL
3000 M St, NW (con 30th St). ☎ *726-5000 o (800) 528-4261.* FAX *337-4250.*
W *www.meristas.com.* Hotel de primera clase de estilo victoriano, con un
excelente restaurante francés, Citronelle. Tiene cuatro bungalós junto a la
piscina, nueve *suites* y bonitas habitaciones con vistas al C&O Canal y al río
Potomac. 🔳🔳🔳🔳🔳🔳 *143 (18)*

$$$$ | AE D DC MC V | ● ▪

LAS AFUERAS

BRICKSKELLER INN
1523 22nd St, NW (entre P St y Q St NW). Plano 2 E2. ☎ *293-1885.* FAX *293-0996.*
Este singular hotel antiguo posee un ascensor de 1950. En el restaurante se
pueden saborear 800 tipos de cerveza. 🔳🔳 *40*

$ | AE DC MC V | ▪

CANTERBURY
1733 N St, NW (entre 17th St y 18th St). Plano 2 F2. ☎ *393-3000*
o (800) 424-2950. FAX *785-9581.* W *www.dcanterbury.com*
Viejo hotel de estilo inglés con elegantes habitaciones con reproducciones de muebles
antiguos. Desayuno continental incluido en el precio. 🔳🔳🔳🔳🔳🔳🔳🔳 *(99)*

$$$ | AE D DC MC V | ▪

DOYLE HOTEL
1500 New Hampshire Ave, NW (cerca de Dupont Circle). Plano 2 F2. ☎ *483-6000*
o (800) 421-6662. FAX *328-3265.*
Hotel irlandés con un elegante comedor y un *pub* irlandés. Está situado a una
manzana de Dupont Circle. 🔳🔳🔳🔳🔳🔳 *314 (12)*

$$$ | AE D DC MC V | ▪ | ▪

THE DUPONT AT THE CIRCLE
1604 19th St, NW (con Dupont Circle). Plano 2 F2. ☎ *332-5251.* FAX *332-3244.*
W *www.dupontatthecircle.com.* Este lujoso *bed and breakfast* ocupa una casa
restaurada de 1885 próxima a Dupont Circle. Algunas habitaciones tienen
jacuzzi. 🔳🔳 *6 (1)*

$$ | AE D DC MC V | ▪

EMBASSY SQUARE SUITES HOTEL
2000 N St, NW (con 20th St). Plano 2 E2. ☎ *659-9000 o (800) 424-2999.*
Hotel moderno de *suites*. Todas tienen cocina, lo que lo convierte en un
establecimiento ideal para familias. 🔳🔳🔳🔳🔳 *(278)*

$$$ | AE D DC MC V

EMBASSY SUITES HOTEL
1250 22nd St, NW (entre M St y N St). Plano 2 E2. ☎ *857-3388 o (800) 362-2779.*
FAX *293-3173.* W *www.embassysuitesmetro.com*
Sus *suites* con capacidad hasta para seis personas son ideales para familias. Su
moderno atrio posee una cascada, columnas y palmeras. En el precio va
incluido un desayuno muy completo. 🔳🔳🔳🔳🔳🔳🔳🔳 *(318)*

$$$$ | AE D DC MC V | ● ▪

EMBASSY SUITES HOTEL AT CHEVY CHASE PAVILION
4300 Military Rd, NW (con 43rd St). ☎ *362-9300 o (800) 362-2779.* FAX *686-3405.*
W *www.embassysuitesmetro.com.* Situado encima de un gran centro comercial en
el popular Chevy Chase Shopping District, el hotel tiene a mano tiendas y
restaurantes y también la parada de metro Pavilion. 🔳🔳🔳🔳🔳🔳🔳🔳 *(198)*

$$$ | AE D DC MC V | ▪

HAMPSHIRE HOTEL
1310 New Hampshire Ave, NW (con 20th St). Plano 2 E2. ☎ *296-7600 o (800) 368-*
5691. FAX *293-2476.* W *www.clarioninn.com*
Sencillo y pequeño hotel muy bien situado, cerca de Dupont Circle y la Casa
Blanca. Todas las habitaciones son *suites* con cocina. 🔳🔳🔳 *(82)*

$$$ | AE D DC MC V

HENLEY PARK HOTEL
926 Massachusetts Ave, NW (entre 9th St y 10th St). Plano 3 C2. ☎ *638-5200*
o (800) 222-8474. FAX *638-6740.* @ HenleyPark@aol.com. W *www.henlliparck.com*
El hotel se asemeja a una casa señorial inglesa estilo Tudor. Pertenece al
National Historic Trust. 🔳🔳🔳🔳🔳🔳 *96 (15)*

$$$ | AE D DC MC V | ▪

Para el significado de los símbolos ver solapa posterior

			Tarjetas de Crédito	Jardín o Terraza	Servicios para Niños	Restaurante Recomendado

Precios de una habitación doble por noche, con servicio e impuestos adicionales. Algunos hoteles incluyen el desayuno continental.

$ menos de 100 dólares
$$ de 100 a 150 dólares
$$$ de 150 a 200 dólares
$$$$ de 200 a 300 dólares
$$$$$ más de 300 dólares

Tarjetas de Crédito
Se aceptan las tarjetas *AE* (American Express), *D* (Discover), *DC* (Diners Club), *MC* (MasterCard Access) y *V* (Visa).

Jardín o Terraza
El hotel dispone de jardín, patio o terraza.

Servicios para Niños
Cunas y canguros disponibles. Algunos restaurantes de hoteles tienen menú de niños y sillas altas.

Restaurante Recomendado
Hotel con un excelente restaurante o comedor abierto al público si no se indica lo contrario.

HYATT HOTEL REGENCY BETHESDA $$$ AE D DC MC V   ●   ▨
1 Bethesda Metro Center (Wisconsin Ave y Old Georgetown Rd).
📞 (301) 657-1234 o (800) 233-1234. 𝗙𝗔𝗫 657-6478. 🔲 www.hyatt.com
En este lujoso hotel se dan cita turistas y personas en viaje de negocios. Aunque se encuentra en los suburbios, está encima de una parada de metro que enlaza con el centro de Washington.
⊞ 🍸 ≋ 🍴 🛏 P ♿ 🍽 *381 (10)*

HOTEL SOFITEL $$$ AE D DC MC V   ▨
1914 Connecticut Ave, NW (entre Leroy Place y California St). **Plano** 2 E1.
📞 797-2000 o (800) 424-2464. 𝗙𝗔𝗫 462-0944.
Lujoso hotel de propiedad francesa con una clientela mayoritariamente europea. Las *suites* tienen un estudio. ⊞ 🍸 🍴 🛏 P ♿ 🍽 *144 (36)*

JEFFERSON HOTEL $$$$ AE D DC MC V   ▨
1200 16th St, NW (con M St). **Plano** 2 F2. 📞 347-2200 o (800) 368-5966.
𝗙𝗔𝗫 331-7982. 🔲 www.camberleyhotels.com
Este hotel de 1923 forma parte de la America Hotel Historic Association. Sus elegantes habitaciones estilo federal están decoradas con antigüedades y obras de arte y algunas con chimenea. El servicio es excelente. 24 ⊞ 🍸 P ♿ 🍽 *100 (35)*

KALORAMA GUEST HOUSE $ AE D DC MC V
1854 Mintwood Pl, NW (entre Columbia Rd y 19th St). **Plano** 2 E1. 📞 667-6369.
𝗙𝗔𝗫 319-1262. 🔲 www.washintonpost.com/yp.kgh
Casa victoriana en un barrio residencial decorada con muebles de época. No se admiten a menores de seis años. ⊞ P 🍽 *29 (6)*

MADISON HOTEL $$$$$ AE D DC MC V   ▨
1177 15th St, NW (con M St). **Plano** 3 B2. 📞 862-1600 o (800) 424-8577.
𝗙𝗔𝗫 785-1255. 🔲 www.themadisonhotel.net
El vestíbulo del hotel luce bellas antigüedades, entre otras una cómoda Luis XVI. Tras su moderna fachada se esconde un mundo de lujo antiguo con un servicio meticuloso. Sus habitaciones, con sofisticadas medidas de seguridad, alojan a jefes de estado y otras personalidades.
24 ⊞ 🍸 🍴 🛏 P ♿ 🍽 *319 (65)*

MANSION ON O STREET $$$ AE D DC MC V   ●
2020 O St, NW (con 20th St NW). **Plano** 2 E2. 📞 496-2000. 𝗙𝗔𝗫 659-0547.
🔲 www.erols.com/mansion. Dos antiguas casas victorianas independientes se han convertido en un hotel de *suites* cuya dueña lo ha decorado con un estilo muy personal y curioso. Es especialmente agradable en Navidad.
≋ 🍴 🛏 P ♿ 🍽 *(6)*

MARRIOTT WARDMAN PARK $$$ AE D DC MC V   ▨
2660 Woodley Rd, NW (entre Connecticut Ave y 29th St). 📞 328-2000
o (800) 325-3535. 𝗙𝗔𝗫 234-0015. 🔲 www.marriothotels.com
Este antiguo edificio de apartamentos en un parque de 7 hectáreas se ha ampliado con un edificio de cromo y cristal. ⊞ 🍸 ≋ 🍴 🛏 P ♿ 🍽 *1500 (400)*

MORRISON-CLARK INN $$$ AE D DC MC V   ▨   ▨
1015 L St, NW (entre 10th St y 11th St). **Plano** 3 C2. 📞 898-1200 o (800) 332-7898.
𝗙𝗔𝗫 289-8576. 🔲 www.morrisonclark.com
Esta posada histórica de 1864 era dos casas independientes. Las habitaciones tienen muebles rústicos franceses, neoclásicos o victorianos. El restaurante, el Morrison-Clark, es uno de los mejores de la ciudad. La decoración de su comedor es impecable. ⊞ 🍸 🍴 🛏 P 🍽 *54 (13)*

NORMANDY INN $$ AE D DC MC V
2118 Wyoming Ave (entre Connecticut Ave y 23rd St). **Plano** 2 E1.
📞 483-1350 o (800) 424-3729. 𝗙𝗔𝗫 387-8241.
Este pequeño y acogedor hotel ocupa los antiguos dormitorios de una escuela privada. Tiene una biblioteca de donde se pueden coger libros para leer junto a la chimenea. Está rodeado de elegantes edificios de apartamentos y casas. P ♿ 🍽 *75*

OMNI SHOREHAM HOTEL $\$$
2500 Calvert St, NW (entre Shoreham Drive y 28th St). 📞 *234-0700 o (800) 843-6664.*
FAX *756-5145.* w www.omnihotels.com
Hotel recientemente renovado en un terreno de 5 hectáreas. Tiene un vestíbulo estilo *art déco* y baños con suelos de mármol. 🛏 ▦ ❢ 🍽 ⚏ 🅿 ♿ ✿ *836 (35)*

AE · D · DC · MC · V

RENAISSANCE MAYFLOWER $\$\$\$\$$
1127 Connecticut Ave, NW (con Desales St). **Plano 2 F3.** 📞 *347-3000 o (800) 468-3571.*
FAX *466-9082.* w www.renaissancehotels.com
Este hotel de 1925 es considerado edificio de interés histórico. En su majestuoso salón de baile se celebran bodas de la alta sociedad.
🛏 ▦ ❢ 🍽 🅿 ♿ ✿ *660 (76)*

AE · D · DC · MC · V

SWANN HOUSE $\$\$$
1808 New Hampshire Ave, NW (entre S St y Swann St). **Plano 2 F1.** 📞 *265-7677.*
FAX *265-6755.* w www.swannhouse.com
Esta casa neorromántica de 1883 convertida en *bed and breakfast* está cerca de Dupont Circle. Las habitaciones, con antigüedades, tienen sus propios nombres y decoración. ▦ ⚏ ❢ ✿ *12 (4)*

AE · D · DC · MC · V

SWISS INN $\$$
1204 Massachusetts Ave, NW (con 12th St NW). **Plano 3 C2.** 📞 *371-1816 o (800) 955-7947.*
FAX *371-1138.* w www.theswissinn.com
Céntrico hotel de piedra rojiza con apartamentos-estudios de precios razonables. Aunque céntrica, la zona no es muy segura de noche. ▦ ❢ ✿ *8 (8)*

AE · D · DC · MC · V

TABARD INN $\$\$$
1739 N St, NW (entre 17th St y 18th St). **Plano 2 F2.** 📞 *785-1277.* **FAX** *785-6173.*
w www.tabardinn.com. Este hotel rústico ubicado en tres antiguas casas toma su nombre de una posada de los *Cuentos de Canterbury* de Chaucer. Sus habitaciones con antigüedades y sus *brunches* junto al fuego realzan su ambiente íntimo. ▦ ❢ ⚏ 🍽 ❢ ✿ *41 (2)*

AE · DC · MC · V

THE TAFT BRIDGE INN $\$$
2007 Wyoming Ave, NW (con 20th St). **Plano 2 E1.** 📞 *387-2007.* w www.pressroom.com
Mansión de estilo georgiano a corta distancia de Adams-Morgan. Algunas habitaciones tienen baño compartido. ▨ 🍽 ❢ 🅿 ✿ *11*

MC · V

WASHINGTON COURTYARD BY MARRIOTT $\$\$\$$
1900 Connecticut Ave, NW (con Leroy Place). **Plano 2 E1.** 📞 *332-9300 o (800) 842-4211.* **FAX** *328-7039.* w www.marriotthotels.com
Este hotel tiene un vestíbulo panelado de madera oscura y habitaciones amplias. Por la tarde se sirven café y galletas gratis. ▦ ❢ ⚏ 🍽 ❢ 🅿 ♿ ✿ *147 (1)*

AE · D · DC · MC · V

WASHINGTON HILTON AND TOWERS $\$\$\$\$$
1919 Connecticut Ave, NW (con Columbia Rd NW). **Plano 2 E1.** 📞 *483-3000 o (800) 445-8667.* **FAX** *265-8221.* w www.hilton.com
Este gigantesco hotel de los años sesenta se ha reformado recientemente. Sus habitaciones, luminosas y sencillas, tienen vistas de la ciudad. ▦ ❢ ⚏ 🍽 ❢
🅿 ♿ ✿ *1118 (44)*

AE · D · DC · MC · V

THE WESTIN FAIRFAX HOTEL $\$\$\$\$$
2100 Massachusetts Ave (con 21st St). **Plano 2 E2.** 📞 *293-2100 o (800) 325-3589.*
FAX *(292) 293-0641.* w www.starwood.com
Su ubicación en Embassy Row atrae a una clientela heterogénea de políticos, extranjeros y turistas. Dispone de piano-bar y su restaurante fue uno de los favoritos de Jacqueline Kennedy y Nancy Reagan. 🛏 ▦ ❢ 🍽 ❢ 🅿 ♿ ✿ *206 (75)*

AE · D · DC · MC · V

THE WINDOM, WASHINGTON, DC $\$\$\$\$$
1400 M St, NW (con Thomas Circle). **Plano 3 B2.** 📞 *429-1700 o (800) 847-8232.*
FAX *785-0786.*
Cuenta con un amplio patio central y todas las instalaciones que se esperan de un hotel dirigido a personas en viajes de negocios. 🛏 ▦ ❢ 🍽 ❢ 🅿 ♿ ✿ *400 (12)*

AE · D · DC · MC · V

EXCURSIONES DESDE WASHINGTON

BALTIMORE, MD: *Ann Street Bed-and-Breakfast* $\$$
804 South Ann St. 📞 *(410) 342-5883.* **FAX** *(410) 522-2324.*
Dos casas del siglo XVIII habilitadas como *bed and breakfast*. Decoración de estilo colonial con mobiliario antiguo y chimeneas. ✿ *3 (1)*

BALTIMORE, MD: *Clarion Hotel* $\$\$\$$
612 Cathedral St (entre W Centre St y W Monument St). 📞 *(410) 727-7101 o (800) 292-5500.* **FAX** *(410) 789-3312.* w www.sunbursthospitality.com
Hotel pequeño con excelente servicio junto a la Walters Art Gallery. Su biblioteca con paredes de madera tiene el encanto de tiempos pasados. ▦ ❢ ♿ ✿ *103 (5)*

AE · D · DC · MC · V

<table>
<tr><td>

Precios de una habitación doble por noche, con servicio e impuestos adicionales. Algunos hoteles incluyen el desayuno continental.

$ menos de 100 dólares
$$ de 100 a 150 dólares
$$$ de 150 a 200 dólares
$$$$ de 200 a 300 dólares
$$$$$ más de 300 dólares

</td><td>

TARJETAS DE CRÉDITO
Se aceptan las tarjetas *AE* (American Express), *D* (Discover), *DC* (Diners Club), *MC* (MasterCard Access) y *V* (Visa).

JARDÍN O TERRAZA
El hotel dispone de jardín, patio o terraza.

SERVICIOS PARA NIÑOS
Cunas y canguros disponibles. Algunos restaurantes de hoteles tienen menú de niños y sillas altas.

RESTAURANTE RECOMENDADO
Hotel con un excelente restaurante o comedor abierto al público si no se indica lo contrario.

</td></tr>
</table>

	TARJETAS DE CRÉDITO	JARDÍN O TERRAZA	SERVICIOS PARA NIÑOS	RESTAURANTE RECOMENDADO
BALTIMORE, MD: *Hyatt Regency Baltimore* $$$ 300 Light St (entre E Conway St y E Pratt St). ((410) 528-1234 o (800) 233-1234. FAX (410) 685-3362. W www.hyatt.com Este hotel de 14 plantas da al puerto. Las habitaciones tienen baños de mármol, muebles de madera de cerezo y ascensores de cristal. ▦ ▦ ▦ ▦ ▦ P ▦ ⌖ 486 (26)	AE D DC MC V	●		▦
BALTIMORE, MD: *Renaissance Harborplace Hotel* $$$$ 202 E Pratt St (entre South St y S Calvert St). ((410) 547-1200 o (800) 535-1201. FAX (410) 539-5780. W www.renaissancehotels.com Las habitaciones dan al puerto o a un patio interior. El personal es atento y cordial y el restaurante está especializado en los excelentes mariscos de la bahía de Chesapeake. ▦ ▦ ▦ ▦ ▦ ▦ P ▦ ⌖ 622 (30)	AE D DC MC V			▦
BERLIN, MD: *Merry Sherwood Plantation* $$ 8908 Worcester Hwy (cerca de Assateague). ((410) 641-2112 o (800) 660-0358. FAX (301) 797-4978. Ocupa una mansión neoitaliana de 1850 situada en un terreno de 7 hectáreas. Las habitaciones poseen chimenea y mobiliario de estilo victoriano. ▦ ▦ P ▦ ⌖ 8 (1)	MC V			
EASTON, MD: *Tidewater Inn* $$$ 101 East Dover St (cerca de la bahía de Chesapeake). ((410) 822-1300 o (800) 237-8775. W www.tidewaterinn.com. Posada histórica amueblada con antigüedades. En el menú del restaurante destacan los pasteles de cangrejo. ▦ ▦ ▦ P ▦ ⌖ 114 (18)	AE D DC MC V			▦
HAGERSTOWN, MD: *Lewrene Farm Bed-and-Breakfast* $ 9738 Downsville Pike (cerca de Frederick). ((301) 582-1735. FAX (410) 745-5647. Casa rural de principios del siglo XIX con 13 habitaciones. Es un hotel familiar ubicado en una finca de 50 hectáreas y decorado con muebles rústicos antiguos. ⌖ 5 (1)	AE D DC MC V			
TILGHMAN ISLAND, MD: *Chesapeake Wood Duck Inn* $$$ Gibsontown Rd, Dogwood Harbor. ((410) 886-2070 o (800) 956-2070. FAX (410) 886-2263. *Bed and breakfast* en una casa victoriana de 1890 muy cuidada. Luce muebles de época, alfombras orientales y obras de arte auténticas. ▦ ▦ P ⌖ 7 (1)	MC V			
GETTYSBURG, PA: *Baladerry Inn* $$ 40 Hospital Rd. ((717) 337-1342. FAX (717) 534-2639. Acogedora posada de 1812 situada en un recóndito paraje natural, antiguo hospital en la guerra de 1812 *(ver p. 17)*. Hay cuatro habitaciones en la casa original y otras cuatro en la recién construida casa de carruajes. ▦ P ⌖ 8	AE D DC MC V			
ALEXANDRIA, VA: *Holiday Inn of Old Town* $$$ 480 King St (con S Pitt St). ((703) 549-6080 o (800) 465-4329. W www.oldtownhis.com Los clientes son recibidos en un enorme vestíbulo antiguo. Sus habitaciones se han restaurado en estilo victoriano. El patio es ideal para relajarse. ▦ ▦ ▦ ▦ P ▦ ⌖ 227 (9)	AE D DC MC V	▦		▦
ALEXANDRIA, VA: *Morrison House* $$$$ 116 S Alfred St (entre Prince St y King St), Old Town. ((703) 838-8000 o (800) 367-0800. FAX (703) 684-6283. El hotel imita una casa señorial de estilo federal. Sus vistosas habitaciones lucen camas con columnas, armarios y baños de mármol italiano. ▦ ▦ ▦ ▦ ⌖ 45 (3)	AE DC MC V			▦
ARLINGTON, VA: *Arlington Crystal City Marriott Hotel* $$$$ 1999 Jefferson Davis Hwy (con S 20th St). ((703) 413-5500 o (800) 228-9290. FAX (703) 413-0185. W www.marriotthotels.com El vestíbulo de este lujoso hotel posee suelos de mármol y adornos *art déco*. Sus sencillas habitaciones tienen muebles tradicionales. ▦ ▦ ▦ ▦ ▦ P ▦ ⌖ 340 (8)	AE D DC MC V	●		▦
ARLINGTON, VA: *Ritz-Carlton Pentagon City* $$$$ 1250 S Hayes St (entre S 15th St y Army Navy Dr). ((703) 415-5000 o (800) 241-3333. FAX (703) 415-5061. W www.ritzcarlton.com Las habitaciones poseen antigüedades y obras de arte de temas ecuestres de Virginia. Se sirve el té de la tarde. ▦ ▦ ▦ ▦ ▦ P ▦ ⌖ 345 (42)	AE DC MC V	●		▦

CHARLOTTESVILLE, VA: *The Boar's Head Inn Country Resort* $$$
Carretera 250 Oeste. (804) 296-2181 o (800) 476-1988. FAX (804) 972-6024.
W www.boarsheadinn.com. Hotel de lujo con dos lagunas, un campo de golf de
18 hoyos, bicicletas y un balneario. Las habitaciones recuerdan el estilo de los
primeros años de la nación. *172 (12)*

AE D DC MC V

FREDERICKSBURG, VA: *Dunning Mills Inn All-Suite Hotel* $
2305-C Jefferson Davis Highway. (540) 373-1256. W www.dunningmills.com
Establecimiento rodeado de bosques en *suites* a un precio razonable. Todas
tienen cama extragrande, sofá-cama, cocina y comedor. *(44)*

AE D DC MC V

FREDERICKSBURG, VA: *Kenmore Inn* $$
1200 Princess Anne St. (540) 371-7622.
Esta posada histórica posee habitaciones con mobiliario victoriano o colonial y
muchas tienen chimenea. Se puede comer en el comedor de etiqueta de la
planta superior o en el *pub* de la planta baja. *13 (1)*

AE D MC V

LURAY, VA: *Big Meadows Lodge* $
PO Box 727, Luray, VA 22835 (Skyline Drive). (540) 999-2221 o (800) 999-4714.
W www.visitshenandoah.com. Las habitaciones tienen vistas al bosque o al valle. Si
quiere dar un paseo a caballo pregunte en recepción.
120 (15)

AE D DC MC V

LURAY, VA: *Skyland Lodge* $
PO Box 727, Luray, VA 22835 (Skyline Drive). (540) 999-2221 o (800) 999-4741.
La mayoría de las habitaciones del Skyland Lodge, en la cima de la montaña,
ofrece vistas espectaculares del valle.
150 (4)

AE D DC MC V

PARIS, VA: *The Ashby Inn* $$$
692 Federal St (cerca de Middleburg). (540) 592-3900.
Esta posada reformada de 1829 alberga muebles de época. Desde las
habitaciones se contempla una impresionante vista de los montes Apalaches.
Las *suites* poseen porches privados.
10 (4)

MC V

RICHMOND, VA: *The Berkeley Hotel* $$$
1200 East Carey St. (804) 780-1300. W www.berkeleyhotel.com
En el centro de Richmond, este bonito hotel con elegantes muebles
tradicionales ofrece una amable acogida a sus clientes. Las habitaciones más
solicitadas son las que tienen balcones. *55 (10)*

AE D DC MC V

RICHMOND, VA: *The Jefferson Hotel* $$$$
Franklin St y Adams St. (804) 788-8000 o (800) 424-8014. W www.jefferson-hotel.com
Construido en 1895, es uno de los hoteles más antiguos de la región.
El vestíbulo luce un bellísimo techo de cristal.
275 (20)

AE D DC MC V

TREVILIANS, VA: *Prospect Hill* $$$$$
2887 Poindexter Rd (cerca de Charlottesville). (540) 967-0844 o (800) 277-0844.
FAX (540) 967-0102.
El hotel está en una antigua plantación de 16 hectáreas y data de 1699. Algunas
habitaciones están situadas en las antiguas cabañas de los esclavos y todas
tienen chimenea. *13 (3)*

AE D DC MC V

WASHINGTON, VA: *Inn at Little Washington* $$$$$
Main St y Middle St (Skyline Drive). (540) 675-3800.
Todas las habitaciones de este lujoso hotel son distintas. Su famoso
restaurante ofrece una comida de precio fijo con muchos platos.
14 (3)

MC V

WILLIAMSBURG, VA: *Colonial Houses* $$$
136 East Francis St. (757) 229-1000. W www.history.org
Conjunto de casas del siglo XVIII donde conviven el mobiliario tradicional y las
comodidades modernas. Se puede alquilar una casa completa o una habitación.
Los clientes pueden utilizar también las instalaciones del cercano Williamsburg
Inn. *77 (17)*

AE D DC MC V

WILLIAMSBURG, VA: *The Williamsburg Inn* $$$$$
136 East Francis St. (757) 229-1000. W www.history.org
Hotel de *suites* que combina los lujos de un hotel moderno con un ambiente
colonial y un mobiliario del siglo XIX. Se puede jugar al golf, al criquet y al
tenis. Tiene también un restaurante de etiqueta.
(98)

AE D DC MC V

Para el significado de los símbolos ver solapa posterior

RESTAURANTES, CAFÉS Y BARES

JOSEPH ALSOP, un conocido personaje de Washington de los años sesenta, solía organizar lujosas cenas en su casa de Georgetown. A la pregunta de por qué daba tantas fiestas, Alsop contestó que porque en Washington no había buenos restaurantes. Hoy, sin embargo, los restaurantes de Washington rivalizan con los de Nueva York. Debido en buena parte

Fachada del Ben's Chili Bowl

a su carácter cosmopolita, la ciudad ofrece una gran variedad de cocinas, desde la etíope a la vietnamita, y muchos restaurantes combinan recetas de distintos orígenes. El pescado fresco de la bahía de Chesapeake es excelente. Los cangrejos y los mariscos aparecen en numerosos menús, sobre todo en zonas costeras cercanas a la ciudad.

El elegante restaurante Matisse

RESTAURANTES

LOS RESTAURANTES de Washington son un reflejo de sus barrios. Así, en Adams-Morgan dominan los étnicos, sobre todo salvadoreños y etíopes. Perry's, Cashion's Eat Place y Felix Restaurant and Bar ofrecen una imaginativa combinación de platos asiáticos y franceses y atraen a una clientela joven y moderna. En Chinatown, no lejos del Mall, hay verdaderas gangas, restaurantes baratos de ambiente familiar. Junto a Chinatown se encuentra el rehabilitado Downtown en Seventh Street. Restaurantes de moda como The Mark, Coco Loco y District Chophouse ocupan edificios de principios del siglo XIX. En Georgetown existen restaurantes caros y económicos. Los indios y vietnamitas suelen ofrecer una buena relación calidad-precio. Los restaurantes del centro, al

norte de la Casa Blanca y al sur de Dupont Circle, están pensados para personas en viajes de negocios y acaudalados. Más cerca del Circle hay restaurantes étnicos de precios razonables.

Prácticamente todos los restaurantes tienen aire acondicionado. Esto ha hecho que Washington deje de quedarse vacía en verano y esté animada durante todo el año.

RESERVAS

EN LOS RESTAURANTES más concurridos es mejor reservar mesa y en los que están de moda incluso con semanas de antelación. Llame con tiempo si desea cenar en un lugar en especial. De todas formas, en la mayoría de los establecimientos se puede cenar sin reserva. Sólo tiene que apuntarse en una lista y volver a una hora determinada o esperar en el bar contiguo; se garantiza una mesa en un tiempo razonable.

PRECIOS Y FORMAS DE PAGO

EN WASHINGTON hay restaurantes de todos los precios. Éstos varían de acuerdo con la ubicación, cocina y decoración. Casi todos aceptan las principales tarjetas de crédito; sin embargo, los vendedores callejeros y los establecimientos de comida rápida sólo suelen aceptar el pago en metálico. Lo normal es dejar una propina del

15% al 20%. La propina rara vez se añade a la factura, excepto en grandes comidas donde puede aparecer una gratificación automática del 15%.

A diferencia de las ciudades europeas, en Washington no son corrientes los menús de precio fijo. Se sirven platos a la carta a no ser que se especifique en el menú. Una comida con bebida en un restaurante medio puede costar entre 20 y 30 dólares por persona, incluida la propina. En los restaurantes indios, etíopes, chinos y vietnamitas una comida similar resulta mucho más barata. Conviene saber que la misma comida puede costar el 25% menos en el almuerzo que en la cena, por lo que a los visitantes con presupuesto ajustado les interesa tomar la comida principal en el almuerzo. Un desayuno con beicon, huevos, café y zumo suele costar menos de 10 dólares, pero numerosos hoteles incluyen en el precio de la habitación un desayuno continental (bollo, café y zumo).

El amplio y luminoso restaurante Wright Place en el National Air and Space Museum

Mural en el lateral del bar Madam's Organ, en Adams-Morgan

HORARIOS

Excepto en los grandes hoteles, es raro encontrar restaurantes que abran las 24 horas. Son pocos los que sirven comidas durante todo el día, normalmente cierran entre el almuerzo y la cena. La mayoría de los establecimientos abre todo el año (menos el 25 de diciembre), pero hay algunos que cierran los domingos y los lunes. La cena es entre las 17.00 y las 18.00 y de 19.00 a 20.00 es la hora más concurrida. Se suelen aceptar clientes hasta las 21.00 y se cierra hacia las 23.00. Los bares abren hasta las 2.00. Sin embargo, las personas que se queden hasta tarde deben saber que el metro deja de funcionar a la 1.00.

BEBIDAS ALCOHÓLICAS

La ley establece que para que un restaurante pueda vender alcohol debe poseer una licencia especial, por ello algunos restaurantes no sirven bebidas alcohólicas. En otros sirven vinos pero no licores fuertes ni cócteles.

Los bares no suelen servir comida excepto a veces algunas tapas. Algunos restaurantes disponen de un bar independiente además del comedor, pero no se permite llevar las bebidas al restaurante.

En el distrito de Columbia, Maryland y Virginia la edad mínima para tomar alcohol es los 21 años. Se puede, y se hace, pedir un documento oficial para comprobar la edad pues las multas por servir bebidas a menores son muy severas.

FUMAR

En el distrito de Columbia todavía está permitido fumar en los restaurantes, aunque en zonas restringidas. Los estadounidenses están muy sensibilizados con el tema del tabaco, sobre todo en los restaurantes. Fumar en zona de no fumadores se puede multar con varios cientos de dólares.

INDUMENTARIA

Hay restaurantes para todos los gustos, desde los que aceptan los atuendos más informales (pantalones cortos, camiseta y zapatillas) a los más exigentes en cuanto al vestir. En algunos restaurantes los hombres deben llevar chaqueta y corbata, que a veces se la facilita el encargado. Cuanto más caro sea el restaurante, más exigente será en cuanto a la indumentaria. También hay bares que no admiten un atuendo descuidado. Lo normal es que la mayoría de los establecimientos acepte una vestimenta informal pero cuidada.

QUÉ COMER

La oferta culinaria de Washington es muy amplia, pero como en la mayoría de las ciudades estadounidenses abundan las cadenas de comida rápida. McDonalds, Burger King y Wendy's, restaurantes que sirven la misma comida en todo el mundo, son de confianza y tienen gran aceptación entre las familias. Los puestos de perritos calientes del Mall son una alternativa. Además de la comida rápida, la cocina de Washington es muy variada; existen, entre otros, restaurantes franceses, chinos, etíopes y vietnamitas.

NIÑOS

El mejor indicio de que los niños son bien recibidos es que el restaurante tenga menú para niños y sillas altas. En los restaurantes más elegantes si va a cenar con niños es mejor hacerlo en las primeras horas, cuando está menos concurrido.

El bar Tony and Joe's, junto al puerto de Washington

SILLAS DE RUEDAS

Los restaurantes no están obligados a tener acceso para sillas de ruedas. En los barrios más antiguos como Dupont Circle y Adams-Morgan no suele haber; son más frecuentes en los establecimientos modernos de K Street. Todos los restaurantes de los museos de la Smithsonian tienen acceso para discapacitados.

Puesto callejero de perritos calientes, *pretzels*, helados y bebidas

Qué comer en Washington

Perrito caliente

L A OFERTA CULINARIA de Washington es muy variada. Muchos restaurantes y establecimientos tradicionales sirven platos clásicos estadounidenses como la chuleta *T-bone* y la ensalada César, pero el carácter cosmopolita de la ciudad se refleja en sus restaurantes étnicos, etíopes, vietnamitas, italianos y griegos, entre otros. Los mariscos frescos de la bahía de Chesapeake son mundialmente conocidos; pruebe, aunque sólo sea una vez, los cangrejos azules, las ostras, las almejas y los mejillones.

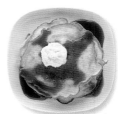

*Los **pancakes**, con sirope de arce (maple) y mantequilla, se toman en el desayuno acompañados a menudo de fruta.*

Southern breakfast *es un plato sustancioso compuesto por huevos, beicon y gachas de maíz. Está delicioso con mantequilla y pimienta negra.*

Senate bean soup, *sopa con judías blancas y cebollas guisadas con trocitos de jamón, la tomaban los senadores en las largas sesiones nocturnas.*

Maryland crab soup *es cremosa y compacta; lleva trocitos de carne de cangrejo blanco y se sirve con galletitas saladas.*

La ensalada César, *con lechuga romana y croutons, se adereza con una salsa fresca y fuerte de anchoas, queso parmesano, zumo de limón y aceite de oliva.*

Los cangrejos azules de Maryland al vapor *están deliciosos con pan integral y rodajas de limón.*

Las ostras *de la zona se sirven con distintas salsas: vinagreta, mayonesa, chile o tomate picante.*

Los calabacines fritos *se sirven como guarnición de carnes guisadas o al horno, pescado guisado o tortas de maíz.*

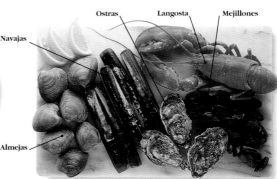

Ostras   Langosta   Mejillones

Navajas

Almejas

Chesapeake bay grill *es una bandeja con mariscos de las aguas poco profundas de la bahía de Chesapeake.*

Southern fried chicken, *plato de pollo muy sazonado que se sirve con hojas de mostaza.*

Grilled T-Bone steak *es un plato típico del país. La chuleta se hace al horno al gusto del consumidor y se sirve con mazorcas de maíz, patata asada y salsa.*

El picantón con arroz silvestre *es un plato típico de la costa Este que se suele servir en otoño.*

Espaguetis a la boloñesa, *un plato clásico italiano de pasta con carne y salsa de tomate.*

Injera *etíope es un plato con verduras en salsa de chile picante sobre un lecho de pan.*

Vietnamese roast pork, *plato muy popular en el distrito de Columbia. El cerdo se marina, se asa y se sirve con arroz blanco y un cuenco de verduras en vinagreta.*

Bourtheto *es un plato de pescado con salsa de tomate introducido por los inmigrantes griegos.*

CÓCTELES

Los bares sirven una gran variedad de cócteles, entre ellos el tradicional vodka con martini. En la hora del cóctel (18.00-19.00) se ofrecen combinados especiales y aperitivos.

Apple pie (*tarta de manzana*), *el plato favorito del país. Se sirve caliente y* à la mode, *esto es, con una bola de helado de vainilla o con nata montada.*

Banana split *es un helado que puede alimentar a toda una familia. No le importe pedir cucharillas extra para compartirlo.*

Cóctel tradicional	**Cóctel con whisky**	**Vodka con martini**

Elegir un restaurante

LOS RESTAURANTES de esta guía se han seleccionado por su excelente comida, buena relación calidad-precio e interesante ubicación dentro de una gran variedad de precios. Están ordenados alfabéticamente, tanto en las zonas céntricas de Washington como en los pueblos y ciudades de los estados fronterizos. Las referencias al plano remiten al Callejero, pp. 210-213.

	TARJETAS DE CRÉDITO	MESAS EN EL EXTERIOR	PLATOS VEGETARIANOS	ABIERTO HASTA TARDE	BUENA CARTA DE VINOS

COLINA DEL CAPITOLIO

AMERICA $$
Union Station, 50 Massachusetts Ave, NE. **Plano** 4 E3. (682-9555.
Le resultará fácil elegir un plato económico de su gusto entre los 200 platos del menú, que incluye los más típicos del país. P Y ↑ &
Tarjetas: AE D DC MC V — Mesas en el exterior ● · Platos vegetarianos ■ · Abierto hasta tarde ● · Buena carta de vinos ■

ANATOLIA $
633 Pennsylvania Ave. **Plano** 4 F4. (544-4753.
En este restaurante se ofrecen excelentes platos turcos servidos en un ambiente íntimo. El café es delicioso. ↑ &
Tarjetas: AE D DC MC V — Platos vegetarianos ■

B. SMITH'S $$$$
Union Station, 50 Massachusetts Ave, NE. **Plano** 4 E3. (289-6188.
En el elegante marco de la antigua Presidential Waiting Room de Union Station se encuentra uno de los mejores restaurantes de cocina sureña criolla. ♫
Tarjetas: AE D DC MC V — Platos vegetarianos ■

CAPITOL HILL BREWING COMPANY $$
2 Massachusetts Ave, NE (cerca de 1st St). **Plano** 4 E3. (842-2337.
Este bar restaurante situado sobre el National Postal Museum ofrece buenos platos y una excelente selección de cervezas. Y ↑ &
Tarjetas: AE D DC MC V — Mesas en el exterior ● · Platos vegetarianos ■

HAWK AND DOVE $
329 Pennsylvania Ave, SE (entre 3rd St y 4th St). **Plano** 4 F4. (543-3300.
Pub de estilo británico con un menú típicamente americano. Lo frecuenta una interesante clientela de lugareños y políticos deseosos de tomar una hamburguesa con una cerveza. Y
Tarjetas: AE D DC MC V — Mesas en el exterior ● · Abierto hasta tarde ●

MARKET LUNCH $
Eastern Market, 225 7th St, SE (con C St). **Plano** 4 F4. (547-8444.
Sirve auténticos platos regionales como pasteles y bocadillos de cangrejo, así como deliciosos desayunos y almuerzos rápidos en un ambiente informal. Los domingos por la mañana hay que hacer cola. P ↑ &
Mesas en el exterior ●

TUNNICLIFF'S $$
222 7th St, SE (frente a Eastern Market). **Plano** 4 F4. (546-3663.
Restaurante con paredes de madera y ambiente informal con una clientela variada. El menú tiene influencia de Nueva Orleans. Y ♫ ↑
Tarjetas: AE D DC MC V — Mesas en el exterior ● · Platos vegetarianos ■ · Abierto hasta tarde ● · Buena carta de vinos ■

TWO QUAIL $$
320 Massachusetts Ave, NE (entre 3rd St y 4th St). **Plano** 4 F3. (543-8030.
Interesante bar americano de ambiente muy acogedor. Entre sus especialidades destacan las codornices, el salmón y los postres caseros.
Tarjetas: AE DC MC V — Platos vegetarianos ■

EL MALL

CASCADE CAFÉ $
National Gallery of Art, Concourse Level, Constitution Ave, NW (entre 4th St y 7th St). **Plano** 4 D4. (737-4215.
Excelente opción para los visitantes hambrientos del museo. Sirve excelentes platos rápidos estilo bufé, ensaladas y deliciosos postres. ↑ &
Tarjetas: AE MC V — Platos vegetarianos ■

THE PALM COURT $$
National Museum of American History, Constitution Ave, NW (entre 12th St y 14th St). **Plano** 3 B4. (357-2700.
Típica comida estadounidense, pero a precios un poco más caros que los otros restaurantes del Mall. ↑ &
Tarjetas: AE MC V — Platos vegetarianos ■

THE WRIGHT PLACE $
National Air and Space Museum, Independence Ave (entre 4th St y 7th St). **Plano** 4 D4. (357-2700.
Abierto a la hora de la comida, ofrece bocadillos y especialidades de temporada en un marco agradable con plantas exuberantes. Y ↑ &
Tarjetas: AE MC V — Platos vegetarianos ■

Precios de una comida de tres platos para una persona con un vaso de vino, incluido el cubierto y los impuestos:

$ menos de 20 dólares
$$ de 20 a 30 dólares
$$$ de 30 a 45 dólares
$$$$ de 45 a 60 dólares
$$$$$ más de 60 dólares

TARJETAS DE CRÉDITO
Se aceptan las tarjetas de crédito *AE* (American Express), *D* (Discover), *DC* (Diners Club), *MC* (MasterCard Access) y *V* (Visa).

MESAS EN EL EXTERIOR
El restaurante dispone de un patio o terraza para comer en el exterior.

PLATOS VEGETARIANOS
El menú incluye algunos platos vegetarianos.

ABIERTO HASTA TARDE
Se sirven aperitivos y platos ligeros hasta entrada la noche.

BUENA CARTA DE VINOS
La carta de vinos del restaurante es excepcional.

ANTIGUO DOWNTOWN

	TARJETAS DE CRÉDITO	MESAS EN EL EXTERIOR	PLATOS VEGETARIANOS	ABIERTO HASTA TARDE	BUENA CARTA DE VINOS
BICE $$$ 15 E Street, NW (entre 6th St y 7th St). **Plano 4 D4.** 661-2700. Platos franceses con un toque americano servidos en un comedor bonito y acogedor. Se recomienda especialmente el *risotto* de mariscos y el pez espada al horno.	AE D DC MC V	●	▪		▪
COCO LOCO $$ 810 7th St, NW (entre H St e I St). **Plano 3 C2.** 289-2626. El Coco Loco ofrece tapas españolas, barbacoa brasileña y fiestas nocturnas. Ambiente divertido y multicolor.	AE MC V	●	▪		
DISTRICT CHOPHOUSE $$ 509 7th St, NW (entre E St y F St). **Plano 3 C3.** 347-3434. Las mesas de billar y la música *swing* de este local exquisito recuerdan los años cuarenta. Los enormes filetes, hamburguesas y pizzas se acompañan con cerveza destilada en el piso de arriba.	AE DC MC V				▪
FADÓ $ 808 7th St, NW (entre H St e I St). **Plano 3 C3.** 789-0066. Fadó tiene el aspecto de un tradicional *pub* irlandés y sirve platos típicos irlandeses. Los muebles proceden de Irlanda.	AE D DC MC V	●		●	
FULL KEE $ 509 H St, NW (entre 5th St y 6th St). **Plano 4 D3.** 371-2233. Restaurante con mobiliario escaso donde sirven excelentes albóndigas y fideos cantoneses. Es un lugar ideal para tomar algo barato antes de algún espectáculo del MCI Center.			▪		
HARD ROCK CAFÉ $ 999 E Street, NW (con 10th Street). **Plano 3 C3.** 737-7625. Comida típica estadounidense: hamburguesas, bocadillos y ensaladas. Los vídeos y la música de sus dos plantas crean un ambiente interesante aunque algo frenético para los turistas.	AE D DC MC V		▪		
JALEO $$ 480 7th St, NW. **Plano 3 C3.** 628-7949. Este restaurante español de alegre decoración y menú de tapas es una alternativa interesante. Está relativamente cerca de los monumentos y a tiro de piedra del MCI Center.	AE DC MC V		▪	●	▪
OLD EBBITT GRILL $$ 675 15th St, NW (entre Pennsylvania Ave y G St). **Plano 3 B3.** 347-4801. Este animado restaurante americano se llena de turistas y lugareños amantes de la buena comida. Encontrará el ambiente típico de la ciudad y excelentes mariscos, pasta y chuletas.	AE D DC MC V	●	▪	●	▪
PLANET HOLLYWOOD $ 1101 Pennsylvania Ave, NW (con 11th St). **Plano 3 C3.** 783-7827. Restaurante adornado con objetos de cine para los turistas que buscan la clásica hamburguesa con patatas.	AE D DC MC V		▪		
RED SAGE $$$ 605 14th St, NW (entre F St y G St). **Plano 3 B3.** 638-4444. Arriba hay un café Tex-Mex, abajo un restaurante de etiqueta con platos modernos con influencias del Oeste, entre ellos codorniz.	AE MC V		▪	●	▪
SKY TERRACE $ Hotel Washington, 515 15th St, NW (entre Pennsylvania Ave and G St). **Plano 3 B3.** 638-5900. *Abierto sólo abr-oct.* Este restaurante tiene una de las mejores vistas de los monumentos y de la Casa Blanca. El menú ofrece platos ligeros europeos.	AE MC V	●	▪		▪

Para el significado de los símbolos ver solapa posterior

Precios de una comida de tres platos para una persona con un vaso de vino, incluido el cubierto y los impuestos:
- $ menos de 20 dólares
- $$ de 20 a 30 dólares
- $$$ de 30 a 45 dólares
- $$$$ de 45 a 60 dólares
- $$$$$ más de 60 dólares

TARJETAS DE CRÉDITO
Se aceptan las tarjetas de crédito *AE* (American Express), *D* (Discover), *DC* (Diners Club), *MC* (MasterCard Access) y *V* (Visa).

MESAS EN EL EXTERIOR
El restaurante dispone de un patio o terraza para comer en el exterior.

PLATOS VEGETARIANOS
El menú incluye algunos platos vegetarianos.

ABIERTO HASTA TARDE
Se sirven aperitivos y platos ligeros hasta entrada la noche.

BUENA CARTA DE VINOS
La carta de vinos del restaurante es excepcional.

LA CASA BLANCA Y FOGGY BOTTOM

	Precio	TARJETAS DE CRÉDITO	MESAS EN EL EXTERIOR	PLATOS VEGETARIANOS	ABIERTO HASTA TARDE	BUENA CARTA DE VINOS
AQUARELLE Watergate Hotel, 2650 Virginia Ave, NW. **Plano** 2 D3. 298-4455. Restaurante de moderna comida estadounidense en el famoso Watergate. Su reputación, los precios y el trato del personal no siempre se reflejan en la comida, pero las vistas del Potomac son espectaculares. P Y ♫ ⊁ ♿	$$$	AE D MC V	●	■		■
AROMA 1919 I Street, NW (entre 19th St y 20th St). **Plano** 2 E3. 833-4700. La excelente comida de este restaurante del norte de India es uno de los secretos mejor guardados de Washington. Es elegante pero informal. ⊁	$	AE DC MC V		■		
ASIA NORA 2213 M St, NW (entre 22nd St y 23rd St). **Plano** 2 E2. 797-4860. Selección imaginativa de cocina asiática con ingredientes ecológicos. El marco es íntimo y tranquilo con paredes decoradas con esculturas. P Y	$$$	AE D MC V		■		■
BOMBAY CLUB 815 Connecticut Ave, NW (entre H St e I St). **Plano** 2 F3. 659-3727. Comida exótica india y un servicio exclusivo en un decorado colonial frecuentado por personajes de la alta sociedad de Washington. P Y ♫ ♿	$$$	AE DC MC V	●	■		
ENCORE CAFÉ Kennedy Center. **Plano** 2 D4. 416-8560. Este café autoservicio de platos baratos variados, desde pasta a chile, es el establecimiento más informal de Kennedy Center. P ⊁ ♿	$	AE D DC MC V		■		
GALILEO 1110 21st St, NW (entre L St y M St). **Plano** 2 E3. 293-7191. El restaurante italiano más famoso del distrito de Columbia es conocido por sus platos originales y elaborados, como la pasta casera, el *risotto* y la caza, y por su excelente carta de vinos. P Y ⊁ ♿	$$$	AE D DC MC V	●	■		■
GEORGIA BROWN'S 950 15th St, NW (entre I St y K St). **Plano** 3 B3. 393-4499. El mejor restaurante para probar las gambas de Carolina, los *grits* (maíz frito) o los tomates verdes fritos. Cocina sureña con estilo en un ambiente acogedor aunque ruidoso. P Y ♫ ⊁ ♿	$$	AE D DC MC V	●	■		■
HORS D'OEUVRERIE Kennedy Center. **Plano** 2 D4. 416-8560. El mejor establecimiento del Kennedy Center de comida ligera, como ensaladas. El sitio perfecto para tomar una copa después de la última función. P Y ⊁ ♿	$	AE D DC MC V		■	●	■
KINKEAD'S Red Lion Row, 2000 Pennsylvania Ave, NW (entre 20th St y 21st St). **Plano** 2 E3. 296-7700. Excelente marisquería de precios no muy caros para su magnífica reputación. La receta de salmón y otras creaciones de Bob Kinkead se complementan con una estupenda carta de vinos. P Y ♫ ♿	$$$	AE D DC MC V	●			■
PRIMI PIATTI 2013 I St, NW (entre 20th St y Pennsylvania Ave). **Plano** 2 E3. 223-3600. Restaurante italiano especializado en platos de pasta y carne. La comida es buena y el marco muy elegante. P Y ♿	$$$	AE DC MC V	●	■		■
RENAISSANCE MAYFLOWER 1127 Connecticut Ave, NW (con DeSales St). **Plano** 2 F3. 347-2233. El menú de este hotel restaurante incluye platos de influencia mediterránea como los pasteles de cangrejo. Se recomienda reservar. P ♫ ⊁ ♿	$$$$	AE D DC MC V		■		■

ROOF TERRACE $$
Kennedy Center. **Plano** 2 D4. *416-8555*
Deliciosa comida estadounidense contemporánea como salmón, pastel de
cangrejo o tarta de nueces. Tiene unas fabulosas vistas de Virginia. Los
domingos sirve un magnífico *brunch* tipo bufé.

AE D MC V

GEORGETOWN

1789 $$
1226 36th St, NW, con Prospect St. **Plano** 1 B2. *965-1789.*
Excelente cocina moderna estadounidense servida en cuatro comedores de
decoración colonial.

AE D DC MC V

AU PIED DE COCHON $
1335 Wisconsin Ave (con Dumbarton St). **Plano** 1 C2. *337-6400.*
Aunque este café francés no destaca por su decoración ni por su servicio rápido
es el único de Georgetown abierto las 24 horas. Desayune unos huevos
Benedict tras una noche de fiesta.

AE MC V

BLUES ALLEY $$
1073 Wisconsin Ave, NW (entre C&O Canal y M St). **Plano** 1 C3. *337-4141.*
Cocina de Nueva Orleans acompañada con el mejor *blues* y jazz de la ciudad.
Una callejuela lleva hasta este antiguo cobertizo de carruajes donde encontrará
un acogedor rincón a la luz de las velas para pasar un rato agradable.

AE DC MC V

CAFÉ LA RUCHE $$
1039 31st St, NW (entre K St y C&O Canal). **Plano** 2 D3. *965-2684.*
Típico bar parisino en un marco acogedor, ideal para charlar con los amigos.
Sirven platos muy variados, desde trucha, pasteles de cangrejo y pollo asado a
sopas y ensaladas.

AE MC V

CITRONELLE $$$
Latham Hotel, 3000 M St, NW (con 30th St). **Plano** 2 D2. *625-2150.*
Excelente restaurante que sirve sofisticados platos franceses, como pasta rellena
de setas y salmón cubierto con lentejas.

AE D DC MC V

JAPAN INN $$
1715 Wisconsin Avenue, NW (entre R St y S St). **Plano** 1 C1. *337-3400.*
Auténtica comida japonesa. Puede elegir un plato del menú o ver cómo le
preparan en la parrilla algo especial mientras espera sentado en una gran mesa.

AE MC V

MARTIN'S TAVERN $$
1264 Wisconsin Ave, NW (con N St). **Plano** 1 C2. *333-7370.*
Martin es el negocio familiar más antiguo de Washington y uno de los lugares
más encantadores de comida estadounidense.

AE D DC MC V

MUSIC CITY ROADHOUSE $
1050 30th St, NW (entre K St y C&O Canal). **Plano** 2 D3. *337-4444.*
Cocina casera sureña, como pollo o costillas a la barbacoa, en un
establecimiento informal con un patio con vistas al canal. Por la noche hay
actuaciones musicales los fines de semana.

AE D DC MC V

OLD GLORY ALL AMERICAN BARBECUE $$
3139 M St, NW (entre Wisconsin Ave y 31st St). **Plano** 1 C2. *337-3406.*
Este acogedor restaurante sirve platos típicos estadounidenses: costillas, pollo
ahumado con nueces, gambas fritas en fuego de leña y manzanas asadas.

AE DC MC V

PAOLO'S $$
1303 Wisconsin Ave, NW (con N St). **Plano** 1 C2. *333-7353.*
Este restaurante italiano-californiano es tan moderno e internacional como
Georgetown. Lugar al que merece la pena ir para disfrutar de sus ensaladas
ligeras, pasta y pizza en horno de leña.

AE D DC MC V

ZED'S ETHIOPIAN CUISINE $$
1201 28th St, NW. **Plano** 1 C2. *333-4710.*
Restaurante etíope frecuentado por vegetarianos. Ofrece platos tradicionales:
wats (salsa de pimientos verdes), *alechas* (estofados) e *injera* (pan).

AE D MC V

SEQUOIA $$$
Washington Harbor, 3000 K St, NW. **Plano** 2 D3. *944-4200.*
Moderno restaurante de cocina estadounidense con fabulosas vistas del río
Potomac y de Virginia.

AE D DC MC V

Para el significado de los símbolos ver solapa posterior

Precios de una comida de tres platos para una persona con un vaso de vino, incluido el cubierto y los impuestos:
$ menos de 20 dólares
$$ de 20 a 30 dólares
$$$ de 30 a 45 dólares
$$$$ de 45 a 60 dólares
$$$$$ más de 60 dólares

TARJETAS DE CRÉDITO
Se aceptan las tarjetas de crédito *AE* (American Express), *D* (Discover), *DC* (Diners Club), *MC* (MasterCard Access) y *V* (Visa).
MESAS EN EL EXTERIOR
El restaurante dispone de un patio o terraza para comer en el exterior.
PLATOS VEGETARIANOS
El menú incluye algunos platos vegetarianos.
ABIERTO HASTA TARDE
Se sirven aperitivos y platos ligeros hasta entrada la noche.
BUENA CARTA DE VINOS
La carta de vinos del restaurante es excepcional.

	TARJETAS DE CRÉDITO	MESAS EN EL EXTERIOR	PLATOS VEGETARIANOS	ABIERTO HASTA TARDE	BUENA CARTA DE VINOS

LAS AFUERAS

ARDEO $$$ 3311 Connecticut Ave, NW (entre Macomb St y Ordway St). 244-6750. Este moderno y concurrido restaurante de comida del país ofrece un menú interesante e innovador. Está situado en Cleveland Park. P Y ⚐ ♿	AE DC MC V		■		
BELMONT KITCHEN $$ 2400 18th St, NW, con Belmont Rd. 667-1200. Agradable restaurante emblemático de Adams-Morgan frecuentado por lugareños. Cocina estadounidense con platos imaginativos como la pizza del revés. Y ⚐ ♿	AE D DC MC V	●	■		■
BEN'S CHILI BOWL $ 1213 U St, NW (entre 12th St y 13th St). 667-0909. Lugar perfecto para los que gustan de buenas comidas sustanciosas. Sus perritos con chile son famosos en todo el país. En él come Bill Cosby cuando visita Washington. ♿			■	●	
CITIES $$$ 2424 18th St, NW (con Columbia Rd). 328-7194. El menú y la decoración varían según la ciudad del mundo a la que esté dedicada el restaurante ese año. Frecuentado por las noches por europeos y ejecutivos vestidos de etiqueta. P Y ⚐ ♿	AE D DC MC V	●	■	●	■
CITY LIGHTS OF CHINA $ 1731 Connecticut Ave, NW (entre R St y S St). Plano 2 E1. 265-6688. Muchos aseguran que su deliciosa y económica comida china compensa las colas y la aglomeración de gente. Sirven comidas a domicilio. P	AE D DC MC V		■		
GEORGETOWN SEAFOOD GRILL $$ 1200 19th St, NW (entre M St y N St). Plano 2 F2. 530-4430. Mariscos de gran calidad a precios moderados. Sus pasteles de cangrejo son los mejores de la ciudad. El servicio es eficiente y cordial. P Y ⚐ ♿	AE D DC MC V	●			■
KRAMERBOOKS AND AFTERWORDS CAFÉ $ 1517 Connecticut Ave, NW (entre Dupont Circle y Q St). Plano 2 E2. 387-1462. Este café sirve ensaladas, pastas y platos vegetarianos de influencia asiática. Los fines de semana abre las 24 horas. Y ⚐ ♿	AE MC V	●	■	●	
LA TOMATE $$$ 1701 Connecticut Ave, NW (entre R St y S St). Plano 2 E1. 667-5505. Su ubicación cercana a Dupont Circle hace de este restaurante italiano uno de los lugares favoritos de la gente en verano. P Y	AE DC MC V	●	■		■
LAVANDOU $$ 3321 Connecticut Ave, NW (entre Macomb St y Ordway St). 966-3002. Ambiente y comida de Provenza con unos 90 vinos para acompañar el marisco fresco asado y las sopas. Y ⚐ ♿	AE DC MC V		■		■
MATISSE $$$$ 4934 Wisconsin Ave, NW (con Fessenden St). 244-5222. La decoración, inspirada en la obra de Henri Matisse, es espectacular y su cocina clásica francesa deliciosa, pero el servicio es algo tosco. P Y ● lu.	AE DC MC V	●			
MORRISON-CLARK RESTAURANT $$$ 1015 L St, NW (entre 10th St y 11th St). Plano 3 C2. 898-1200. Cocina moderna estadounidense con un toque sureño servida en un comedor de 1864 restaurado. Servicio impecable y ambiente distendido. P Y	AE D DC MC V	●			■
NORA'S $$$$$ 2132 Florida Ave, NW (entre Connecticut Ave y Massachusetts Ave). Plano 2 E1. 462-5143. Uno de los restaurantes emblemáticos de Washington. Ofrece ingredientes ecológicos y un menú variado de cocina contemporánea del país. P ⚐ Y ♿	AE MC V		■		■

PESCE $\text{\textcircled{S}}\text{\textcircled{S}}$
2016 P St, NW (entre 20th St y 21st St). **Plano** 2 E2. 466-3474.
El menú ítalo-francés cambia diariamente, pero incluye siempre excelente marisco y una fabulosa carta de vinos. Magnífica comida a precios razonables. P ♿

AE D DC MC V

RUPPERTS $\text{\textcircled{S}}\text{\textcircled{S}}\text{\textcircled{S}}\text{\textcircled{S}}$
1017 7th St, NW (entre L St y New York Ave). **Plano** 3 C2. 783-0699.
Está especializado en platos frescos de temporada como el cangrejo y el ruibarbo al horno. El menú cambia frecuentemente. La decoración es moderna pero sencilla. ♿

AE DC MC V

EXCURSIONES DESDE WASHINGTON

ANNAPOLIS, MD: *Middletown Tavern Oyster Bar & Restaurant* $\text{\textcircled{S}}\text{\textcircled{S}}\text{\textcircled{S}}$
2 Market Space. (410) 263-3323.
Situado al otro lado del puerto, este restaurante al aire libre es ideal para disfrutar de las vistas. Las ostras se sirven con cerveza, y el menú incluye pasteles de cangrejo, mariscos y pasta. P ♿

AE MC V

BALTIMORE, MD: *Obrycki's Crab House* $\text{\textcircled{S}}\text{\textcircled{S}}\text{\textcircled{S}}$
1727 East Pratt St. (410) 732-6399.
Restaurante con platos de temporada que sirve excelentes mariscos. Una de sus especialidades es los cangrejos al vapor. P ♿ ● Dic-mar.

AE DC MC V

CHESAPEAKE BAY, MD: *The Crab Claw* $\text{\textcircled{S}}\text{\textcircled{S}}$
Navy Point, St. Michaels. (410) 745-2900.
Restaurante del puerto con platos de temporada y vistas espectaculares. Especializado en marisco fresco. P ♿ ● Dic-mar.

GREAT FALLS PARK, MD: *Old Angler's Inn* $\text{\textcircled{S}}\text{\textcircled{S}}\text{\textcircled{S}}$
10801 MacArthur Blvd, Potomac. (301) 365-2425. *Lu cerrado.*
Este original restaurante estilo *pub* inglés está junto al C&O Canal, un corto viaje desde la ciudad. Es un lugar tradicional para tomar una sidra caliente junto a la chimenea. Su sofisticada cocina prepara platos del país. P ♿

AE DC MC V

GETTYSBURG, PA: *Farnsworth House Inn* $\text{\textcircled{S}}$
401 Baltimore St. (717) 334-8838.
La decoración, la ropa de los camareros y la comida recuerdan los años anteriores a la guerra de Secesión. Destacan el pastel de carne de caza, el pudin de batata y los buñuelos de calabaza. P ♿

AE MC V

ALEXANDRIA, VA: *Gadsby's Tavern* $\text{\textcircled{S}}\text{\textcircled{S}}\text{\textcircled{S}}$
N Royal St, con Cameron St. (703) 548-1288.
Decoración de finales del siglo XVIII y camareros con trajes del período colonial. El menú incluye pato, costillas, vieiras y tartas. ♿

AE DC MC V

CHARLOTTESVILLE, VA: *Michie Tavern* $\text{\textcircled{S}}$
683 Thomas Jefferson Parkway. (804) 977-1234.
Restaurante informal con un toque colonial: la decoración es rústica y los camareros visten trajes de la época. El pollo frito a la manera tradicional es exquisito. P ♿

MC V

RICHMOND, VA: *Southern Culture* $\text{\textcircled{S}}\text{\textcircled{S}}\text{\textcircled{S}}$
2229 West Main St. (804) 355-6939.
Cocina regional sureña, desde el pollo frito de Virginia al marisco del golfo de México. Una banda de *swing* actúa dos veces por semana.
P ♿

AE DC MC V

SKYLINE DRIVE, VA: *Inn at Little Washington* $\text{\textcircled{S}}\text{\textcircled{S}}\text{\textcircled{S}}\text{\textcircled{S}}\text{\textcircled{S}}$
Main St y Middle St, Little Washington. (540) 675-3800.
Magnífico restaurante ubicado en una casa de estilo inglés de cocina regional estadounidense muy variada. Aunque queda a 90 minutos de Washington merece la pena *(ver p. 169).* P ♿

MC V

WILLIAMSBURG, VA: *Chowning's Tavern* $\text{\textcircled{S}}\text{\textcircled{S}}\text{\textcircled{S}}$
109 Duke of Gloucester St (con Queen St). (757) 229-2141.
Este restaurante parece una estampa del siglo XVIII. Por la noche se organizan juegos de cartas del tiempo de las colonias, y sus platos, como el pan con queso fundido y el estofado, recuerdan también aquella época. P ♿

AE DC MC V

WILLIAMSBURG, VA: *The Trellis* $\text{\textcircled{S}}\text{\textcircled{S}}\text{\textcircled{S}}$
403 Duke of Gloucester St. (757) 229-8610.
Cocina regional preparada con alimentos frescos; el menú cambia cada estación. Situado en el corazón del barrio histórico, cuenta con una amplia carta de vinos con más de 20 caldos de Virginia. ♿

AE DC MC V

Para el significado de los símbolos ver solapa posterior

DE COMPRAS EN WASHINGTON

L A GRAN VARIEDAD de tiendas de Washington hace que sea un lugar muy agradable para ir de compras. Se pueden adquirir recuerdos en infinidad de sitios: boutiques de moda, tiendas de alimentación o tiendas de regalos de museos y galerías. En los numerosos museos del Mall y de los alrededores de la ciudad abundan los artículos originales, reproducciones de obras y réplicas de objetos

Capitolio de EE UU de paja

de todo el mundo. Aunque se pueden pasar horas en los numerosos y elegantes centros comerciales y grandes superficies del distrito de Columbia, Georgetown es el lugar más auténtico para ir de compras. En este barrio lleno de boutiques e innumerables tiendas interesantes encontrará desde antigüedades a tintes de pelo, desde baratijas de un dólar a valiosísimas obras de arte.

Vestíbulo este del centro comercial de Union Station

HORARIOS

L A MAYORÍA de los grandes almacenes, centros comerciales y otros establecimientos abre de 10.00 a 20.00 o 21.00 de lunes a sábado y de 12.00 a 19.00 los domingos. Las tiendas más pequeñas y las boutiques suelen abrir de 12.00 a 18.00 los domingos y de 10.00 a 18.00 o 19.00 los demás días. Algunos supermercados y tiendas de comestibles permanecen abiertos más tiempo. Los

Puestos con artículos variados en Eastern Market

drugstores (mezcla de farmacia y supermercado) también suelen abrir más horas.

CÓMO PAGAR

S E PUEDE pagar al contado, con cheques de viaje (en dólares estadounidenses) o con tarjeta de crédito. Las tarjetas más usadas en EE UU son VISA y MasterCard. American Express se acepta en muchos casos, aunque no siempre. A todas las compras se les añade una tasa del 5,75%.

REBAJAS

L OS GRANDES ALMACENES COMO **Hecht's,** en el antiguo Downtown, y **Nordstrom,** en Arlington, suelen tener rebajas los fines de semana del Memorial Day, el 4 de julio, el Día del Trabajo y el Día de Colón. En los periódicos se anuncian las rebajas en electrónica, joyas, artículos de cocina, zapatos y ropa. Las rebajas "blancas" (toallas y ropa de cama) son en enero.

TIENDAS DE MUSEOS

T ODOS LOS MUSEOS del Mall ofrecen una increíble selección de artículos en sus tiendas. La tienda de la **National Gallery of Art** vende reproducciones de obras de arte, libros, juegos relacionados con el arte y juguetes; la tienda del **Museum of African Art** tiene telas, cerámica, cestería, instrumentos musicales y libros.

La tienda del **National Museum of American History,** la más grande de las tiendas de los museos de la Smithsonian, ofrece un gran surtido de artículos, artesanía, reproducciones, camisetas y libros sobre la historia del país. La tienda de música vende grabaciones desde los años cuarenta hasta los años setenta, como *Doo Wop, Motown* y *Disco* de Smithsonian Recordings y Smithsonian Folkways.

Merece la pena visitar dos tiendas de museos cercanos a la Casa Blanca. La tienda de la **Renwick Gallery** vende artesanía contemporánea de cristal, madera, fibra, metal, cerámica, así como pañuelos de seda y monederos de tapicería. La tienda del **Decatur House Museum,** en la casa de Stephen Decatur, un héroe de la guerra de 1812, ofrece objetos relacionados con la historia, el arte y la arquitectura de Washington.

En la tienda del **National Building Museum,** en Judiciary Square, hay libros interesantes sobre arquitectura, diseño contemporáneo y restauraciones de edificios históricos, así como juguetes, corbatas, marcos y regalos.

Entrada a los grandes almacenes Hecht's en G Street, NW

CENTROS COMERCIALES Y GRANDES ALMACENES

En el centro de Washington se sitúan Georgetown Park y Union Station.

Georgetown Park alberga pequeños comercios en un marco neovictoriano. Está en el cruce de Wisconsin Avenue con M Street, en el centro de Georgetown. **Union Station**, la bellamente restaurada estación de tren de Capitol Hill *(ver p. 53)*, tiene tres plantas con 130 tiendas y restaurantes en un ambiente muy agradable. Existen boutiques de artículos de marca junto a una amplia selección de tiendas especializadas en ropa, regalos, recuerdos, artesanía y joyas.

Mazza Gallerie y **Chevy Chase Pavilion** son dos pequeños centros comerciales situados en Wisconsin Avenue, en el barrio Friendship Heights. El metro está cerca y hay mucho sitio para aparcar. También se puede comprar en Hecht's, uno de los varios grandes almacenes con boutiques especializadas y tiendas de artículos de marca.

Los mayores grandes almacenes se encuentran en los suburbios de Maryland y Virginia. A **Fashion Center at Pentagon City** se llega fácilmente en metro. Los amantes de las rebajas deben visitar los 230 establecimientos de **Potomac Mills**, a 48 km al sur de la ciudad por la I-95.

GALERÍAS, ARTE Y ARTESANÍA

En Georgetown, Dupont Circle y Adams-Morgan abundan las galerías de arte y las tiendas de artesanía. Podrá disfrutar varias horas contemplando sus hermosos objetos.

En **Addison/Ripley Galleries**, en Dupont Circle y Georgetown, se venden obras de artistas locales. Las tiendas **Appalachian Spring** de Georgetown y de Union Station cuentan con los mejores artículos de cerámica de la ciudad. **Eastern Market**, en Capitol Hill, ofrece una variopinta mezcla de puestos donde se encuentran desde antigüedades a artículos étnicos. Este mercado está especialmente animado los fines de semana.

Los aficionados al arte deben ir a 7th Street, NW, entre D Street y el MCI Center. **Zenith Gallery** cuenta con los artículos más interesantes, esculturas y obras contemporáneas por precios desde 50 a 50.000 dólares. **Torpedo Art Center**, en Alexandria, es ideal para los aficionados al arte y la artesanía.

Logotipo del Torpedo Art Center

RECUERDOS

En Political Americana y Made in America, dos tiendas de **Union Station**, abundan los artículos de coleccionista. Para recuerdos de la ciudad merece la pena visitar **Old Post Office Pavilion**, cerca del metro Center. La tienda de regalos del **Kennedy Center** vende libros de arte escénico y de Washington. Para artículos religiosos o recuerdos originales pruebe en el museo y en la librería de **Washington National Cathedral**, en el sótano de la catedral, o en Herb Cottage, un restaurado baptisterio octogonal situado junto a ésta.

ROPA

Wisconsin Avenue, M Street y Georgetown cuentan con gran variedad de tiendas de ropa, entre ellas sucursales de las cadenas **The Gap** y **Eddie Bauer**. Los que buscan algo menos corriente pueden visitar **Urban Outfitters**.

Entre las numerosas boutiques de ropa femenina destaca **Betsey Johnson**, especializada en elegante moda urbana. Para diseños únicos en moda femenina puede visitar **Gazelle**, en Chevy Chase Pavilion, y **Relish**, en Wisconsin Avenue. **Britches of Georgetown** es una buena tienda de ropa clásica para hombre. Friendship Heights también está bien surtido de tiendas de ropa.

COMIDA Y VINOS

Si busca algo distinto, sabroso o exótico en el terreno culinario existen varias *delicatessen* que merece la pena visitar. Destacan **Dean & Deluca**, en Georgetown, y **Sutton Place Gourmet**, en American University Park, cerca de Massachusetts Avenue. Los dos establecimientos poseen una excelente selección de artículos de *gourmet* y de vinos del país y europeos. Cuentan con un café en el mismo local donde se pueden degustar sus productos.

El Old Post Office Pavilion

Tienda de antigüedades de Frederick

ANTIGÜEDADES

L AS NUMEROSAS tiendas de antigüedades que se encuentran diseminadas por Washington esconden verdaderos tesoros. En Wisconsin Avenue, entre P St y S St, y en M St y O St hay unas 20 tiendas de antigüedades. Algunas están especializadas en artículos carísimos, otras venden grabados, lámparas, plata, frascos de perfume o simples baratijas.

Adams-Morgan y Dupont Circle son también buenas zonas para adquirir antigüedades. **Brass Knob Architectural Antiques,** en 18 Street, cuenta con numerosas curiosidades, como bañeras de pie e insólitas lámparas y apliques. Los clientes salen con el artículo ideal para su hogar, desde una araña de techo a una verja de hierro.

Existen también tiendas de antigüedades fuera del centro de Washington en Kensington (Maryland) y en Alexandria (Virginia). **Anne Pelot Antiques,** en Alexandria, está especializada en muebles de estilo imperio y federal estadounidenses de finales del siglo XVIII y principios del XIX. En Frederick (Maryland) está el enorme **Emporium at Creekside Antiques,** un verdadero paraíso de 100 tiendas para los amantes de las antigüedades. Encontrará cualquier cosa, desde muebles macizos a artículos del hogar o joyas.

LIBROS Y MÚSICA

L OS AFICIONADOS a los libros podrán pasar un rato agradable visitando las numerosas librerías de Washington.

Junto a grandes cadenas como **Barnes and Noble,** existen excelentes librerías independientes y de viejo, sobre todo en Dupont Circle, como **Olsson's Books and Records** y **Kramerbooks & Afterwords Café,** donde los clientes pueden tomar un café mientras compran. **Second Story Books** es la librería de viejo más grande del distrito de Columbia.

Al norte, en Connecticut Avenue, está **Politics & Prose Bookstore,** una de las librerías preferidas por los de Washington pues, además de mirar los libros, se puede tomar café, charlar con sus expertos dependientes y asistir a conferencias (se anuncian en la sección de reseñas de libros del *Washington Post* de los domingos).

La cadena **Borders,** al igual que Olsson's, vende libros y compactos a buenos precios. Cerca de George Washington University se encuentra la tienda de discos **Tower Records,** con la mayor selección de compactos de Washington. **Melody Record Shop** ofrece música a precios reducidos.

OBJETOS VARIOS

S I QUIERE comprar porcelana y curiosidades basta con visitar **Little Caledonia** en Georgetown, que también vende muebles. Los numerosos grandes almacenes de Washington y alrededores, como **Hecht's y Neiman Marcus,** tienen artículos del hogar de calidad, desde lencería a cubertería y loza. Puede hacer pedidos de artículos que no estén en catálogo.

Wake Up Little Suzie vende libros hechos a mano, joyas, móviles y otros regalos poco corrientes y singulares. En **Chocolate Moose,** en M Street, también encontrará originales artículos, desde cerámica o chocolate a joyas y juguetes de niños. Los aficionados a los viajes y los mapas deben visitar **ADC Map and Travel Center,** con más de 5.000 mapas de todo el mundo, globos terráqueos, guías de viaje y libros de idiomas.

Cualquier artículo de casa moderno, desde baterías de cocina a muebles, lo encontrará en **Crate & Barrel,** en Spring Valley, y en **Pottery Barn,** en Georgetown. También en Georgetown está **Restoration Hardware,** que vende desde pomos de puerta decorativos, artículos de jardín y lámparas a juguetes antiguos y los famosos muebles de roble macizo estilo Mission que creó el Arts and Crafts Movement.

Compradores ante el escaparate de la librería Olsson's

Información General

Centros Comerciales y Grandes Almacenes

Chevy Chase Pavilion
5335 Wisconsin Ave, NW.
686-5335.

Fashion Center at Pentagon City
1100 South Hayes St,
Arlington, Virginia.
(703) 415-2400.

Georgetown Park
3222 M St, NW. Plano 1B2. 342-8190

Hecht's Department Store
12th y G St, NW.
Plano 3C3. 628-6661

Mazza Gallerie Mall
5300 Wisconsin Ave, NW.
Plano 1B1. 966-6114.

Neiman-Marcus
Mazza Gallerie. Plano 1B1. 966-9700

Nordstrom
Fashion Center con Pentagon City.
(703) 415-1121.

Potomac Mills
Dale City, VA.
(800) 826-4557.

Union Station Shops
40 Massachusetts Ave, NE.
Plano 4 E3. 289-1908.

Galerías, Arte y Artesanía

Addison/Ripley Gallery
1670 Wisconsin Ave, NW.
Plano 1 C2. 333-3335.

Appalachian Spring
1415 Wisconsin Ave, NW.
Plano 1C2. 337-5780.

Eastern Market
225 7th St, SE. Plano 4 F4.
546-2698.

Torpedo Factory Art Center
105 N. Union Street
Alexandria, VA.
(703) 838-4565.

Zenith Gallery
413 7th St, NW.
Plano 3 C2.
783-2963.

Antigüedades

Anne Pelot Antiques
1007 King St,
Alexandria, VA.
(703) 549-7429.

Emporium at Creekside Antiques
112 E. Patrick St,
Frederick, MD.
(301) 662-7099.

Brass Knob Architectural Antiques
2311 18th St, NW.
Plano 3 A1. 332-3370.

Georgetown Flea Market
Wisconsin Ave, entre S St y T St, NW.

Recuerdos

Kennedy Center
New Hampshire Ave y Rock Creek Parkway, NW.
Plano 2 D4. 416-8346.

Old Post Office Pavilion
Pennsylvania Ave y 12th St, NW. Plano 3C3.
289-4224.

Washington National Cathedral
Massachusetts y Wisconsin Ave, NW.
537-6267.

Libros y Música

Barnes and Noble
3040 M St, NW.
Plano 2 D2. 965-9880.

Borders
1800 L St, NW.
Plano 2 E3. 466-4999.

Kramerbooks & Afterwords Café
1517 Connecticut Ave, NW.
Plano 2 E2. 387-1400.

Melody Record Shop
1623 Connecticut Ave, NW.
Plano 2 E2. 232-4002.

Olsson's Books and Records
1239 Wisconsin Ave, NW.
Plano 1 C2.
338-6712.

Politics & Prose Bookstore
5015 Connecticut Ave, NW.
Plano 2 E2. 364-1919.

Second Story Books
2000 P Street, NW.
Plano 1B1. 659-8884.

Tower Records
2000 Pennsylvania Ave, NW. Plano 2 E3.
331-2400.

Tiendas de Museos

Decatur House Museum
1600 H St, NW.
Plano 3 A3.
842-1856.

National Building Museum
401 F St, NW. Plano 4 D3.
272-2448.

National Gallery of Art
Constitution Ave con 6th St, NW. Plano 4 D3.
842-6358.

National Museum of African Art
950 Independence Ave, SW. Plano 3 C4.
786-2147.

National Museum of American History
El Mall entre 12th St y 14th St, NW.
Plano 3 B4.
357-2700.

Renwick Gallery
17th y Pennsylvania Ave, NW. Plano 3 A3.
357-1445.

Ropa

Betsey Johnson
1319 Wisconsin Ave, NW.
Plano 1 C2.
338-4090.

Britches of Georgetown
1247 Wisconsin Ave, NW.
Plano 1 C2.
338-3330.

Eddie Bauer
3040 M St, NW.
Plano 1 B1. 342-2121.

The Gap
1258 Wisconsin Ave, NW.
Plano 1 B1. 333-2657.

Gazelle Ltd.
Chevy Chase Pavilion,
5335 Wisconsin Ave, NW.
686-5656.

Relish
5454 Wisconsin Ave,
Chevy Chase, Md.
(301) 654-9899.

Urban Outfitters
3111 M St, NW.
Plano 1 C2. 342-1012.

Comida y Vinos

Dean & Deluca
3276 M St, NW.
Plano 1 C2. 342-2500.

Sutton Place Gourmet
3201 New Mexico Ave, NW.
363-5800.

Objetos Varios

ADC Map and Travel Center
1636 I (Eye) St, NW.
Plano 2 F3. 628-2608.

Chocolate Moose
1800 M St, NW.
Plano 1 C2. 436-0992.

Crate & Barrel
4820 Massachusetts Ave, NW. Plano 2 F2.
364-6500.

Pottery Barn
3077 M St, NW.
Plano 1 C2. 337-8900.

Little Caledonia
1419 Wisconsin Ave, NW.
Plano 1 C1. 333-4700.

Restoration Hardware
1222 Wisconsin Ave, NW.
Plano 1 C1. 625-2771.

Wake-Up Little Suzie
3409 Connecticut Ave, NW.
244-0700.

Distracciones en Washington

A LAS PERSONAS QUE visiten Washington no les faltarán distracciones, desde volar una cometa junto al Washington Monument a asistir a un concierto en el Kennedy Center. El carácter cosmopolita de la ciudad se refleja en su variada oferta para todos los presupuestos. Si le gusta el *swing* encontrará un lugar donde bailarlo; y también podrá escuchar los más variados ritmos musicales, desde salsa o jazz a *rhythm and blues*. Los amantes

Jugador de béisbol

de las actividades al aire libre pueden pasear en bicicleta por los senderos de Rock Creek o remar en canoa por el río Potomac. Si prefiere algo más tranquilo, quizá le apetezca ver una película extranjera en la Smithsonian. Los aficionados al teatro tienen desde Shakespeare o una prestigiosa compañía de repertorio a un musical de Broadway. El distrito de Columbia ofrece más actividades gratuitas que cualquier otra ciudad de Estados Unidos.

Fachada del John F. Kennedy Center for the Performing Arts

Información

L A INFORMACIÓN MÁS completa la ofrece los viernes la sección del fin de semana del *Washington Post*. Se anuncian conciertos, obras de teatro, películas, actividades para niños, actividades al aire libre, ferias y festivales. La misma información está en la página *web* del *Washington Post, Style Live*. La sección *Where &When* de la revista mensual *Washingtonian* también recoge estos acontecimientos.

Reservas

S E PUEDEN adquirir las entradas en la ventanilla o por teléfono o fax, y en muchos casos, por Internet. Para los espectáculos de **Kennedy Center** se puede reservar por teléfono en **Instant Charge,** y para los de MCI Center, Nissan

Pavilion y Warner Theater también por teléfono en **Ticketmaster.** Para conseguir entradas para el Arena, Lisner Auditorium, Ford's Theatre, Merriweather Post Pavilion y Woolly Mammoth consulte **Tickets.com**

Precios Especiales

L A MAYORÍA de los teatros dispone de precios especiales para grupos y también para estudiantes y mayores el mismo

Fachada del Shakespeare Theatre en 7th Street

día de la actuación. Para conseguir entradas a mitad de precio para el mismo día vaya a **Ticketplace,** en Old Post Office Pavilion.

Cada teatro ofrece además sus propios descuentos. El Arena reserva un número limitado de "Hottix", entradas a mitad de precio que se venden entre 30 y 90 minutos antes del espectáculo. En el Shakespeare Theatre los mayores pagan un 20% menos de domingo a jueves y los estudiantes un 50% menos una hora antes de la función; también tiene precios especiales para los preestrenos. El Kennedy Center reserva algunas entradas a mitad de precio para estudiantes, mayores y discapacitados. Cualquiera puede adquirir entradas a mitad de precio para el mismo día a partir de las 12.00. Si se agotan pueden vender entradas para estar de pie.

Acontecimientos Gratuitos

L OS PERIÓDICOS diarios informan puntualmente de distintas actividades gratuitas: conferencias, conciertos, charlas en galerías, películas y firmas de libros.

El Millennium Stage del Kennedy Center celebra actuaciones gratuitas de artistas locales todas las tardes a las 18.00.

La **National Symphony Orchestra** da conciertos al aire libre en el lado oeste del Capitolio el Día del Trabajo y los

Concierto en el patio de la National Gallery of Art

fines de semana del Memorial Day y el 4 de julio. En verano, la **United States Marine Band** actúa los miércoles por la tarde en el Capitolio y los domingos en la Ellipse. De octubre a junio la **National Gallery of Art** organiza conciertos los domingos a las 19.00 en el West Garden Court.

La **Biblioteca del Congreso** y la National Gallery of Art organizan conferencias y charlas.

Los amantes de los libros pueden asistir a numerosas firmas de libros y recitales de poemas en las librerías de la ciudad.

Distracciones al Aire Libre

En los meses de verano en el **Wolf Trap Farm Park for the Performing Arts** hay actuaciones de artistas famosos

todas las noches. Mire el calendario y elija su género preferido, ópera, musical de Broadway, ballet, música popular o *country*. Puede llevarse la merienda para tomarla en el césped.

En verano, los jueves a las 18.30, el **National Zoological Park** organiza conciertos en Lion Tiger Hill.

Si se encuentra en Washington en junio intente asistir al **Shakespeare Theatre Free for All,** que se celebra en el Carter Barron Amphitheater en Rock Creek Park.

El *Washington Post* informa sobre ferias y festivales locales que se celebran los fines de semana con el buen tiempo. La primera semana de mayo la **Washington National Cathedral** organiza el Flowermart, un festival con un carrusel antiguo, juegos para niños, artesanía y buena comida. En la **Smithsonian Folklife Festival,** una animada fiesta en el Mall durante dos semanas entre junio y julio, se dan cita artistas de música

popular de todo el mundo. Para más información sobre otros acontecimientos anuales ver *Washington mes a mes (pp. 34-37).*

Instalaciones para Discapacitados

Los principales teatros de Washington poseen rampas para sillas de ruedas. Para informarse sobre las instalaciones del Kennedy Center consulte su página *web.*

Muchos teatros como el Kennedy Center, Ford's Theatre, Shakespeare Theatre y Arena Stage disponen de sistemas acústicos especiales y algunas funciones para sordos. La sección de fin de semana del *Washington Post* recoge teléfonos de ayuda (TTY) para las personas con problemas auditivos.

La National Gallery of Art proporciona audífonos para las conferencias y facilita un intérprete para sordos si se solicita con tres semanas de antelación; cerca de la Concourse Sales Shop se pueden adquirir aparatos para sordos (TDD). Para los que tienen graves problemas de vista, el teatro Arena Stage ofrece descripciones auditivas, recorridos guiados y programas en braille.

INFORMACIÓN GENERAL

INFORMACIÓN

Washington Post
W www.washingtonpost.com

RESERVAS

Instant Charge
467-4600 o (800) 444-1324.

John F. Kennedy Center for the Performing Arts
New Hampshire Ave con Rock Creek Parkway, NW.
Plano 2 D4.
467-4600 o (800) 444-1324.
W www.kennedy-center.org

Ticketmaster
432-7328.
(Las entradas se venden en los grandes almacenes Hecht's, 12th St y G St, NW).

Tickets.com
(703) 218-6500 o (800) 955-5566.
W www.tickets.com

PRECIOS ESPECIALES

Ticketplace
Old Post Office Pavilion, 1100 Pennsylvania Ave, NW. **Plano** 3 C3.
842-5387.

ACONTECIMIENTOS GRATUITOS

Biblioteca del Congreso
1st St e Independence Ave, SE. **Plano** 4 F4.
707-2905.
W www.loc.gov

National Gallery of Art
Constitution Ave con 6th St, NW. **Plano** 4 D4.
737-4215.
W www.nga.gov

National Symphony Orchestra
467-4600.

United States Marine Band
433-4011.

DISTRACCIONES AL AIRE LIBRE

National Zoological Park
3001 Connecticut Ave, NW.
673-4800.
W www.si.edu/natzoo

Shakespeare Theatre Free for All
Carter Barron Amphitheater, 16th St y Colorado Ave, NW. 334-4790.
W www.shakespearedc.org

Smithsonian Folklife Festival
357-3030.

Washington National Cathedral
Massachusetts Ave y Wisconsin Ave, NW.
537-6200.
W www.cathedral.org/cathedral

Wolf Trap Farm Park for the Performing Arts
1551 Trap Rd, Vienna, VA.
(703) 255-1800.
W www.worf-trap.org

Acontecimientos culturales

Washington ofrece múltiples posibilidades para pasar la velada: una cena de mariscos a orillas del río y asistir después a una representación en Arena Stage, la compañía de repertorio más antigua de Washington; bailar en uno de los nuevos clubes de U Street; una actuación de jazz en Georgetown; una visita a un bar-café en Dupont Circle; un estreno de ópera en el Kennedy Center y una última copa en el oeste. Si prefiere permanecer en el centro y no alejarse mucho del hotel, puede ver lo mejor de Broadway en el Warner o el National Theater.

Música en directo en el Kennedy Center

Cartel de la fachada del Warner Theatre, en 13th Street

CINE Y TEATRO

El AMERICAN FILM **Institute** del **Kennedy Center** tiene una programación diaria de películas clásicas y de estreno. La **National Gallery of Art** exhibe películas relacionadas con las exposiciones de la temporada. La **Biblioteca del Congreso** ofrece ciclos gratuitos de documentales y películas sobre las exposiciones del museo en el Mary Pickford Theater. El DC Film Festival se celebra en el Lincoln Theatre.

Las compañías nacionales de teatro actúan en el **John F. Kennedy Center for the Performing Arts,** el **Warner Theatre** y el **National**

Theatre. El **Ford's Theatre** ofrece un marco más íntimo. **Arena Stage** cuenta con una veterana compañía de repertorio. **The Studio, The Source** y **Woolly Mammoth Theatre** producen obras contemporáneas.

The Shakespeare Theatre ofrece un marco moderno y elegante para las representaciones teatrales. En **Gala Hispanic Theater** se representa teatro en español.

ÓPERA Y MÚSICA CLÁSICA

La WASHINGTON OPERA **Company,** con sede en el Kennedy Center, es considerada por muchos la joya de la corona de la capital. Aunque las entradas se suelen agotar, a veces quedan algunas de pie. **The National Symphony Orchestra** interpreta obras clásicas y contemporáneas estadounidenses.

En la ciudad actúan numerosos y variados conjuntos de cámara y grupos locales. **The Washington Performing Arts Society** lleva a la ciudad intérpretes de fama internacional.

DANZA

El KENNEDY Center ofrece una magnífica temporada anual de danza y baile, con compañías de fama internacional como el Bolshoi, el American Ballet Theater, el Royal Swedish Ballet y el Dance Theater of Harlem.

En **Dance Place** actúan sus propias compañías profesionales de danza moderna junto con otras compañías contemporáneas internacionales.

Si prefiere bailar usted mismo diríjase al **Glen Echo Park,** donde gente de todas las edades disfruta bailando en las tardes de *swing* o *contra dancing*. En el Kennedy Center a veces se celebran bailes con bandas en directo.

ROCK, JAZZ Y 'BLUES'

Para ESCUCHAR a los grandes nombres y los más prometedores visite **The Kennedy Center Terrace Theater.** Aquí han actuado Oscar Brown Jr., Phil Woods, Ernie Watts y muchos otros. En **Blues Alley,** en Georgetown, actúan artistas de jazz de fama internacional; en **Madam's Organ,** en Adams-Morgan, podrá escuchar el mejor *rhythm and blues* de Washington.

En **One Step Down,** en el oeste, actúan artistas locales y nacionales. Si quiere escuchar a las grandes estrellas del rock o del jazz únase a los miles de seguidores en el **Merriweather Post Pavilion** en Columbia (Maryland) o en el **Pavilion** en Manassas (Virginia).

Interior del célebre Shakespeare Theatre

CLUBES, BARES Y CAFÉS

SI LE GUSTA trasnochar visite el barrio de U Street. Se recomienda especialmente el **Club U** y el **930 Night Club**.

Los aficionados a la salsa tienen **Rumba Café** en Adams-Morgan. Si desea disfrutar de un puro y un martini pruebe en el céntrico **Ozio Martini and Cigar Lounge**. Si le va la música irlandesa, visite **Ireland's Four Provinces**, en Cleveland Park. Las salas de billar como **Georgetown Billiards** tam-

bién son lugares muy concurridos, igual que las numerosas cafeterías de la ciudad. **Xando Coffee and Bar,** en Dupont Circle, sirve café y cócteles.

CLUBES DE HOMOSEXUALES

MUCHOS CLUBES se encuentran en Dupont Circle. A **JR's Bar and Grill** acuden jóvenes profesionales. **Mr. P's** es uno de los más veteranos. Para comer bien pruebe en **Annie's Paramount Steak House**.

Interior del Rumba Café

INFORMACIÓN GENERAL

CINE Y TEATRO

Kennedy Center
New Hampshire Ave y
Rock Creek Parkway, NW.
Plano 2 D4.
☎ 785-4600 o
(800) 444-1324.
🆆 www.kennedycenter.org

Arena Stage
1101 6th St, SW.
Plano 4 D4.
☎ 488-3300.
🆆 www.arenastage.com

Ford's Theatre
511 10th St, NW.
Plano 3 C3.
☎ 347-4833.
🆆 www.fordstheatre.com

Gala Hispanic Theater
1625 Park Rd, NW.
☎ 234-7174.

Biblioteca del Congreso
Mary Pickford Theater,
Madison Building,
101 Independence Ave, SE.
Plano 4 E4.
☎ 707-5677.
🆆 www.loc.gov

National Gallery of Art
Constitution Ave con 6th
St, NW. **Plano** 4 D3.
☎ 737-4215.
🆆 www.nga.org

National Theatre
1321 Pennsylvania Ave,
NW. **Plano** 3 B3.
☎ 628-6161.
🆆 www.nationaltheatre.com

Shakespeare Theatre
450 7th St, NW.
Plano 3 C3.
☎ 547-1122.
🆆 www.shakespeareda.org

Source Theatre Company
1835 14th St, NW.
☎ 462-1073.

The Studio Theatre
14th St y P St, NW.
Plano 3 B1.
☎ 332-3300.
🆆 www.studiotheatre.org

Warner Theatre
1299 Pennsylvania Ave,
NW.
Plano 3 C3.
☎ 783-4000.

Woolly Mammoth Theatre
1401 Church St, NW.
Plano 3 B1.
☎ 393-3939.

ÓPERA Y MÚSICA CLÁSICA

National Symphony Orchestra
☎ 467-4600.

Washington Performing Arts Society
☎ 833-9800.

DANZA

Dance Place
3225 8th St, NE.
☎ 269-1600.

Glen Echo Park
Spanish Ballroom,
7300 MacArthur Blvd,
Glen Echo, MD.
☎ (301) 216-2116.

ROCK, JAZZ Y 'BLUES'

Blues Alley
1073 Wisconsin Ave, NW.
Plano 1 B1.
☎ 337-4141.

Madam's Organ
2461 18th St, NW.
Plano 2 F1.
☎ 667-5370.

Merriweather Post Pavilion
Columbia, MD.
☎ (301) 982-1800 o
(703) 218-6500
(Tickets.com) o
(800) 955-5566.

Nissan Pavilion
7800 Cellar Door Drive,
Haymarket, VA.
☎ (703) 754-6400 o
(800) 455-8999 o
(800) 551-7238.

One Step Down
2517 Pennsylvania Ave, NW.
Plano 2 D2.
☎ 955-7140.

CLUBES, BARES Y CAFÉS

Club U
2000 14th St, NW.
☎ 328-8859.

Georgetown Billiards
3251 Prospect St, NW.
Plano 1 C2.
☎ 965-7665.

Ireland's Four Provinces
3412 Connecticut Ave,
NW. .
☎ 244-0860.

930 Night Club
815 V St, NW.
☎ 393-0930.

Ozio Martini and Cigar Lounge
1835 K St, NW.
Plano 3 A1.
☎ 822-6000.

Rumba Café
2443 18th St, NW.
☎ 588-5501.

Xando Coffee and Bar
1350 Connecticut Ave,
NW. **Plano** 3 A1.
☎ 296-9341.
también en:
1647 20th St, NW.
Plano 3 A1.
☎ 332-6364.

CLUBES DE HOMOSEXUALES

Annie's Paramount Steak House
1609 17th St y Q St, NW.
Plano 2 F2.
☎ 232-0395.

JR's Bar and Grill
1519 17th St, NW.
Plano 2 F2.
☎ 328-0090.

Mr. P's
2147 P St, NW.
Plano 1 C2.
☎ 293-1064.

Deportes y actividades al aire libre

L OS HABITANTES de Washington tienen fama de pasar muchas horas trabajando –en el senado, la oficina, un organismo federal o una sala de redacción–. Pero se resarcen de tanto trabajo dedicándose a seguir a sus equipos favoritos o pasando el mayor tiempo posible al aire libre. Puede divertirse en el MCI Center o el RFK Stadium, que se llenan de multitud de aficionados. También puede unirse a los corredores, ciclistas y patinadores que pasean por el Mall y en las cercanías de los monumentos.

Ciclistas disfrutando del buen tiempo de Washington

ESPECTÁCULOS DEPORTIVOS

L OS SEGUIDORES DE los Capitals, de la NHL (Liga Nacional de Hockey), los Wizards, de la NBA (Asociación Nacional de Baloncesto), y las Mystics, de la WNBA (Asociación Nacional de Baloncesto Femenino) deben comprar las entradas en el **MCI Center,** un impresionante estadio deportivo abierto en 1997 que ha ayudado a revitalizar el centro.

Dependiendo de la estación del año, puede asistir también al espectáculo de Disney on Ice, los Harlem Globetrotters o el Ringling Brothers Circus. Visite la National Sports Gallery del MCI, con recuerdos deportivos y juegos de deporte interactivos. Aunque abundan los restaurantes en el MCI quizá prefiera acercarse a uno de Chinatown, que se encuentra muy cerca.

Es muy difícil asistir a un partido de los Redskins en el estadio **FedEx Field** si no se

tiene un abono de temporada, pero se puede ver el partido en algunos de los concurridos bares deportivos de la ciudad. El equipo de fútbol DC United juega en el **RFK Stadium.** Los deportes universitarios son muy populares y la afición se reparte entre **Georgetown Hoyas** o **Maryland Terrapins.**

Jugador de los Redskins

PESCA Y REMO

P ARA PASAR unas horas o el día entero en el río Potomac lo ideal es dirigirse a **Fletcher's Boat House,** en Canal Road y Reservoir Road. Las personas entre 16 y 64 años necesitarán un permiso, que no cuesta mucho y es válido por un año. Se puede pescar en la orilla o alquilar una barca de remos o una canoa.

En Georgetown se pueden alquilar barcas en **Thompson's Boat Center** y **Jack's Boats.** Puede elegir entre tomar algo ligero en Fletcher's o llevar la merienda. Si va a Thompson's o Jack's hay cafés y restaurantes en la orilla.

CICLISMO

E L BELLO ENTORNO de Rock Creek Park es un remanso de paz en medio del bullicio de la ciudad. Los fines de semana, cuando se corta el tráfico, es un lugar ideal para los ciclistas. Otro sendero muy concurrido es Capital Crescent, que va desde el camino de sirga de C&O Canal, en Georgetown, hasta Maryland.

Uno de los más hermosos senderos para bicicletas tiene 26 km y conduce a Mount Vernon. Se pueden alquilar bicicletas en Fletcher's Boat House, Thompson's Boat Center, **Big Wheel Bikes,** en Georgetown, o **City Bikes,** en Adams-Morgan. Si desea obtener información sobre senderos y mapas puede ponerse en contacto con la **Washington Area Bicyclist Association** o consultar en las tiendas de alquiler de bicicletas.

TENIS, GOLF Y PASEOS A CABALLO

A LGUNOS PARQUES poseen pistas de tenis al aire libre, que se alquilan por orden de llegada. Existen dos clubes públicos donde reservar pistas: **East Potomac Tennis Club,** en Hains Point, y **Washington Tennis Center,** ambos con pistas cubiertas y al aire libre.

En **East Potomac Golf Course & Driving Range** podrá jugar al golf y disfrutar de una bella vista de los monumentos. El campo tiene también un minigolf de 18 hoyos. **Langston Golf Course,**

Multitud de aficionados animando a sus equipos favoritos en el RFK Stadium

junto al río Anacostia, y **Rock Creek Golf Course,** en Rock Creek Park, son los otros dos campos de golf abiertos al público. En el **Rock Creek Park Horse Center** puede concertar paseos guiados a caballo.

DESCUBRIR LA NATURALEZA

EL NATIONAL **Arboretum** *(ver p. 138)* alberga una impresionante variedad de árboles y plantas en 280 hectáreas al noreste de Washington. Siempre hay algo interesante que ver. Los bonsáis de la National Bonsai Collection pueden verse durante todo el año. A finales de marzo y principios de abril es la mejor época para disfrutar los arbustos en flor y las hermosas camelias y magnolias; entre finales de abril y principios de mayo el Arboretum se llena con los vivos colores de las azaleas, rododendros y bojes. Hay "un sendero para tocar y ver" de 490 m para los visitantes con

La National Bonsai Collection del National Arboretum

graves problemas de vista.
Kenilworth Aquatic Gardens es otro espacio natural que abarca 6 hectáreas de estanques con más de 100.000 nenúfares, flores de loto y otras plantas. Lo ideal es visitarlo muy de mañana cuando las flores están abiertas, antes de que haga demasiado calor. En los senderos de los estanques hay ranas y tortugas. Los fines de semana de verano

se organizan paseos guiados por naturalistas del parque.
Una de las formas más agradables de pasar un día al aire libre es con una excursión a algún parque. Visite **Dumbarton Oaks Park,** en Georgetown, cuando las flores silvestres florecen, o **Montrose Park,** justo al lado de Dumbarton Oaks, donde disfrutará de gran variedad de aves y un laberinto de boj.

INFORMACIÓN GENERAL

ESPECTÁCULOS DEPORTIVOS

FedEx Field
Raljon Rd,
Landover, MD.
((301) 276-6000.

Georgetown Hoyas
(687-4962
(para entradas).

Maryland Terrapins
((800) 462-8377
(para entradas).

MCI Center
601 F St, NW.
Plano 4 D3.
(628-3200.

RFK Stadium
2400 East Capitol St, SE.
(547-9077.

PESCA Y REMO

Fletcher's Boat House
4940 Canal Rd, NW.
Plano 1 A2.
(244-0461.

Jack's Boats
3500 K St, NW.
Plano 2 D2.
(337-9642.

Thompson Boat Center
Rock Creek Parkway y Virginia Ave, NW.
Plano 2 D3.
(333-4861.

CICLISMO

Big Wheel Bikes
1034 33rd St, NW.
Plano 1 C2. (337-0254.

City Bikes
2501 Champlain St, NW.
(265-1564.

Washington Area Bicyclist Association
733 15th St, NW.
Plano 3 B1. (628-2500.

TENIS, GOLF Y PASEOS A CABALLO

East Potomac Golf Course
972 Ohio Drive, SW con Hains Point. **Plano** 3 A5.
(554-7660.

East Potomac Tennis Club
1090 Ohio Drive, SW con Hains Point. **Plano** 3 A5.
(554-5962.

Langston Golf Course
26th St y Benning Rd, NE.
(397-8638.

Rock Creek Golf Course
16th St y Rittenhouse St, NW.
(882-7332.

Rock Creek Park Horse Center
Military Rd y Glover Rd, NW.
(362-0118.

Washington Tennis Center
16th St y Kennedy St, NW.
(722-5949.

DESCUBRIR LA NATURALEZA

Dumbarton Oaks Park
Entrada por Lovers Lane, junto a R St y 31st St, NW.
Plano 1 C1.

Kenilworth Aquatic Gardens
1900 Anacostia Drive, SE.
(426-6905.

Montrose Park
R St y 31st St, NW.
Plano 2 D1.

National Arboretum
New York Ave y Bladensburg Rd, NE.
(245-2726.

Washington para niños

V ISITAR LOS MONUMENTOS de la ciudad puede ser una de las actividades más divertidas para los niños. Pueden realizar un recorrido concertado con antelación con un guía que le subirá en ascensor a lo alto de Washington Monument para bajar después andando. Los niños disfrutarán echando comida a los patos de Reflecting Pool (el estanque del Lincoln Memorial) y Constitution Gardens, y contemplando el Jefferson Memorial desde una barca a pedales en el dique de marea. Antes de abandonar Washington no olvide ver los monumentos iluminados de noche.

Niños delante del Natural Museum of Natural History

CONSEJOS PRÁCTICOS

P ARA INFORMARSE consulte la página *Saturday's Child* los viernes en la sección del fin de semana del *Washington Post*.

Para comer hay multitud de sitios. Pueden tomar perritos calientes en algún puesto callejero del Mall, comida rara del espacio (como el helado deshidratado por congelación) en la tienda del **National Air and Space Museum** *(ver pp. 60-63)* o un enorme *banana split star spangled* en el café Palm Court del **National Museum of American History** *(ver pp. 70-73)*.

DIVERSIONES AL AIRE LIBRE

D E ABRIL a mayo podrá viajar al pasado en *The Georgetown*, un carro tirado por mulas que recorre el C&O Canal (el **Centro de Visitantes de C&O Canal** facilita información). Los guías del Park Service van vestidos con trajes del siglo XIX.

El parque arbolado del **National Zoo** *(ver pp. 132-133)*

es un sitio perfecto para pasear. Podrá contemplar el adiestramiento de los elefantes y espectáculos con leones marinos.

Para descansar entre museo y museo los niños pueden subir al **Carousel on the Mall,** delante del Arts and Industries Building. También merece una visita el carrusel de **Glen Echo Park,** de 1921. Si les gusta patinar sobre hielo, de diciembre a marzo pueden hacerlo en la pista del **jardín de esculturas** de la **National Gallery of Art** o en el **Pershing Park Ice Rink,** en Pennsylvania Avenue, frente al Hotel Willard. Se pueden alquilar patines.

Escultura del Children's Museum

MUSEOS

E L NATIONAL **Museum of Natural History** *(ver pp. 66-67)* cuenta con el Discovery Center, un extenso complejo educativo con un teatro IMAX®.

Si quiere acercarse al espacio exterior vea el vídeo *To Fly (Volar)* y el Albert Einstein Museum en el **National Air**

and Space Museum. La **National Gallery of Art** *(ver pp. 56-59)* proyecta películas para niños y programas familiares. Los niños pueden discutir sobre los cuadros y participar en actividades manuales.

El **Capital Children's Museum** es muy popular entre los niños; es muy divertido y con numerosas actividades.

Los aficionados a las casas de muñecas disfrutarán en el **Washington Doll House and Toy Museum** en Friendship Heights.

Los niños pequeños suelen quedar fascinados en el **National Postal Museum** *(ver p. 51),* donde pueden realizar muchas actividades, mientras que los más mayores disfrutarán en el **Newseum** *(ver p. 127),* donde pueden convertirse en reporteros por un día.

TEATRO PARA NIÑOS

E L DISCOVERY **Theater** del Arts and Industries Building *(ver p. 64)* organiza obras de teatro y marionetas. El **Adventure Theater,** en Glen Echo Park, representa obras de marionetas y cuentos de hadas.

El **Kennedy Center** *(ver pp. 112-113)* y **Wolf Trap Farm Park for the Performing Arts** facilitan información sobre actividades para niños en Washington.

UN POCO DE HISTORIA

L OS NIÑOS que estén estudiando la historia del país quedarán fascinados con Cedar Hill, la casa de Frederick

Recorrido para niños en Cedar Hill, la casa de Frederick Douglass

Douglass, en Anacostia. El vídeo del centro de visitantes relata la sorprendente vida de este héroe estadounidense.

También pueden visitar el **Ford's Theatre** *(ver p. 90)*, donde el presidente Lincoln fue asesinado, y la casa de enfrente donde murió.

Los sábados, la **Washington National Cathedral** *(ver pp. 136-137)* organiza un taller medieval donde los niños pueden hacer vidrieras, gárgolas de arcilla o limpiar bronce. El Gargoyle Tour de la catedral es especialmente interesante pues si el tiempo lo permite los niños pueden tocar alguna gárgola del balcón de la catedral.

COMPRAS

LA DISCOVERY **Channel Destination Store,** en el MCI Center, es una tienda multimedia de cuatro plantas donde hay exposiciones interactivas junto con artículos de todo el mundo, juegos científicos, fósiles, libros y globos terráqueos.

La tienda del **National Museum of Natural History** *(ver pp. 66-67)* vende libros, juguetes y juegos sobre la vida submarina, los dinosaurios y la naturaleza en general.

Simulación de una exploración marina del Jason Project de la National Geographic Society

La **National Geographic Society** *(ver p. 128)* tiene exposiciones que encantarán a los niños y en la tienda hay vídeos, libros y números atrasados de su célebre revista.

INFORMACIÓN GENERAL

CONSEJOS PRÁCTICOS

National Air and Space Museum
6th St e Independence Ave, SW. **Plano** 4 D4.
357-2700.

National Museum of American History
Constitution Ave entre 12th St y 14th St, NW.
Plano 3 B4.
357-2700.

DIVERSIONES AL AIRE LIBRE

C&O Canal Visitor Center
1057 Thomas Jefferson St, NW. **Plano** 2 D3.
653-5190.

Carousel on the Mall
Arts and Industries Blg, 900 Jefferson Drive, SW.
Plano 3 B4. *357-1300.*

Glen Echo Park Carousel
7300 MacArthur Blvd, Glen Echo, MD.
(301) 492-6282.

National Gallery of Art Sculpture Garden Rink
7th St y Constitution Ave, NW. **Plano** 4 D4.
842-1310.

National Zoological Park
3001 Connecticut Ave.
673-4800.

Pershing Park Ice Rink
Pennsylvania Ave y 14th St, NW.
Plano 3 B3.
737-6938.

MUSEOS

Capital Children's Museum
3rd St y H St, NE.
Plano 4 F2. *675-4120.*
www.ccm.org

National Air and Space Museum
6th St e Independence Ave, SW. **Plano** 4 D4.
357-1686 (horario de películas del IMAX®).

National Gallery of Art
Constitution Ave entre 3rd St y 7th St, NW.
Plano 4 D3.
789-4995 (películas para niños).
789-3030 (programas familiares).

National Museum of American History
Constitution Ave entre 12th St y 14th St, NW.
Plano 3 B4.
357-2700.

National Museum of Natural History
10th St y Constitution Ave, NW. **Plano** 3 C3.
357-2700 (información general).
633-7400 (horario de películas del IMAX®).

National Postal Museum
2 Massachusetts Ave, NE.
Plano 4 E3. *357-1300.*

Newseum
1101 Wilson Blvd, Arlington, VA.
Plano 1 B4.
(703) 284-3544.
www.newseum.org

Washington Doll House and Toy Museum
5236 44th St, NW.
244-0024.

TEATRO PARA NIÑOS

Adventure Theater
7300 MacArthur Blvd, Glen Echo Park, Md.
(301) 320-5331.

Discovery Theater
900 Jefferson Drive, SW.
Plano 3 C4. *357-1500.*

Wolf Trap Farm Park for the Performing Arts
1551 Trap Rd, Vienna, VA.
255-1900.
www.wolf-trap.org

UN POCO DE HISTORIA

Ford's Theatre
511 10th St, NW.
Plano 3 C3. *347-4833.*
www.fordsteatre.org

Frederick Douglass National Historic Site
1411 W St, SE.
426-5961.

Washington National Cathedral
Massachusetts Ave y Wisconsin Ave NW.
537-2934 (Taller medieval).
537-2934 (Gargoyle tour).
www.cathedral.org

COMPRAS

Discovery Channel Destination Store
MCI Center,
601 F St, NW. **Plano** 4 D3.
639-0908.

National Geographic Store
17th St y M St, NW.
Plano 3 B2. *857-7591.*

National Museum of Natural History Shops
Constitution Ave entre 12th St y 14th St, NW.
Plano 3 C3.
357-1535.

Manual de Supervivencia

Información Práctica 194-201
Llegada y Desplazamientos 202-207
Callejero 208-213

INFORMACIÓN PRÁCTICA

WASHINGTON es el centro de la vida política estadounidense. Es una ciudad muy agradable para los niños y también para los discapacitados pues en casi todos los lugares es obligatorio disponer de acceso para sillas de ruedas. Los organismos oficiales y monumentos cierran los días festivos de ámbito nacional y cuando el gobierno lo considera oportuno. La presencia del presidente y de dirigentes mundiales ocasiona frecuentes retrasos y cierres. La primavera y el otoño son las mejores estaciones para visitar la ciudad, el verano puede ser muy caluroso y el invierno muy frío.

Letrero de un operador turístico

Centro de Visitantes de la Ellipse, cerca de la Casa Blanca

VISITANTES EXTRANJEROS

LAS CONDICIONES para entrar en Washington son las mismas que para entrar en cualquier otra parte de EE UU. A los ciudadanos españoles se les exige el pasaporte en regla, pero no necesitan visado siempre y cuando la estancia sea inferior a 90 días y tengan un billete de vuelta. Los ciudadanos de los demás países deben poseer un pasaporte y un visado de turista que pueden obtener en cualquier consulado o embajada estadounidense. En España hay un servicio de atención personal para solucionar dudas referidas a visados (Tel. 906 42 14 31).

INFORMACIÓN TURÍSTICA

WASHINGTON es una ciudad que trata muy bien a los visitantes. Los puntos de información de los aeropuertos cuentan con un experto personal que le facilitará mapas y guías. Los hoteles importantes suelen poseer un práctico servicio de atención al cliente. Organismos como **Washington DC Convention and Visitors Association** pueden ser útiles a la hora de planificar su visita.

HORARIOS

LA MAYORÍA de los negocios abre de 9.00 a 17.00. Los grandes almacenes y centros comerciales suelen cerrar más tarde o bien tener un horario más amplio un día a la semana. Le resultará difícil comprar los domingos excepto en las gasolineras y las *convenience stores* (tiendas 24 horas), abiertas día y noche. Durante los días festivos quedan poquísimos negocios abiertos. Infórmese de si alguno de esos días festivos coincide con sus vacaciones. A veces el mal tiempo también obliga a cerrar.

COSTUMBRES

ESTÁ PROHIBIDO fumar en numerosos edificios, restaurantes y tiendas de la ciudad. Aunque no vea ningún signo de prohibición, fume fuera por si acaso. Es costumbre dar propinas por casi todos los servicios: en los restaurantes del 15 al 20% de la factura, 1 dólar por maleta a los conserjes de hoteles y mozos de aeropuertos y 2 dólares a los empleados de los aparcamientos; para los camareros, de 50 centavos a 1 dólar por bebida, y en salones de belleza y peluquerías el 10% del total.

IMPUESTOS

EN WASHINGTON y en el área circundante se añaden impuestos en las facturas de hoteles y restaurantes, entradas de teatro, en las tiendas de alimentación y por casi todas las compras. No olvide preguntar si los impuestos están incluidos en el precio. En las tiendas añaden el 10% a la factura y en los hoteles el 13%.

ALCOHOL Y TABACO

EN WASHINGTON la edad legal para consumir alcohol es los 21 años; para comprar alcohol y entrar en los bares se pueden pedir un documento de identidad (I.D.) con fotografía. Está prohibido ingerir alcohol en los parques públicos y llevar un recipiente con alcohol abierto en el coche; las multas por conducir ebrio son muy severas. Para poder comprar tabaco hay que ser mayor de 18 años y también en este caso es costumbre pedir un documento que acredite la edad.

CORRIENTE ELÉCTRICA

EN EE UU LA CORRIENTE es de 110-120 voltios y los enchufes son de dos patillas planas. Para los aparatos eléctricos con el voltaje de otros países se necesita un adaptador y un transformador. Si no se utiliza el transformador los aparatos eléctricos que gastan mucha corriente irán muy despacio y pueden sobrecargarse. Muchos hoteles facilitan secadores de pelo y cafeteras. Casi todas las habitaciones disponen de enchufes para maquinillas de afeitar.

Enchufe americano de patillas planas

Carné Internacional de Estudiante, documento identificativo en EE UU

ESTUDIANTES

S E ACONSEJA a los estudiantes de otros países obtener el Carné Internacional de Estudiante (ISIC) antes de viajar a Washington, ya que da derecho a numerosos descuentos. El manual del ISIC recoge los lugares y servicios de EE UU, alojamientos, museos y teatros, entre otros, que ofrecen descuentos a los portadores de este carné.

NIÑOS

W ASHINGTON es una ciudad muy agradable para viajar con niños; éstos disponen incluso de un museo para ellos, el Capital Children's Museum *(ver p. 51)*. Muchos otros museos organizan divertidas actividades y exposiciones para niños, como la colección de muñecas de los siglos XVIII y XIX del Daughters of the American Revolution Museum *(ver p. 108)*.

En las páginas 190-191 encontrará más información sobre actividades y espectáculos para niños.

Los restaurantes están cada vez más adaptados para atender a las familias y muchos cuentan con menús infantiles o raciones para niños.

PERSONAS MAYORES

L OS MAYORES de 65 años tienen derecho a descuentos si muestran algún documento que acredite su edad. En la **American Association of Retired Persons** le informarán en detalle. La Smithsonian publica un folleto gratuito, *Smithsonian Access*, con información sobre zonas de aparcamiento, accesos para sillas de ruedas e intérpretes para sordos en el distrito de Columbia.

DISCAPACITADOS

W ASHINGTON es una ciudad bastante accesible para los discapacitados. Casi todos los edificios, incluidos los hoteles y los restaurantes, tienen rampas para sillas de ruedas. La **Society for the Advancement of Travel for The Handicapped** facilita información detallada al respecto. La Washington DC Convention and Visitors Association edita un folleto gratuito sobre los lugares de la ciudad fácilmente transitables para los discapacitados.

Señal de discapacitados

VISITAS GUIADAS

E NTRE los numerosos autobuses turísticos que realizan visitas guiadas por la ciudad destaca por su originalidad **DC Ducks**, un autobús abierto que recorre la ciudad por la tierra y por el agua. Otro paseo curioso es el que efectúa **Scandal Tour** por lugares de la ciudad que han sido escenario de escándalos políticos. **Old Town Trolley Tours** ofrece una excelente excursión por los principales monumentos en un trolebús de época.

Recorrido turístico en un vehículo de 1942 restaurado, de DC DUCKS

Seguridad personal y salud

Placa de policía de tráfico

AUNQUE WASHINGTON tiene fama de ser una ciudad muy peligrosa, en los últimos años las autoridades han hecho grandes esfuerzos por adecentar las calles y reducir los índices de delincuencia. Si no se sale del radio de las zonas turísticas no tendrá ningún problema. Los monumentos más importantes se encuentran en zonas seguras y concurridas donde los delitos son raros. Si visita lugares fuera de los itinerarios habituales hágalo en taxi y sobre todo permanezca atento y preste atención a lo que pasa a su alrededor.

FUERZAS DE SEGURIDAD

EN WASHINGTON existen nueve cuerpos de seguridad estatal, entre ellos el servicio secreto, los *park rangers*, los S.W.A.T. (cuerpo especializado en armas y tácticas) y la tradicional M.P.D.C. (Policía Metropolitana del Distrito de Columbia), con uniforme azul.

Como en Washington está la residencia del presidente, siempre que éste viaja es escoltado por agentes de la policía y cada vez que un dirigente político extranjero visita la ciudad la policía se hace más visible de lo habitual: a caballo, en bicicleta, en coche e incluso en las azoteas de los edificios.

Si tiene algún problema, puede pedir ayuda a los policías M.P.D.C.

CONSEJOS PARA SU SEGURIDAD

EN LOS LUGARES más turísticos es raro que ocurra algún incidente grave. En cualquier caso, es mejor no deambular sin rumbo, ya sea de día o de noche. Los turistas son las principales víctimas de los carteristas. Aunque la policía patrulla las zonas turísticas es mejor preparar el itinerario del día con antelación, usar el sentido común y permanecer alerta. Evite comportarse como un turista; estudie el plano antes de salir, no lleve joyas de valor y cerciórese de que la cámara y el vídeo están seguros. Lleve pequeñas cantidades de dinero; las tarjetas de crédito y cheques de viaje son más seguros que el dinero en metálico. Llévelo pegado al cuerpo, en una riñonera o en el bolsillo. Antes de iniciar el viaje haga fotocopia de los documentos más importantes, como el pasaporte y el visado, y sepárelos de los originales. Apunte los números de sus tarjetas de crédito por si las pierde o se las roban. Mantenga sus pertenencias a la vista todo el tiempo, ya sea mientras se inscribe o se marcha del hotel, en el aeropuerto o en los restaurantes. No lleve a ningún extraño a la habitación del hotel ni dé detalles sobre dónde se aloja. Es aconsejable depositar los objetos de valor en las cajas de seguridad del hotel. Casi ninguno se responsabiliza de las pertenencias que deje en la habitación.

OBJETOS PERDIDOS

AUNQUE las probabilidades de recuperar objetos perdidos son escasas, es aconsejable informar a la policía en caso de robo. En el teléfono de **Police Non-Emergency Line** le ayudarán. Asegúrese de guardar una copia del informe de la policía para reclamar a su seguro. En caso de pérdida resulta muy útil saberse los números de serie de los documentos perdidos o tener una fotocopia de éstos, que probará que está en posesión de ellos. Si ha olvidado tomar estas precauciones intente memorizar la empresa de taxi o la línea del autobús en la que viajado pues esto podría ayudarle a recuperar los objetos perdidos.

Para casos de pérdida de tarjetas de crédito casi todas las compañías facilitan teléfonos gratuitos para informar sobre pérdida o robo; Thomas Cook y American Express tienen un teléfono para pérdidas de cheques de viaje *(ver p. 199)*.

SEGUROS DE VIAJE

AUNQUE NO es obligatorio, sí que es muy recomendable contratar un seguro de viajes asegurándose de que éste cubra las urgencias médicas y dentales, dado el altísimo coste de los servicios sanitarios en EE UU. Incluso si el seguro cubre la asistencia médica, en algunos casos usted deberá pagar el servicio, pago que deberá reclamar posteriormente a su compañía de seguros. Si toma alguna medicación llévese el prospecto. También es aconsejable asegurar las posesiones personales y que

Hospital

Policía de la M.P.D.C.

Park ranger

Coche de policía

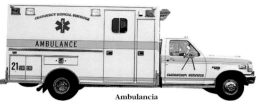

Ambulancia

Camión de bomberos

el seguro cubra la pérdida o robo de equipaje y documentación así como los gastos por cancelación de viaje, asesoramiento legal y heridas o muerte por accidente.

URGENCIAS

En caso de precisar atención médica urgente diríjase al servicio de urgencias de algún hospital. Si necesita una ambulancia solicítela en el 911. Para llamar a la policía o a los bomberos marque este mismo número.

Si ha contratado un buen seguro médico no debe preocuparse por la factura. Si los términos de su seguro se lo permiten es mejor evitar los abarrotados hospitales municipales, que aparecen en las Páginas Azules, y dirigirse a alguno de los hospitales privados que encontrará en las Páginas Amarillas. También puede informarse en el hotel o en la *convenience store* más cercana. Puede solicitar en el hotel que le envíen un médico o un dentista a su habitación.

Cuerpo de bomberos

FARMACIAS

Si necesita una medicina que le han recetado diríjase a una de las numerosas farmacias *(drugstores)* de la ciudad; algunas abren las 24 horas. En el hotel le indicarán la más cercana.

ASESORAMIENTO LEGAL

Si necesita asesoramiento legal llame a su embajada; ésta no le puede prestar dinero pero sí puede aconsejarle en materia legal en caso de emergencia. Si fuera arrestado por cualquier razón tiene derecho a permanecer callado. No intente sobornar a la policía con dinero pues puede terminar en la cárcel.

SERVICIOS PÚBLICOS

Todos los centros de visitantes, museos y galerías disponen de servicios públicos con instalaciones para discapacitados y para cambiar los pañales a los bebés. Los servicios de hoteles y restaurantes suelen estar reservados para los clientes.

INFORMACIÓN GENERAL

OBJETOS PERDIDOS

Police Non-Emergency Line
(727-1010.

FARMACIAS

CVS 24-Hour Pharmacy
1199 Vermont Ave, NW.
Plano 3 B2.
(628-0720.

6–7 Dupont Circle, NW.
Plano 2 F2.
(785-1466.

EMERGENCIAS

Policía, bomberos, médicos (todas las emergencias)
(*Marque el 911 o el 0 de la operadora.*

Servicios médicos
Dentales
(547-7614.

Médicos
(362-8677.

Hospitales
(*Marque el 411 para asistencia directa.*

Crime Victims Line
(727-0497.

REPRESENTACIONES DIPLOMÁTICAS ESPAÑOLAS

Embajada en Washington
2375 Pennsylvania Ave, NW.
Washington D.C. 20037
(728-2330.
FAX 728-2302.

Consulados Generales
150 East 58th St.
30th, Nueva York.
NY 10155
((212) 355-4080.
FAX (212) 644-3751.

545 Boylston St.
Suite 803.
Boston
((617) 536-2506.

180 North Michigan Ave.
Suite 1500.
Illinois 60601
((312) 782-4588.

Bancos y moneda

EN TODO WASHINGTON encontrará lugares donde sacar o cambiar dinero: bancos, cajeros y oficinas de cambio. Lo más importante es recordar que no debe llevar encima todo el dinero y las tarjetas de crédito y asegurarse de reservar suficiente dinero en metálico para pasar el domingo, día en que casi todas las oficinas de cambio y bancos están cerrados.

Chevy Chase Bank, uno de los principales bancos de Washington

BANCOS

EL HORARIO de los bancos es de 9.00 a 14.00 o 15.00 de lunes a viernes, aunque algunos abren antes y cierran después. La mayoría abre los sábados de 9.00 a 12.00 o 13.00. Todos cierran los domingos y fiestas nacionales (*ver p. 37*).

Antes de hacer cualquier operación pregunte si cobran comisión. En la mayoría de los bancos no piden un documento de identidad para canjear cheques de viaje en dólares, sin embargo para cambiar moneda extranjera suelen pedir el pasaporte. Se puede cambiar moneda extranjera en las sucursales de los principales bancos; a menudo tienen una ventanilla o una zona reservada a tal efecto.

CAJEROS AUTOMÁTICOS

RESULTA muy fácil encontrar cajeros automáticos; suelen estar ubicados cerca de la entrada de los bancos o dentro de las tiendas 24 horas o los supermercados.

Casi todos los establecimientos aceptan tarjetas de crédito como VISA o MasterCard y tarjetas de la red Cirrus y Plus. Dependiendo del banco, pueden cobrarle una comisión por utilizar la tarjeta. Pregunte en su banco qué entidades aceptan su tarjeta y los recargos por transacción. Para que el riesgo de robo sea mínimo utilice los cajeros en zonas con gente e iluminadas. Evite sacar dinero de noche o en sitios aislados y tenga cuidado con la gente de alrededor.

TARJETAS DE CRÉDITO

AMERICAN EXPRESS, VISA, MasterCard, Diners Club y Discovery Card son aceptadas prácticamente en todos los establecimientos, desde teatros y hoteles a restaurantes y tiendas. Además de ser más seguro que llevar mucho dinero en metálico, algunas tarjetas de crédito ofrecen ventajas como un seguro para los artículos que compre con ellas o kilómetros de viaje gratuitos en algunas líneas aéreas. Son útiles también si quiere reservar hotel, alquilar un coche o cuando no pueda disponer de dinero en metálico.

Tarjetas de crédito American Express

CAMBIO DE DIVISAS

LAS OFICINAS de cambio suelen abrir los días laborables de 9.00 a 17.00, pero algunas, sobre todo en los barrios comerciales, tienen un horario más amplio.

Entre las más conocidas se encuentran **American Express Travel Service** y **Thomas Cook Currency Services,** ambas con sucursales en Washington y alrededores. **Crestar Bank** también dispone de servicio de cambio. En las Páginas Amarillas encontrará la dirección de las sucursales de los principales bancos. La comisión cobrada por las oficinas de cambio varía, por lo que conviene comparar precios. Los hoteles suelen cobrar una comisión más elevada que las oficinas de cambio o los bancos.

CHEQUES DE VIAJE

SI VA A COMPRAR cheques de viaje hágalo en dólares. Son más prácticos que los cheques emitidos en otras divisas, pues éstos hay que cobrarlos primero; además la mayoría de las tiendas acepta los cheques de American Express y Thomas Cook en dólares sin cobrar comisión. En cualquier caso, los cheques de viaje en moneda extranjera se pueden canjear en los bancos y en los grandes hoteles. Los tipos de cambio aparecen detallados en todos los periódicos, en los bancos con servicio de cambio de divisas y en todas las oficinas de cambio. Antes de realizar la operación infórmese sobre la comisión. Es útil comparar los distintos establecimientos pues las comisiones varían.

Los cheques personales emitidos por bancos extranjeros raramente son admitidos en Estados Unidos; es mejor que no cuente con ellos para obtener dinero en efectivo.

Monedas

Las monedas de EE UU (que aquí se muestran a tamaño real) son de 1, 5, 10 y 25 centavos. También se emiten monedas de 50 centavos y de 1 dólar, pero son poco corrientes. A todas las monedas se les conoce popularmente con un nombre, las de 25 centavos son quarters, *las de 10 centavos* dimes, *las de 5 centavos* nickels *y las de 1 centavo* pennies.

25 centavos
(quarter)

10 centavos
(dime)

5 centavos
(nickel)

1 centavo
(penny)

Gran sello de EE UU de los billetes de 1 dólar

Billetes

La unidad monetaria de Estados Unidos es el dólar, que equivale a 100 centavos. Hay billetes de 1, 5, 10, 20, 50 y 100 dólares. Compruébelos bien pues todos tienen el mismo color. Los nuevos billetes de 20, 50 y 100 dólares puestos en circulación tienen números más grandes.

---

1 dólar (1$)

5 dólares (5$)

10 dólares (10$)

20 dólares (20$)

50 dólares (50$)

100 dólares (100$)

Comunicaciones

Sello de EE UU

Es fácil encontrar cabinas de teléfonos, de monedas y tarjetas en muchas calles, restaurantes, teatros, bares, centros comerciales, vestíbulos de hoteles y gasolineras. Como capital de EE UU, a Washington llega pronto la información, a través de periódicos, revistas, televisión y radio. Si quiere saber los sellos que necesitan sus cartas pregunte en el hotel o diríjase a alguna de las numerosas oficinas de correos de la ciudad.

Teléfonos Públicos

En numerosas esquinas de las calles de la ciudad encontrará teléfonos públicos. El prefijo de Washington es el 202, pero no se marca para llamar dentro del distrito; si llama fuera de éste debe marcar el prefijo correspondiente.

Para llamar con tarjeta de crédito marque el 1-800-CALL-ATT o asegúrese de tener suficiente cambio para cuando le anuncien el precio por utilizar la tarjeta. Se pueden hacer hasta cinco llamadas gratuitas a Directory Assistance (Información Telefónica) marcando el 411.

Teléfonos de Monedas

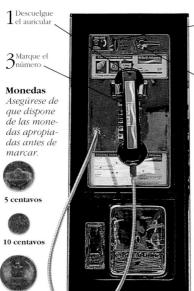

1 Descuelgue el auricular

3 Marque el número

Monedas
Asegúrese de que dispone de las monedas apropiadas antes de marcar.

5 centavos

10 centavos

25 centavos

2 Introduzca un número razonable de monedas. Éstas caen en cuanto se insertan.

4 Si desiste de llamar o no se efectúa la conexión presione el botón *coin return* para recuperar las monedas.

5 Si se establece la comunicación y su llamada dura más de los tres minutos cubiertos por las monedas introducidas la operadora le indicará que inserte más monedas. Los teléfonos públicos no devuelven el cambio.

WESTERN UNION

Logotipo de Western Union

Tarifas Telefónicas

En los teléfonos públicos el coste de una llamada local es de 30 centavos los tres minutos. Merece la pena llamar desde el teléfono público del vestíbulo del hotel ya que desde la habitación la tarifa sube bastante. Las llamadas a través de la operadora también son más caras. Existen tarjetas de teléfono de distintos precios que se pueden adquirir en los supermercados, tiendas 24 horas, puestos de periódicos y algunas sucursales de Western Union.

Fax

Las sucursales de Western Union y **Mailboxes Etc.** disponen de servicio de fax; el envío y la recepción se cobran por página. Muchos hoteles ofrecen también servicio de fax pero resulta más caro.

'Cibercafés'

Los cafés para internautas como **Cyberstop Café** ofrecen la posibilidad de comunicarse por Internet. Por unos 7 dólares la hora podrá navegar por la red o enviar mensajes por correo electrónico desde uno de sus ordenadores.

Prefijos Útiles

- Para llamadas a otras zonas fuera de Washington marque el **1** antes del prefijo correspondiente. Éstos son algunos prefijos de la zona de Washington y alrededores: Baltimore **410;** Delaware **302;** norte de Virginia **703;** Virginia Occidental **304.**
- Para conferencias internacionales marque el **011** seguido del código del país, el prefijo de la zona sin el 0 inicial y por último el número.
- Para llamar al servicio España Directo (cobro revertido): **AT&T** (1800 247 72 46), **MCI** (1800 937 72 62), **Sprint** (1800 676 40 03), **WorldCom** (1800 746 50 20).
- Operadora internacional: **01.**
- Operadora local: **0.**
- Información internacional: **00.**
- Información local: **411.**
- Para llamadas de urgencia a la policía, bomberos o ambulancia marque el **911.**
- Los números que empiezan por **1-800 y 888** son gratuitos.

SERVICIO POSTAL

El HORARIO DE las oficinas de correos es de lunes a viernes de 9.00 a 17.00 y los sábados de 9.00 a 12.00. Cierran los domingos y las fiestas nacionales.

Si su carta tiene los sellos necesarios puede enviarla introduciéndola en uno de los buzones de correos de color azul repartidos por las calles de Washington.

Buzón de correos

El horario de recogida está indicado en los buzones. Suele haber varios servicios de recogida al día. Si indica el código postal en las cartas con destino a EE UU se asegurará una entrega rápida.

Dentro de EE UU las cartas tardan entre uno y cinco días, depende del destino. Los envíos fuera del país es mejor hacerlos por avión, en caso contrario tardan semanas en llegar. Las oficinas de correos disponen de servicios de envío Express mail (en un día) y Priority mail (en dos días), aunque son más caros. Si está de visita en la ciudad y desea recibir correo pueden enviárselo a la Oficina Central de Correos o a cualquier otra oficina indicando en el sobre "General Delivery". Se lo guardarán hasta que usted lo recoja.

TELEVISIÓN Y RADIO

En EE UU HAY TELEVISORES prácticamente en todos los establecimientos, bares, restaurantes, hoteles y tiendas. La mayoría dispone de televisión por cable, que permite acceder a más de 60 canales diferentes. CBS (canal 9), NBC (canal 4), CNN (canal 10), ABC (canal 7) y Fox (canal 3) son algunos de los mejores. Si le interesa el día a día de España sintonice la programación del Canal Internacional de Televisión Española (RTVE).

Casi todos los hoteles y coches de alquiler disponen de aparatos de radio. Ésta emite todo tipo de música, desde *country* y música clásica a jazz o rock. Entre las emisoras más populares se encuentran National Public Radio (WAMU en el 90.9 y 88.5), WHFS (99.1), que emite rock moderno, y Easy 101 (101), emisora de rock suave.

PERIÓDICOS

El PERIÓDICO más leído en el distrito de Columbia es el *Washington Post*, uno de los más acreditados periódicos del país. El periódico local *Washington Times* y *USA Today* se pueden conseguir fácilmente; *The Wall Street Journal* y *The New York Times* se compran en las máquinas expendedoras, en los puestos de prensa, gasolineras y tiendas 24 horas. En los quioscos y algunas librerías se puede adquirir prensa extranjera, aunque lo más sencillo es conectarse a Internet. En www.inicia.es se puede consultar *El País*.

Vendedor de periódicos

INFORMACIÓN GENERAL

TARJETAS DE TELÉFONO

Western Union
Sucursales en todo Washington.
Para la más cercana marque:
📞 (800) 325-6000.
🌐 www.westernunion.com

FAX

Mailboxes Etc.
4401 Connecticut Ave, NW.
📞 244-7299.
🌐 www.mbe.com

American University,
4410 Massachusetts Ave.
📞 686-2100.

OFICINAS DE CORREOS

Farragut Station
1800 M St, NW.
Plano 2 F2.

Friendship Station
4005 Wisconsin Ave, NW.

Georgetown Station
1215 31st St, NW.
Plano 2 D2

Main Post Office
900 Brentwood Rd, NE.
Plano 4 F1.

Martin Luther King Jr. Station
1400 L St, NW.
Plano 2 F3.

National Capitol Station
2 Massachusetts Ave, NE.
Plano 4 E3.

Temple Heights Station
1921 Florida Ave, NW.
Plano 2 E1.

Para la sucursal más cercana marque:
📞 635-5300.

'CYBERCAFÉS'

Cyberstop Café
1513 17th St, NW. **Plano** 3 B2.
📞 234-2470.
🌐 www.cyberstopcafe.com
@ feedback@cyberstopcafe.com

HUSOS HORARIOS

Washington se encuentra en la zona horaria del Este. Cuando en Madrid son las 19.00 en Washington son las 13.00. El último domingo de abril se adelantan los relojes una hora y el último domingo de octubre se atrasan.

Ciudad y país	Horas + o -	Ciudad y país	Horas + o -
Chicago (EE UU)	-1	Moscú (Rusia)	+8
Dublín (Irlanda)	+5	París (Francia)	+6
Londres (Gran Bretaña)	+5	Sidney (Australia)	+15
Los Ángeles (EE UU)	-3	Tokio (Japón)	+14
Madrid (España)	+6	Vancouver (Canadá)	-3

LLEGADA Y DESPLAZAMIENTOS

WASHINGTON ofrece una excelente red de comunicaciones. En el distrito de Columbia hay tres aeropuertos, donde operan casi todas las compañías aéreas importantes, nacionales e internacionales. Dos líneas de autobuses

Avión de United Airlines

unen los aeropuertos con la ciudad, al igual que los trenes Amtrak, que salen de Union Station. Los turistas suelen ir directamente a la ciudad para alojarse en el hotel y desde Washington realizar excursiones de uno o varios días a Maryland y Virginia.

Interior acristalado de Ronald Reagan National Airport

LLEGADA EN AVIÓN

EXISTEN tres grandes aeropuertos en la zona de Washington: **Dulles International Airport, Ronald Reagan Washington National Airport** (más conocido como National) y **Baltimore-Washington International Airport** (el BWI). **Spanair** (Tel. 902 13 14 15; www.spanair.com) es la única compañía española que cubre la ruta entre Madrid y Washington, una conexión diaria con el modelo Boeing 767. El vuelo transatlántico dura 8 horas y 20 minutos. El aeropuerto más importante del distrito de Columbia es

Dulles, a donde llegan la mayoría de los vuelos internacionales. Está situado en Virginia, 42 kilómetros al oeste de Washington. El **Washington Flyer Express Bus** ofrece un servicio continuo de autobuses al centro de Washington y los autobuses de **SuperShuttle** salen cada hora. Si viaja en taxi desde Dulles al centro de Washington no olvide negociar la tarifa antes.

Aunque está situado a 16 km de Washington, en Arlington County (Virginia), el Ronald Reagan es el aeropuerto más conveniente si usted se dirige al centro de la ciudad. Puede elegir entre las líneas amarilla y azul del metro, el SuperShuttle (que sale cada media hora), el Washington Flyer Express Bus o un taxi.

El Baltimore-Washington, 48 km al noreste de Washington, lo utilizan más compañías aéreas económicas. **The Maryland Rail Commuter Service (MARC)** es el medio de transporte más barato para llegar a la ciudad pero sólo presta servicio entre semana.

Por unos dólares más puede viajar en el excelente tren **Amtrak**. También cubre el recorrido el SuperShuttle pero es más caro y tarda más que el tren. La tarifa de los taxis al centro es elevada.

TARIFAS AÉREAS

LAS ÉPOCAS con mayor número de viajeros a Estados Unidos son de marzo a junio, de septiembre a octubre y en Navidad y los vuelos alcanzan los precios más elevados. Las tarifas más altas son las de junio y julio, pero los hoteles lanzan para estos meses numerosas ofertas. Los vuelos de fin de semana suelen ser más económicos que los de entre semana. Las tarifas Apex son las más baratas pero deben reservarse al menos con una semana de antelación, la estancia debe incluir una noche de sábado y no admite cambio de fechas.

Lo mejor es comparar los precios de varias compañías aéreas y agencias de viaje antes de hacer la reserva.

El autobús Washington Flyer hace el recorrido Dulles-Washington

AEROPUERTO	ℹ INFORMACIÓN	DISTANCIA/TIEMPO A WASHINGTON	TARIFA DE TAXIS	WASHINGTON FLYER	SHUTTLE EXPRESS
Dulles	(703) 369-1600	42 km 40 minutos	40$	8$–14$	16$–26$
National	(703) 417-8000	16 km 15 minutos	10$–15$	8$–13$	8$–14$
BWI	(800) 435-9294	48 km 50 minutos	45$	19$–29$	–

Venta de billetes en el mostrador de Amtrak

Los billetes de las agencias suelen ser más económicos y ofrecen más flexibilidad que los vendidos directamente por las compañías aéreas.

VIAJES ORGANIZADOS

LA CAPITAL FEDERAL suele aparecer en los folletos turísticos como excursión de dos días o complemento a Nueva York, el gran polo de atracción turística de Estados Unidos. Para Washington repase en España la selección hotelera de las mayoristas **Ambassador Tours** y **Trapsatur. Mundicolor** reserva alojamiento en varios hoteles de la capital. **Expomundo**, además de hoteles, reserva la visita al Cementerio Nacional de Arlington.

LLEGADA EN TREN

LA COMPAÑÍA AMTRAK es el medio de transporte más cómodo para viajar a Washington. Los trenes procedentes de otras ciudades llegan a Union Station. Desde esta estación salen también trenes hacia Baltimore, Filadelfia, Richmond y Williamsburg. El Metroliner, un tren de lujo de Amtrak que hace el recorrido Washington-Nueva York es más rápido y cómodo, aunque también más caro que los trenes regulares. El Acela es un nuevo tren de alta velocidad relativamente barato que une Washington con Nueva York y Boston. El MARC, servicio de cercanías de Maryland, viaja los días laborables a Baltimore.

LLEGADA EN COCHE

EL CENTRO de Washington está rodeado por las autopistas interestatales I-95 e I-495, que juntas forman el congestionado Capital Beltway (cinturón de circunvalación). La interestatal I-66 conecta Washington con Virginia Occidental y la I-50 con Annapolis, al este, Maryland y las zonas circundantes. Fuera del Beltway, la I-95 continúa dirección norte hacia Baltimore, Filadelfia y Nueva York. La I-270 se dirige al norte a Frederick (Maryland).

Autobús Greyhound, transporte económico para recorrer el país

LLEGADA EN AUTOBÚS

EL AUTOBÚS es el medio más lento pero también el más económico para viajar a Washington. Los autobuses **Greyhound Busline** y **Peter Pan Trailways** llegan desde todo el país y tienen precios especiales para niños y personas mayores. Las estaciones están ubicadas en una zona algo apartada de la ciudad, en 1005 1st St NE con L St. De noche es aconsejable coger un taxi.

Moverse por Washington

WASHINGTON cuenta con una excelente red de transporte público. Tanto para los visitantes como para los lugareños resulta mucho más cómodo utilizar el transporte público que el coche, sobre todo porque de esta forma se evita el problema de buscar el codiciado aparcamiento. A los principales lugares de interés de la ciudad se puede acceder a pie, en Metrorail, Metrobus o en taxi.

Intenso tráfico nocturno en el centro de Washington

PLANIFICACIÓN DEL VIAJE

LOS DEPARTAMENTOS de turismo de Washington, Maryland y Virginia ofrecen información muy útil; una vez en la ciudad, los hoteles suelen ser también de gran ayuda.

En los teléfonos de **Smithsonian-Dial-a-Museum y Dial-a-Park** le ofrecerán información sobre los acontecimientos locales. En invierno el tiempo es impredecible, si viaja en esta época llame a **Weather Update** para la información meteorológica de última hora.

Turistas consultando un plano en un quiosco de información turística

CÓMO ORIENTARSE

WASHINGTON es una ciudad estupenda para recorrerla a pie siempre que lleve zapatos cómodos y sea avispado. Casi todos los monumentos principales se encuentran en el Mall o en sus alrededores. Otros lugares, como Georgetown, hay que recorrerlos a pie si se quiere disfrutar del ambiente y visitar los monumentos.

Sirve de mucha ayuda saber que, excepto Georgetown, la ciudad está dividida en cuadrantes: noreste (NE), noroeste (NW), sureste (SE) y suroeste (SW), con el Capitolio en el centro. Todas las direcciones de la ciudad incluyen el código del cuadrante; como una misma calle puede tener hasta más de mil números este código es necesario para ubicar el lugar en cuestión.

También le puede ayudar a orientarse el saber que la mayoría de las calles con nombre de número van de norte a sur y las calles con nombre de letra de este a oeste. Debe saber, sin embargo, que no hay calle J, X, Y o Z y que la I de la calle I muchas veces se escribe *Eye*.

Casi todos los monumentos y barrios turísticos se encuentran en el cuadrante noroeste. En el cuadrante suroeste están otros lugares de interés situados en la zona del Capitolio y el sur del Mall.

METRORAIL

PARA MOVERSE por Washington es fundamental hacerse con un plano del Metrorail *(ver la guarda de cubierta posterior)*. La primera vez que utilice este medio de transporte (el metro, como se le conoce también) debe ir sin prisas pues cuesta un poco entender el plano y las instrucciones sólo están escritas en inglés.

El precio del trayecto varía entre 1,10 y 3,50 dólares, depende de la duración y la distancia del viaje.

Los billetes o *farecards* para uno o varios viajes se venden en máquinas expendedoras. Éstas aceptan monedas y billetes no superiores a 20 dólares; inserte la cantidad exacta y añada el dinero necesario si quiere utilizar el *farecard* más de una vez.

Los pasajeros deben introducir el billete por el torniquete al principio y al final de cada trayecto y éste se lo devolverá si le queda dinero para hacer otro trayecto, si no se lo quedará. Puede conseguir los billetes a un precio reducido si compra por valor de más de 20 dólares pues de esta forma obtendrá un descuento del 20% en el precio de cada billete. Existen también billetes de transbordo tren-autobús para continuar el trayecto en autobús. Los precios de los abonos van desde los 5 dólares para un día a los 100 dólares para 28 días.

Hay cinco líneas de metro que prestan servicio en el centro: la naranja, la azul, la roja, la amarilla y la verde. El metro funciona de 5.30 a 24.00 de lunes a viernes y de 8.00 a 13.00 los sábados y los domingos.

Señal del metro

Metrobus de Washington

METROBUS

Aʟ ɪɢᴜᴀʟ ǫᴜᴇ el Metrorail, el Metrobus es un medio rápido y económico para moverse por la ciudad. En la red del Metrobus, que abarca hasta Virginia y Maryland, hay 15.800 paradas.

La tarifa normal fuera de las horas punta cuesta un dólar y 10 centavos más si hace transbordo. Los discapacitados y las personas mayores gozan de descuentos. Por el precio de un billete puede viajar un adulto con hasta dos niños menores de cinco años. Se puede pagar con el bono turista o entregando la cantidad exacta al conductor.

Los planos de todas las rutas se pueden conseguir en las estaciones de metro y en cada parada se indican los planos de las líneas de Metrobus. Los visitantes pueden escribir a la oficina de **Metrobus** antes de iniciar el viaje para solicitar información y planos.

TAXIS

Eɴᴄᴏɴᴛʀᴀʀ ᴜɴ ᴛᴀxɪ en Washington no es difícil. Normalmente puede conseguir uno en cualquier esquina pero si necesita llegar a algún lugar a una hora precisa es mejor llamar a una empresa de taxis y quedar a una hora y en un lugar determinado. La **DC Taxi Cab Commission** facilita los nombres de las empresas de taxis. La tarifa es la misma dentro de cada zona, independientemente de la distancia recorrida. Dentro de una misma zona es de 4 dólares y aumenta si se sale de ella. Un recorrido que incluya dos zonas cuesta 5,50 dólares, uno con tres 6,70 dólares y así hasta un máximo de 12,50 dólares.

El precio se eleva entre 50 centavos y 2 dólares por pasajero extra, maletas y hora punta. Asegúrese siempre de que el conductor no le cobre de más por pasar los límites de una zona.

CONDUCIR Y APARCAR EN WASHINGTON

Cᴏɴᴅᴜᴄɪʀ por Washington no tiene por qué resultar estresante siempre que evite las horas punta (entre 6.30 y 9.30 y 16.00 y 19.00 entre semana). Durante ese periodo el sentido de la dirección de las calles puede cambiar, algunas se convierten en calles de sentido único y a veces se prohíbe girar a la izquierda. Aunque estos cambios suelen estar indicados, preste mucha atención a la carretera. El trazado de la ciudad es muy sencillo pero algunos conductores adoptan una actitud agresiva con el tráfico intenso. Es difícil encontrar aparcamiento cerca de los lugares más concurridos y además en muchas zonas está prohibido aparcar en hora punta. Si deja su coche en un aparcamiento con parquímetro no rebase el límite de tiempo, pues se arriesga a ser multado o a que pongan un cepo a su coche.

Señal en una calle

Las restricciones para aparcar varían los domingos y los festivos; lea las señales con atención. Los aparcamientos públicos pueden costar hasta 20 dólares por día. En algunos restaurantes, hoteles y grandes almacenes puede pagar para que le aparquen el coche.

Es preferible utilizar el transporte público para visitar los lugares turísticos. Si decide viajar a Washington en coche, debe plantearse dejarlo en un aparcamiento subterráneo y utilizar el metro o los autobuses para moverse por la ciudad. Para más información llame o escriba a **Parking Guide Magazine** o consulte su página *web*.

INFORMACIÓN GENERAL

TELÉFONOS ÚTILES

Speaking Clock
📞 *844-1212.*

Weather Update
📞 *936-1212.*

Smithsonian's Dial-a-Museum
📞 *357-2326.*

Dial-a-Park
📞 *619-7275.*

METRORAIL Y METROBUS

Metrorail and Metrobus
600 5th St, NW,
Washington, DC 20001.
📞 *637-7000.*
📞 *638-3780 TTY.*
🌐 www.wmata.com

TAXIS

DC Taxi Cab Commission
2041 Martin Luther King Jr. Ave, SE,
Washington, DC 20020.
📞 *645-6005.*

CONDUCIR Y APARCAR EN WASHINGTON

Parking Guide Magazine
6800B Laurel Bowie Rd,
Bowie, MD 20715.
📞 *(301) 262-9197.*
🌐 www.parkingguide.com

Taxi de Washington

Excursiones desde Washington

MÁS ALLÁ de los límites de la ciudad hay mucho que ver y viajar en coche resulta fácil si se tiene un buen mapa. Se puede utilizar el transporte público para visitar la mayoría de los lugares de interés pero es más fácil y más económico ir en coche. El tren y el autobús son otra posibilidad pero no llegan a todos los sitios.

Patinadores en una carretera desierta

NORMAS DE CIRCULACIÓN

EL LÍMITE DE VELOCIDAD en el distrito de Columbia es de 88 km/h, bastante menor que en muchos países europeos. La velocidad máxima permitida en las zonas urbanas está entre 32 y 48 km/h y de hasta 24 km/h en las zonas donde hay escuelas. Las carreteras suelen estar bien señalizadas; de todas formas es aconsejable planear el viaje con antelación. Es importante seguir las indicaciones, sobre todo las de prohibido el cambio de sentido, si no quiere ser multado. Si la policía le hace desviarse hacia un lado sea cortés y evitará recibir una multa mayor.

Los conductores españoles deben llevar el carné de conducir internacional en regla y los documentos de matriculación del coche.

Señal de tráfico

ALQUILER DE COCHES

PARA ALQUILAR un coche hay que tener más de 25 años, estar en posesión del carné de conducir internacional en regla y ser titular de una tarjeta de crédito o dejar una elevada suma en concepto de depósito; se aconseja suscribir un seguro de daños a terceros por si ocurre algún accidente. Es preferible devolver el coche con el depósito de gasolina lleno, en caso contrario la agencia se la cobrará a un precio bastante más elevado.

Resulta más barato alquilar un coche en el aeropuerto, pues el impuesto por alquiler es de dos dólares más por día en la ciudad. Los precios y las ofertas cambian de una agencia a otra y merece la pena preguntar en más de una. **Alamo, Avis, Budget** y **Hertz** tienen oficinas en los aeropuertos de Washington.

COMBUSTIBLE

SE UTILIZAN tres tipos: normal, super y extra *(premium)*. En las gasolineras cobran una cantidad adicional por llenar el tanque, que puede ahorrarse llenándoselo usted mismo en las gasolineras autoservicio. La gasolina es más barata en EE UU y se puede pagar con tarjeta de crédito, cheques de viaje o al contado, que es la forma que se prefiere.

AVERÍAS

SI TIENE la mala suerte de que su coche se averíe lo mejor es apartarse de la carretera y utilizar las luces de emergencia para avisar a los demás conductores de que está parado. En algunas de las principales autopistas interestatales hay teléfonos de emergencia, en otros casos póngase en contacto con los servicios de averías o con la policía desde cualquier otro teléfono, fijo o móvil. Si el coche es alquilado, en caso de avería deben informar primero a la agencia de alquiler.

La American Automobile Association (AAA) dispone de un servicio de grúa a la estación de servicio más cercana para sus miembros.

APARCAMIENTO

LA MAYORÍA de los monumentos cuenta con aparcamiento para los visitantes, pero es bastante común que haya que pagar por utilizarlo.

Como norma, lea detenidamente todas las indicaciones para evitar que le multen, pongan un cepo a su coche o se lo lleve la grúa.

Señal de aparcamiento

CICLISMO

EXISTEN algunos caminos excelentes para bicicletas en el área metropolitana de Washington, en el distrito de Columbia. En las tiendas de

Ir en bicicleta es una manera agradable de ver los lugares de interés

Tourmobile bus, uno de los muchos autobuses turísticos

bicicletas alquilan bicis y proporcionan mapas de rutas. **Better Bikes** cobra entre 25 y 50 dólares por bicicleta y día. La empresa **Bike the Sites, Inc.** organiza recorridos, como el Early Bird Fun Ride, de una hora, y el Capital Sites Ride, de 16 km. El precio incluye una bicicleta de 21 velocidades, casco, bidón de agua y un bocadillo.

EXCURSIONES EN AUTOBÚS

Algunas empresas organizan excursiones en autobuses por el distrito de Columbia y los alrededores. El Black Heritage Tour de **Gray Line** recorre Gettysburg, Williamsburg y Monticello, mientras que **Tourmobile** va a Mount Vernon, Frederick Douglass House y al cementerio de Arlington.

TRENES

Amtrak viaja desde Union Station de Washington a Nueva York y a numerosos puntos de los alrededores, como Williamsburg, Richmond y Baltimore. El tren del MARC (tren de cercanías de Maryland) a Baltimore, de lunes a viernes, sale más barato.

INFORMACIÓN GENERAL

AGENCIAS DE ALQUILER DE COCHES

Alamo
(800) 327-9633.
www.goalamo.com

Avis
(800) 331-1212.
www.avis.com

Budget
(800) 527-0700.
www.budgetrentacar.com

Hertz
(800) 654-3131.
www.hertz.com

ASISTENCIA EN AVERÍAS

American Automobile Association (AAA)
701-15th St, NW, Washington, DC 20005.
331-3000 (oficina de Washington).
(800) 222-4357 (oficina central).

ALQUILER DE BICICLETAS

Better Bikes
293-2080.

Bike The Sites, Inc
3417 Quesada St, NW.
966-8662.
www.bikethesites.com

AUTOBUSES TURÍSTICOS

Gray Line
Union Station,
50 Massachusetts Ave.
(800) 862-1400
289-1995.
www.dctourism.com/dc

Tourmobile
1000 Ohio Drive, S.W.,
Washington, D.C. 20024
554-5100.
www.tourmobile.com

CONSEJOS PARA LOS CONDUCTORES

- En EE UU se conduce por la derecha.
- El cinturón de seguridad es obligatorio en la parte delantera; en la parte trasera se recomienda llevarlo; los menores de tres años deben ir en silla.
- Está permitido girar a la derecha con el semáforo en rojo si antes ha detenido totalmente el vehículo y no hay ninguna indicación que lo prohíba.
- La luz ámbar intermitente en un cruce indica que debe disminuir la velocidad, mirar si vienen coches y proceder con cautela.
- En las carreteras de varios carriles se debe adelantar por la izquierda.
- Está prohibido cruzar una línea doble amarilla para girar en sentido contrario o para adelantar.
- Si un autobús escolar se detiene, el tráfico de ambos lados debe detenerse también y esperar a que el autobús parta de nuevo.
- Conducir ebrio es un delito grave castigado con multas

elevadas e incluso con penas privativas de libertad. No beba si planea conducir.
- Evite conducir de noche si no conoce la zona. En Washington se pasa de calles tranquilas a otras muy peligrosas en pocos minutos. Es mejor coger un taxi que conducir si no sabe a dónde va.
- Las mujeres solas deben ser especialmente precavidas si conducen por una zona desconocida.
- Lleve todas las puertas con el seguro activado. No pare en zonas rurales o en una manzana oscura si alguien llama su atención. Si otro conductor le hace indicaciones de que le pasa algo a su coche diríjase a la gasolinera más cercana. No salga del coche.
- No duerma en el coche.
- Viaje por carreteras transitadas; evite los atajos.
- No se detenga a mirar un mapa en un lugar oscuro y deshabitado. Es más seguro dirigirse a la tienda o a la gasolinera abierta más cercana.

Índice del callejero

Signos Convencionales

▦ Monumentos importantes	🅿 Aparcamiento	✡ Sinagoga
▦ Otros monumentos	ℹ Información turística	⊠ Oficina de correos
▦ Lugar de interés	✚ Hospital con servicio de urgencias	— Calle de sentido único
🚂 Estación de ferrocarril	🚔 Policía	⛴ Parada del transbordador
Ⓜ Estación de metro	✝ Iglesia	
🚌 Estación de autobuses	☪ Mezquita	0 metros 300

1:20,833

Abreviaturas Utilizadas en el Callejero

Ave	Avenida	**Dr**	Avenida	**Pkwy**	Carretera principal	**St**	Calle/San
DC	Distrito de	**NE**	Noreste	**Pl**	Plaza	**SW**	Suroeste
	Columbia	**NW**	Noroeste	**SE**	Sureste	**VA**	Virginia

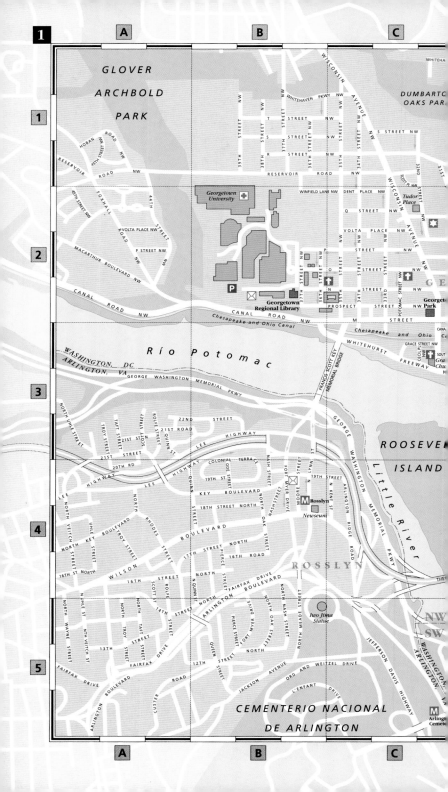

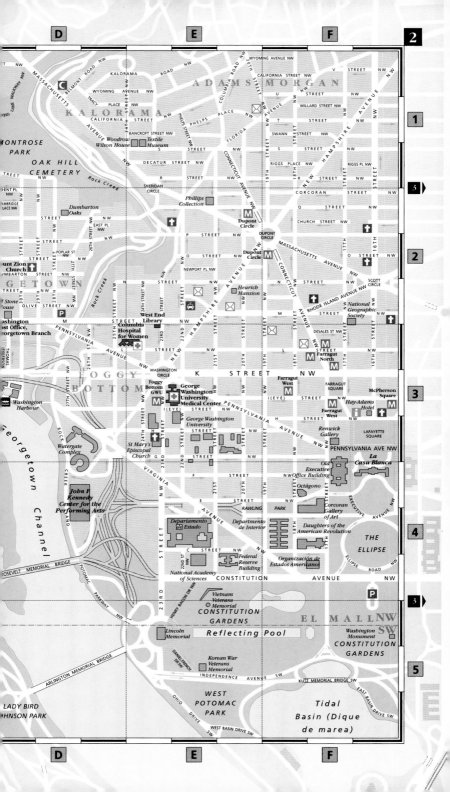

Índice general

Agradecimientos

EL PAÍS-AGUILAR Y DORLING KINDERSLEY quieren dar las gracias a las personas que con su ayuda han contribuido a la elaboración de este libro.

COLABORACIONES PRINCIPALES
SUSAN BURKE reside en Virginia y trabaja como redactora en Air Line Pilots Association. Es profesora de escritura creativa desde hace años y editora independiente de libros y revistas sobre temas de sociología, economía y política.

ALICE POWERS es una escritora afincada en Washington. Ha publicado numerosos artículos en el *Washington Post* y otros periódicos. Es autora de varias antologías literarias y profesora de escritura en el Corcoran College of Art and Design.

JENNIFER QUASHA vive en Nueva York pero está muy ligada a Washington desde hace tiempo. Es autora de muchos libros sobre temas tan diversos como viajes o salud y ha trabajado en otros libros de Dorling Kindersley como *Walking With Dinosaurs*.

KEM SAWYER es un escritor afincado en Washington desde hace 20 años y ha escrito libros para niños, crónicas especiales y reseñas de libros; disfruta especialmente escribiendo sobre historia local.

EDITORA EJECUTIVA
Louise Lang

EDITORA ARTÍSTICA Y EJECUTIVA
Kate Poole

DIRECCIÓN ARTÍSTICA
Gillian Allan

AYUDANTES EDITORIALES Y DE DISEÑO
Sue Megginson, Johnny Pau, Hugh Thompson.

CORRECCIÓN DE PRUEBAS
Stewart Wild

ÍNDICE
Hilary Bird

INVESTIGACIÓN
Sarah Miers

AYUDANTES ESPECIALES
Nuestro agradecimiento especial a Kathleen Brooks del National Air and Space Museum, Jessie Cohen y Leah Overstreet del National Zoological Park, Julie Heizer de Washington DC Convention and Visitors Association, Sarah Petty y Brennan Rash del National Museum of American Art, Shannon Roberts de la National Gallery of Art y Morgan Zinsmeiter del National Museum of American Art. Gracias también a Dumbarton House, National Headquarters of the National Society of The Colonial Dames of America.

FOTOGRAFÍAS ADICIONALES: Max Alexander, Frank Greenaway, Tim Mann, Scott Suchman, Matthew Ward, Stephen Whitehorn.

PERMISOS FOTOGRÁFICOS
El País-Aguilar y Dorling Kindersley quieren dar las gracias a todos los que han permitido fotografiar en sus establecimientos así como a las catedrales, iglesias, museos, restaurantes, hoteles, tiendas, galerías y otros lugares de interés, demasiado numerosos para citarlos individualmente.

CRÉDITOS FOTOGRÁFICOS
a = arriba; ai = arriba izquierda; aic = arriba izquierda centro; ac = arriba centro; adc = arriba derecha centro; ad = arriba derecha; cia = centro izquierda arriba; ca = centro arriba; cda = centro derecha arriba; ci = centro izquierda; c = centro; cd = centro derecha; ciab = centro izquierda abajo; cab = centro abajo; cdab = centro derecha abajo; abi = abajo izquierda; ab = abajo; abc = abajo centro; abci = abajo centro izquierda; abd = abajo derecha; d = detalle.

Las reproducciones se han hecho con el permiso de los siguientes poseedores de *copyright*:

John F. Kennedy Monument, 1971 and *Albert Einstein Centennial Monument*, 1979 © Robert Berks Studios, Inc., Todos los derechos reservados – 29cda, 113cda, y 110ab respectivamente; United States Navy Memorial *Lone Sailor*, 1990 ©, Stanley Bleifield 86abi; *Two Discs*, 1965 Alexander Calder © ADGP, Paris and DCAS, London 2000-64a: Franklin D. Roosevelt and his dog Fala, 1997 Neil Estern 33ab, 79c: *Korean War Veterans Memorial* © KWVM Productions Inc.; Memorial Designer: Cooper-Lecky, arquitectos; escultor: Frank Gaylord 32a y 78ciab; *Hunger* George Segal © George Seagal VAGA, New York DACS, London 2000-79a; *Oscar S. Straus Memorial Fountain* © Adolph Alexander Weinman, 1947-87c; *Iwo Jima Memorial*, 1995 y *Seebees Memorial*, 1971 © Felix De Weldon 32abi, 126a y 125cda respectivamente; cubierta: © Felix DeWeldon (escultor): *Iwa Jima Memorial Centre* cubierta abajo centro.

AFP: Stephen Jaffe 23c; Joyce Naltchayan 34c; Mario Tama 26abd; ALLSPORT: Doug Pensinger 188c, 188ab; DAN BEIGEL: 113a; BRIDGEMAN ART LIBRARY, LONDON & NEW YORK: Baynton Williams, London *The Bay of Annapolis*, c.1880 (litografía) por W. Currier (1813-1828) y J.M. Yves (1824-1895) 141 (insertada); Freer Gallery, Smithsonian Museum, *Sheep and goat* de Chao Meng Fu 54abi; National Gallery of Art Washington, D.C. *La Madonna blanca* de Rafael (Rafaello Sanzio de Urbino, 1483-1520) 56cia; National Gallery of Art, Washington, D.C., East Building, diseñado por I.M. Pei, 1978, escultura suspendida de Alexander Calder 57ab; The Phillips Collection, Washington, D.C., *Fiesta en el barco* (1881) de Pierre Auguste Renoir (1841-1919) 129a; la Casa Blanca, Washington D.C., *Retrato de Woodrow Wilson* de Sir William Orpen (1878-1931) 25ai.

CORBIS: 19c, 20c, 25cd, 26abd, 27ai, 27cdab, 77ai; AFP: 23ab; Dave Bartruff 29cd; Joseph Sohm; Chromosohm Inc. 33ai, 36abd, 85 abi; Corbis-Bettman 21c, 22a, 22ci, 23a, 25ad, 26abi, 27ci, 27cda, 68ab, 85cd, 90 a; Corcoran Gallery of Art 14, Jay & Becky Collection 21a, 25abd; Katherine Karnow 34a, 116ab; Kelley-Mooney Photography 190ab; Wally McNamee 22 cd, 111ab; Matthew Mendelsohn 27 abi; David Muench 144ab; Richard J.Nowitz 3 (insertada), 36a, 37cd; Moshe Shai 27abc; donado por Benjamin Ogle Thayloe, Colección de la Corcoran Gallery of Art 24ai; Mark Tiessen 37ab; Underwood & Underwood 74ad; UPI 86abd.

DANITA DELIMONT (AGENTE): David R Frazier Photolibrary/NASM 63c; Karen Hunt Mason 35ab; Carol Pratt 186ai; Scott Suchman 131ci, 202c.

PHILIPPE LIMET DEWEZ: 186ab, 187.

MARY EVANS PICTURE LIBRARY: 9 (insertada), 39 (insertada), 159 (insertada).

MICHAEL FREEMAN: 38-39, 48abi, 49ai, 60cia, 60abd, 61ci, 61cd, 63ab, 71ab, 72ab.

HOTEL GEORGE: 160ab

GRANGER COLLECTION, NEW YORK: 8-9, 15c, 15ab, 16a, 16ci, 16ab, 17a, 17c, 17ab, 18a, 18c, 18ab, 19a, 19ab, 20a, 20ab, 21ab, 24ad, 24ci, 24abi, 24abc, 24abd, 25ci, 25abi,45cda, 85a, 85ca, 85ci, 139a, 193 (insertada).

ROBERT HARDING PICTURE LIBRARY: Schuster 2–3.

CAPITOL HILTON HOTEL: 160.

IMAGE BANK: 91ab; Andrea Pistolesi 48ci, 74abi.

KIPLINGER WASHINGTON COLLECTION: 74ai.

BIBLIOTECA DEL CONGRESO: Carol M. Highmith 44ab.

MATISSE RESTAURANT: 17aci; cortesía de Mount Vernon Ladies' Association: 148ai, 148cia.

NATIONAL AIR AND SPACE MUSEUM © SMITHSONIAN INSTITUTION: 99-5240-7-29ai.

NATIONAL GALLERY OF ART, WASHINGTON, DC: Samuel H. Kress Collection, Photo: Philips A. Charles, *Busto de Lorenzo de Medici* 55ai; Ailsa Mellon Bruce Fund. Photo: Bob Grove *Ginebra Benci* (1474) de Leonardo da Vinci 56ad; Samuel H. Kress Collection, *Joven con tutor* de Nicolas de Largillière, 1685-56ciab; Samuel H. Kress Collection, *La expulsión de los mercaderes del templo*, anterior a 1570 (detalle), de El Greco 58a; Samuel H. Kress Collection, *Madonna con Niño*,1320-1330 de Giotto 58ci; Colección de Mr and Mrs Paul Mellon, *Mujer con sombrilla*, 1875 de Claude Monet 57a; Harry Whitemore Collection, *Sinfonía en blanco Nº 1: La mujer de blanco* de 1862, de James McNeill Whister 57cd; Timken Collection, *Diana y Endemión* (1753) de Jean-Honoré Fragonard 58ab; cortesía de Ernest Iselin, *Mrs Adrian Iselin*, 1888 de John Singer Sargent 59ab; John Russell Pope (arquitecto) 185.

NATIONAL MUSEUM OF AMERICAN ART/© SMITHSONIAN INSTITUTION: Cortesía de Mr y Mrs Joseph Harrison *Oso viejo, el curandero*, 1832, de George Catlin 92abd; *Aqueloo y Hércules*, © T.H. Benton and R.P. Testamentary Trust VAGA, New York DACS, London 2000-92-93c; legado por Henry Ward Ranger a través de la National Academy of Design, *Cliffs of the Upper Colorado River, Wyoming Territory*, 1882, de Thomas Moran 92abi; cortesía de John Gellatly *En el jardín (Celia Taxter en su jardín)*, 1892, por Childe Hassam 93abi; cortesía de James Renwick Alliance and Museum Purchase a través de la Smithsonian Collections Acquisitions Program, *Game Fish*, 1988 © Lary Fuente 93abd; cortesía de Herbert Waide Hemphill. Jr. and Museum Purchase gracias a Ralph Cross Johnson, *Jirafa con tapón de botella* de autor desconocido, posterior a 1969-94ai; © Untitled Press, Inc./VAGA, New York and DACS London 2000, *Reservoir*, 1961 de Robert Rauschenberg 94cd; obsequio de donantes anónimos, *The Throne of the Third Heaven of the Nations Millenium General Assembly*, 1950-1954, de James Hampton 94abi.

NATIONAL PORTRAIT GALLERY/© SMITHSONIAN INSTITUTION: Cortesía de The Morris And Gwendolyn Cafritz Foundation and Smithsonian Institution Trust Fund, *Autorretrato*, 1780-1784, de John Singleton Copley 93 ca; cortesía de Friends of President and Mrs. Reagan, *Ronald Wilson Reagan*, 1989, © Bruce Davidson/Magnum 95ab; Tansferido por la National Gallery of Art, cortesía de Andrew W. Mellon, 1942, *Pocahontas*, de autor desconocido, de la escuela inglesa, según el grabado de 1616 de Simon van de Passe, posterior a 1616-95ai; cortesía de Morris and Gwendolyn Cafritz Foundation y Regents' Major Acquisitions Fund., Smithsonian Institution, *Mary Cassatt*, 1880-1884, de Edgar Degas 93ai; cortesía de National Portrait Gallery, *"Casey" Stengel*, escultura basada en el modelo en escayola de 1965 por © Rhoda Sherbell 93ad.

NATIONAL POSTAL MUSEUM/ © SMITHSONIAN INSTITUTION: Jim O'Donnell 51c.

NATIONAL ZOOLOGICAL PARK/© SMITHSONIAN INSTITUTION: Jessie Cohen 132ai, 132ci, 132abd, 133ai, 133ad, 133cdab.

DAVID NOBLE: 1, 52, 158-159

RICHARD T. NOWITZ: 61ab, 77cdab; Abe Nowitz 35c.

OCTAGON MUSEUM/AMERICAN ARCHITECTURAL FOUNDATION, WASHINGTON DC: 109ab.

OXFORD SCIENTIFIC FILMS: James Robinson 153abd.

PHILLIPS COLLECTION: 129c; © Mondriam Holtzman Trust c o Beeldrecht, Amsterdam Holland & DACS, London 2000, *Composition Nº 33*, 1921-1926, de Piet Mondriam 129ab.

POPPERFOTO: 26ci, 26cd.

PRIVATE COLLECTION: Kevin Ryan 180a.

REX FEATURES: 25ac; SIPA Press Tripett 25 abcd.

MAE SCANLAN: 29cia, 30a, 34ab, 60abi, 73a, 98, 190a.

SCIENCE PHOTO LIBRARY: US Geological Survey 10.

FRANK SPOONER PICTURES: Markel-Liaison 85abd.

TEXTILE MUSEUM: Cortesía de Mrs Charles Putnam 130a.

TOPHAM PICTUREPOINT: 119ciab.

TRH PICTURES: National Air and Space Museum 61a, 62a.

UNITED AIRLINES: 202a.

UNIVERSITY OF VIRGINIA: Library Special Collections Department, Manuscript Print Collection 121ai.

UNITED STATES HOLOCAUST MEMORIAL MUSEUM: 77cda.

WESTERN UNION: 200c.

WHITE HOUSE COLLECTION, Cortesía de WHITE HOUSE HISTORICAL ASSOCIATION: 102ci; 102ab, 103a, 102c, 102abi, 102abd, 104a, 104ab, 105c, 105ab.

WOODFIN CAMP & ASSOCIATES, INC: Katherine Karnow, National Air and Space Museum 62ab.

Guarda de cubierta anterior: todas las fotografías especiales excepto David Noble abd; Mae Scanlan ai.

Guarda de cubierta posterior: © 1998 Washington Metropolitan Area Transit Authority.

Cubierta: todas las fotografías especiales excepto: CORBIS: Joseph Sohm; ChromoSohm Inc. cubierta anterior ai; Craig Aurness lomo arriba; MICHAEL FREEMAN: cubierta posterior ai; DAVID NOBLE: cubierta posterior abi.

Plano del Metro

Leyenda

- Red Line • Glenmont/Shady Grove
- Orange Line • New Carrollton/Vienna/Fairfax-GMU
- Blue Line • Addison Road/Franconia-Springfield
- Green Line • Branch Avenue/Greenbelt
- Yellow Line • Huntington/Mt. Vernon Sq-UDC

Commuter Rail
- Amtrak MARC
- Virginia Railway Express

Estación en servicio

Estación con transbordo

Aparcamiento

Futura estación

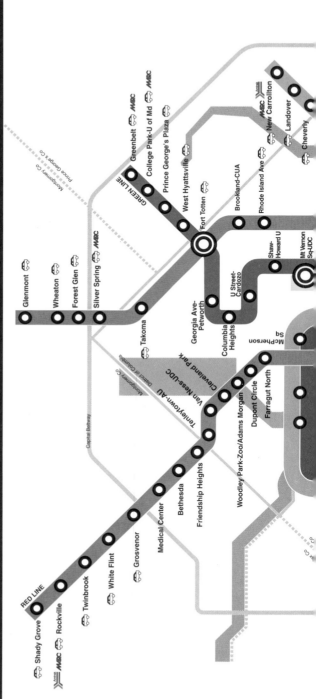

RED LINE

Shady Grove — Rockville — Twinbrook — White Flint — Grosvenor — Medical Center — Bethesda — Friendship Heights — Tenleytown-AU — Van Ness-UDC — Cleveland Park — Woodley Park-Zoo/Adams Morgan — Dupont Circle — Farragut North

Glenmont — Wheaton — Forest Glen — Silver Spring — Takoma — Fort Totten

GREEN LINE

Greenbelt — College Park-U of Md — Prince George's Plaza — West Hyattsville — Fort Totten — Georgia Ave-Petworth — Columbia Heights — U Street-Cardozo — Shaw-Howard U — Mt Vernon Sq-UDC

Brookland-CUA — Rhode Island Ave

New Carrollton — Landover — Cheverly

McPherson Sq

Capital Beltway

Montgomery Co / District of Columbia

Montgomery Co / Prince George's Co